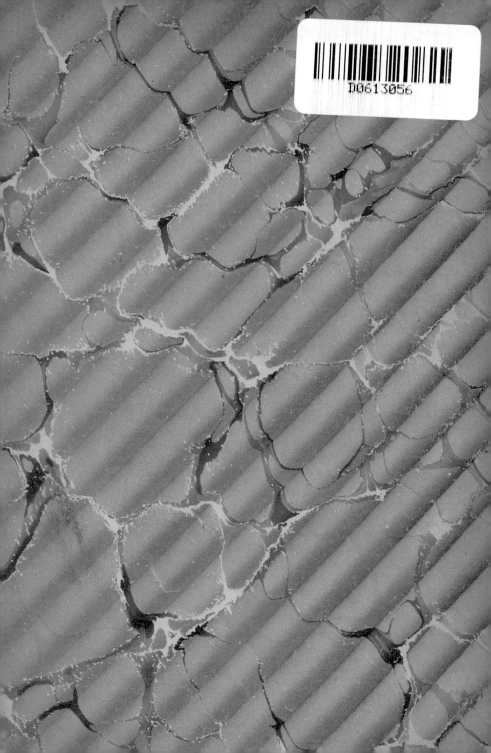

MÉMOIRES
INTÉRIEURS

OUVRAGES DU MÊME AUTEUR

I. ROMANS

L'ENFANT CHARGÉ DE CHAÎNES.
LA ROBE PRÉTEXTE.
LA CHAIR ET LE SANG.
PRÉSÉANCES.
LE BAISER AU LÉPREUX.
LE FLEUVE DE FEU.
GENITRIX.
LE DÉSERT DE L'AMOUR.
THÉRÈSE DESQUEYROUX.
DESTINS.
TROIS RÉCITS (nouvelles).

CE QUI ÉTAIT PERDU.
LE NŒUD DE VIPÈRES.
LE MYSTÈRE FRONTENAC.
LES ANGES NOIRS.
PLONGÉES.
LES CHEMINS DE LA MER.
LA FIN DE LA NUIT.
LA PHARISIENNE.
LE SAGOUIN.
GALIGAÏ.
L'AGNEAU.

II. POÈMES

LES MAINS JOINTES.
L'ADIEU A L'ADOLESCENCE.

ORAGES.
LE SANG D'ATYS.

III. ESSAIS ET CRITIQUES

LA VIE ET LA MORT D'UN POÈTE.
SOUFFRANCES ET BONHEUR DU CHRÉTIEN.
COMMENCEMENTS D'UNE VIE.
DISCOURS DE RÉCEPTION A L'ACADÉMIE FRANÇAISE.
JOURNAL, tomes I, II, III, IV et V.
LE JEUNE HOMME.
LA PROVINCE.
PETITS ESSAIS DE PSYCHOLOGIE RELIGIEUSE.
SUPPLÉMENT AU TRAITÉ DE LA CONCUPISCENCE.
DIEU ET MAMMON.
JOURNAL D'UN HOMME DE TRENTE ANS. Extraits.
BLAISE PASCAL ET SA SŒUR JACQUELINE.
BLOC-NOTES.

PÈLERINS DE LOURDES.
JEUDI-SAINT.
VIE DE JÉSUS.
LE ROMAN.
RENÉ BAZIN.
LE DROLE.
LE ROMANCIER ET SES PERSONNAGES.
LA VIE DE JEAN RACINE.
LE BAILLON DÉNOUÉ : APRÈS QUATRE ANS DE SILENCE.
SAINTE MARGUERITE DE CORTONE.
LE CAHIER NOIR.
LA RENCONTRE AVEC BARRÈS.
RÉPONSE A PAUL CLAUDEL.
MES GRANDS HOMMES.
DU CÔTÉ DE CHEZ PROUST.
LA PIERRE D'ACHOPPEMENT.
PAROLES CATHOLIQUES.
LE FILS DE L'HOMME.

IV. THÉÂTRE

ASMODÉE.
LES MAL AIMÉS.

PASSAGE DU MALIN.
LE FEU SUR LA TERRE.

LE PAIN VIVANT.

FRANÇOIS MAURIAC

de l'Académie française

MÉMOIRES INTÉRIEURS

FLAMMARION, ÉDITEUR

26, rue Racine, Paris

Il a été tiré de cet ouvrage :
Cinquante-cinq exemplaires sur vélin chiffon
des Papeteries de Lana
dont cinquante exemplaires numérotés de 1 à 50
et cinq exemplaires numérotés de I à V ;
Cent dix exemplaires sur vélin Alfa
des Papeteries Cellunaf
dont cent exemplaires numérotés de 51 à 150
et dix exemplaires numérotés de VI à XV.

A CLAUDE MAURIAC

Je te donne cette image de moi-même : mon reflet dans les lectures de toute une vie.

C'est le témoignage de ma confiance en ta destinée d'écrivain, et d'une tendresse qui ne finira jamais.

F. M.

I

*Raconter sa vie. — La famille nous condamne au silence. —
Notre reflet dans les livres que nous avons lus. — Les poètes
de sept ans. — L'odeur de l'asphalte. — Le bonheur des
vacances. — « Cette attente folle et vague ».*

RACONTER sa vie, c'est une idée que des amis ont pour
nous quelquefois : « Pourquoi ne racontez-vous pas
votre vie ? » Oui, pourquoi ? Par humilité ? Non,
l'orgueil suffirait bien à nous en détourner. D'ailleurs que
raconterions-nous, si nous ne fûmes que peu mêlés aux
événements et si nous n'en avons rien vu de près ? Mais
il s'agit bien de cela pour nos conseillers ! Ils exigent de
nous l'histoire d'un écrivain qui, par inclination et par
métier, durant une grande part de son existence, fut plus
attentif à lui-même qu'à la confuse mêlée politique. Sans
doute songent-ils que les guerres ne manqueront jamais
de généraux et de politiciens pour démontrer en plusieurs
tomes que ce sont d'autres qu'eux qui les ont perdues. En
revanche, le secret combat d'une destinée particulière, ce
que l'auteur de l'*Imitation* appelle « les divers mouvements de la nature et de la grâce », voilà, disent-ils, un
récit digne d'occuper les loisirs de mon déclin.

Je ne me laisserai pas tenter. Se connaître et se décrire,
comme Benjamin Constant ou Stendhal se sont connus et
décrits, ce n'est plus ce qui aujourd'hui nous est demandé.

Ce n'est plus à ce voyage autour de nous-même que nous sommes conviés. L'exigence qu'on nous manifeste est d'un autre ordre, même si on ne la formule pas. Depuis un demi-siècle, Freud, quoi que nous pensions de lui, nous oblige à tout voir, et d'abord nous-même, à travers des lunettes que nous ne quittons plus. Dès le lendemain de l'autre guerre, son empire s'est imposé à tous. Je vois encore le trottoir luisant, à un angle de l'avenue Victor-Hugo, où Drieu me confia — mais peut-être était-ce Crevel ? — qu'il allait écrire un livre intitulé *Histoire de mon corps*. Et il se peut après tout que l'un d'eux l'ait écrit. (Je songe tout à coup que leurs pauvres corps ont eu la même fin et qu'ils furent retrouvés tous deux glacés au fond d'une baignoire.)

Elle eût été aussi, cette histoire de leur corps, celle de leurs passions, de leurs pensées et de leurs songes ; car il n'est plus question pour personne désormais de découper son destin selon les pointillés imposés par nos manuels de philosophie : intelligence, sensibilité, volonté. L'auteur d'une autobiographie est condamné au tout ou rien. Ne dis rien si tu ne dois pas tout dire : ton monologue doit être l'expression d'un magma.

Je ne dirai donc rien. Et d'abord parce que, si nous étions assez fou pour l'entreprendre, cette folie ne nous concernerait pas seul. A la source de nous-même, il n'y a pas nous-même, mais le fourmillement d'une race. Notre enfance nous apparaît comme une nébuleuse dont une mère est le noyau tendre et rayonnant. Notre histoire personnelle, dès son premier chapitre, attenterait au miséricordieux oubli que goûte justement dans la mort toute créature qui a vécu avec décence et dévotion, comme l'ont fait celles dont je suis issu.

C'est déjà trop de ce qu'il est passé des morts malgré nous dans les fictions que nous avons inventées. Je m'irri-

tais quand j'étais jeune de ce mur dressé par la bourgeoi-
sie d'autrefois contre tous les regards et, chez certains, de
ces eaux troublées exprès pour dissimuler ce qui ne
devait pas être connu. Je mesure mieux aujourd'hui,
lorsque j'essaye d'imaginer ce que devrait être l'histoire
de ma vie racontée par moi-même, quel risque permanent
d'attentat constitue le monstre de lettres, qui tire sa
substance d'une classe et d'une lignée.

L'enfance est le tout d'une vie, puisqu'elle nous en donne
la clef. Mais ce petit être que j'interroge, même à l'âge de
raison, il n'est pas tout à fait né encore, il demeure
comme lové dans les entrailles d'une famille adorée. Il
est l'aboutissement de tous ces destins obscurs auxquels
il reste mêlé et qui vont s'accomplir en lui ; chacun de ces
destins, si nous entreprenions d'écrire notre vie, devrait
être détaché, étudié à part, et non point du dehors comme
font la plupart des mémorialistes qui décrivent les tics,
esquissent des personnages pittoresques. C'est se dérober
devant ce qu'exigerait l'autobiographie : la désarticulation
de ces écorchés humbles et tragiques dont chacun peut-
être propose une réponse à l'énigme posée par l'écrivain
sorti d'eux.

Dormez en paix. Je ne parlerai pas de moi, pour ne pas
me condamner à parler de vous. Oh ! Je le sais bien : mon
silence ne vous sauvera peut-être pas et, même lorsque
je vous aurai rejoints, je continuerai d'être pour vous
redoutable, selon que je serai accueilli ou rejeté par l'oubli
qui vous recouvre. Si je flotte encore un peu de temps à la
surface, si des chercheurs tournent autour de ces inédits,
de ces correspondances, de tout ce qui surnage à l'endroit
où nous avons été engloutis (ce qui s'appelle survivre),
alors ce qui m'atteindra vous atteindra vous aussi.

Je demeurerai cette part de vous-mêmes toujours
exposée au monde. Une œuvre, tant qu'elle survit, c'est

une blessure ouverte par où toute une race continue de saigner.

Refuser d'écrire sa vie, ce n'est pourtant pas se résoudre à n'en rien laisser connaître. Si nous renonçons à une approche directe de l'être que nous fûmes, il nous reste d'en rechercher le reflet dans les livres qu'il a aimés. Nous avons été modifiés par nos lectures, mais nous avons aussi imposé notre empreinte à celles qui ont beaucoup compté pour nous, au point qu'en parler, c'est nous livrer. Je pourchasse de livre en livre, dans les études que j'écris, l'ombre de ce que je fus, depuis les récits de l'enfance qui les premiers m'ont atteint, touché, transformé.

Voilà peut-être la justification des recherches que je mène un peu au hasard : non une pensée critique, mais ce qui reste de ma propre histoire dans cette littérature qui m'a soutenu et consolé depuis que je suis né à la vie consciente — comme si chacune de ces sources avait gardé le reflet du visage enfantin, puis de la jeune figure tourmentée, puis du masque imposé par la vie qui se sont penchés sur elles tour à tour.

Ni la mort ni le soleil ne se peuvent regarder en face — ni nous-même. Du moins pouvons-nous confronter les reflets de ce que nous fûmes, qui tremblent encore dans nos vieilles lectures, et l'être que nous sommes devenu. Oui, voilà bien le fil conducteur de ce voyage à travers mes premiers enchantements.

Mais ce n'est qu'à partir du moment où nous avons commencé à nous chercher dans les livres, la première adolescence, que les proses et les poèmes ont gardé comme une empreinte de celui qui, il y a un demi-siècle, les lisait avec tant d'amour. La trace y subsiste de ce que nous y rajoutions pour les rendre conformes au désir de cet âge et à notre songe d'alors. Ainsi ces œuvres épousent-elles notre plus secrète histoire, et parler d'elles, c'est parler indirectement de nous — enfin du nous que nous fûmes, que nous nous souvenons d'avoir été.

Et pourtant ces commentaires que je fais souvent ici ne

seront pas étrangers à la critique. La part du critique, c'est de dégager ce qui subsiste de l'œuvre, notre jeune enchantement enfin dissipé ; et ce reste, nous le jugeons face à la vie, non plus rêvée et imaginée comme à vingt ans, mais telle que nous savons qu'elle est maintenant, nous qui avons fini d'en prendre l'exacte et horrible mesure.

Tout ce qui en littérature relève du romantisme s'est fait, dès l'adolescence, notre complice, et le demeure aussi longtemps qu'un peu de jeunesse gronde en nous. Puis, à mesure que l'orage s'éloigne dans la forêt dépouillée et qui ne reverdira plus, alors ces proses et ces poèmes se dépouillent eux aussi d'un infini dont nous les avions chargés et qui venait de nous. Mais ils en gardent les traces. Nous y retrouvons partout les signes lisibles pour nous seul de cette vie que je disais inracontable. Ainsi d'indicibles mémoires se composent, presque à mon insu, avec ces commentaires que j'écris dans la marge de mes lectures d'autrefois.

Notre enfance que nous regardons luire vaguement si loin derrière nous — et tout ce qui nous en sépare appartient déjà à la nuit — cette nébuleuse de l'enfance, je la vois s'ordonner autour d'un point plus brillant, pareil à ces étoiles avivées de l'hiver : Noël, le temps enchanté... mais l'enchanteur, c'était ce petit garçon : de lui seul, il tirait son pouvoir d'enchantement. Si le génie est de sécréter son propre univers, le poète de sept ans auquel je songe, quel génie il avait !

Des prétextes à son bonheur démesuré, je n'en trouve guère. La messe de minuit lui était interdite. Un enfant ne veille pas : telle était la loi inflexible. Le soulier dans la cheminée, quelques bougies roses et bleues autour d'une médiocre crèche, le soir du 24 décembre, chez ma grand-mère, et qui brûlaient, le temps de chanter : « Venez divin Messie... », il n'en fallait pas plus pour que jaillisse une source de bonheur et de tendresse qui s'épandait sur toutes les créatures vivantes, hommes et bêtes, et sur les choses de mon humble vie. A l'heure où l'enfant tombe comme une pierre au fond du sommeil, le grondement soudain du bourdon de la cathédrale toute proche emplissait la chambre d'une voix sainte et terrible.

Mais non : si dévot que fût l'enfant, ce bonheur débordait le mystère de Noël et le traversait sans s'y mêler. La source au-dedans de moi avait commencé de sourdre bien avant que le bourdon eût bouleversé la nuit. Elle n'avait eu besoin ni de cloches ni de cantiques pour s'épandre hors de moi. Depuis bien des jours je dressais seul, en secret, le décor de ce monde enchanté.

Il m'avait suffi, au retour de l'école, du reflet sur le trottoir de ces boutiques du cours Victor Hugo (qui, pour ma famille, s'appelait encore le cours des Fossés). Qu'elles feraient pitié aux écoliers d'aujourd'hui, à ceux de Paris surtout, ces devantures où luisaient des jouets de petits pauvres, des sucreries suspectes. Je courais comme un fou, laissant loin derrière moi Octavie, qui était venue me chercher. J'écrasais mon nez contre la vitre qui me séparait de ces merveilles. Non qu'elles me fissent vraiment envie. J'adorais en elle un signe. Quel signe ?

Qu'était-ce donc ? Il y avait cette odeur de l'asphalte mouillé. Je ne retrouve rien d'autre en moi que cette odeur qui accompagnait ma joie, mais qui n'en pouvait être la cause. Il n'existait pas de cause. Les poètes de sept ans (c'est un titre de Rimbaud) détiennent un pouvoir de transfiguration qui fait bon marché des apparences. Le réel leur en fournit toujours assez pour susciter ce monde secret où ils se meuvent seuls.

Aujourd'hui, je fais semblant de ne pas voir, de ne pas entendre ce petit-fils qui joue près de moi. Je m'interdis de pénétrer par effraction dans le songe où il marche tout

éveillé, mais sans me voir. Il cache des trésors, et le bouton
de nacre qu'il ramasse concentre pour lui seul tous les
feux d'une aurore. Il ne sait pas que cette aurore errera
toute sa vie au bas de son ciel, et que, vieillard, il la verra
resplendir encore, lorsqu'il tournera la tête une dernière
fois.

Cette nébuleuse de l'enfance a beau porter en suspens
tous les chagrins d'un écolier chétif, toutes ses terreurs,
toutes les larmes répandues en secret, et Dieu sait que je
n'en fus pas avare ! elle n'en recèle pas moins le mystère
d'une joie si aiguë, si pénétrante qu'à travers l'épaisseur
des années sa pointe m'atteint encore — une joie dont
Noël n'était que le prétexte. L'hiver humide et doux de
Bordeaux l'enveloppait de ce brouillard d'avant que le
monde fût empuanti par le pétrole : c'était l'haleine même
de la chaste nuit et du fleuve sombre, à l'instant et au
lieu où il est près d'embrasser l'océan et de s'anéantir dans
ses abîmes, avec tout ce qu'il a reflété de coteaux, de maisons et de visages.

Ce vers me revient d'un poète de ma jeunesse, je crois
que c'était Henry Bataille :

> Mon enfance, adieu mon enfance ! Je vais vivre !

Il ne savait pas que cette enfance, à laquelle il disait
adieu, nous accompagne jusqu'à la fin, jusqu'au jour, jusqu'au soir où nous lui dirons : « Adieu, mon enfance, je
vais mourir. » Mais même alors il n'y aura pas encore
d'adieu. La joie folle qui me faisait courir — et puis, le
front contre une vitrine éclairée chichement, je reprenais
haleine — elle sera là au bord des ténèbres, je la retrou-
verai, je monterai dans la barque en serrant dans mes
bras un poète de sept ans.

Nous partirons ensemble pour retrouver la source. Nous
l'atteindrons par-delà les pauvres devantures, l'odeur du
trottoir mouillé, l'estuaire immense, par-delà l'océan qui
ronge les dunes. Nous remonterons jusqu'à la cause de

notre joie. Eternelle enfance de Dieu ! Et je saurai alors
pourquoi, il y a soixante ans, dans le brouillard de ce
vieux quartier, je courais à perdre le souffle, je bondis-
sais comme un chevreau.

Le bonheur... Quand, au déclin, nous voulons le suivre
à la piste depuis notre enfance, relever ses traces, nous
fixons notre pensée sur telles réussites dont nous nous
souvenons d'avoir été enivrés, sur telles rencontres. Mais
rien ne réchauffe plus en nous ces souvenirs glacés. Je
me rappelle avoir été heureux. Je suppose que je dus l'être
dans des circonstances données. Pourtant la sensation du
bonheur est beaucoup moins liée pour moi à des faits qu'à
des atmosphères, à celle surtout d'une certaine saison qui
n'était pas encore les grandes vacances mais leur approche.
    Dieu sait si, à un âge que l'on dit heureux, il n'était
rien qui ressemblât moins au bonheur que mon angoisse
sourde, que cette nappe souterraine affleurant mes journées d'écolier. Et pourtant dès que la distribution solen-
nelle des prix se découvrait tout à coup sur l'horizon, au
dernier tournant de l'année scolaire, quel était ce bonheur
qui dépassait infiniment le plaisir d'être délivré du
collège ?
    Je n'ai pas besoin, pour qu'il me pénètre, de tremper
dans une tasse de thé la petite madeleine de Proust. Je
le retrouve au-dedans de moi, sans l'intermédiaire
d'aucune saveur, d'aucune odeur. Ce juillet fauve brûle
toujours, confondu avec la terreur des compositions de
fin d'année et de l'examen qui déciderait du passage dans
une classe supérieure ; et je contemple, à travers la barrière
de la cour, l'échafaudage léger que des ouvriers qui sifflent
dressent sous les arbres, pour la distribution des prix.
    La vue de ces planches blondes comme des miches de
pain, leur odeur de copeau frais me livraient à un enchantement qui était déjà le bonheur. L'avant-dernier jour, on

apportait des toiles rayées de pourpre, des crépines d'or qui avaient abrité d'autres fêtes oubliées. Sur l'herbe épaisse où des mains négligentes les avaient jetées, luisait ce trésor qui allait m'ouvrir un paradis inconnu.

Je feignais d'oublier que, dès la première semaine, une angoisse propre aux vacances me posséderait : à peine entamées, elles s'effriteraient d'heure en heure. La peau de chagrin, j'en ai vécu le mythe alors que je ne connaissais même pas le nom de Balzac. Les vacances rétrécissaient sous mon regard. Les jours du bonheur étaient comptés. Ils ne ressemblaient d'ailleurs pas à ce que j'avais imaginé lorsque à travers la barrière de la cour je voyais s'échafauder l'estrade où, dans une matinée triomphante, sous l'œil attendri des chers parents et de Mgr Toureau, vicaire général, les bras chargés de livres dorés et illisibles, les cheveux ceints d'une couronne de papier vert, nous écouterions un petit orchestre jouer en notre honneur l'ouverture de *Si j'étais roi* et du *Voyage en Chine*.

Seules les deux ou trois journées qui suivaient les prix ne me décevaient pas. Je déversais sur elles la joie que j'avais d'avance accumulée. Mais cette joie ne naissait pas de ces journées qui portaient en elles le germe d'une destruction inéluctable. A l'angoisse du collège se substituait une autre qu'enfantaient les heures vides et brûlantes. Je n'en avais rien reçu encore et déjà elles n'étaient plus là.

Plus l'été inclinait vers sa fin et plus se pénétrait de tristesse l'amour que j'avais voué au parc et à la lande qui le pressait de ses pins sans nombre. J'aimais plus ardemment cette terre aride et triste à mesure qu'elle commençait à prendre l'aspect qu'elle aurait, ce matin d'octobre où nous devrions nous séparer, elle et moi. C'était à mes yeux l'instant d'une beauté déchirante : premières palombes, grelots de troupeau dans la brume, vent d'ouest qui sentait la mer. Rien de tout cela n'était là encore, mais je cherchais d'avance, comme sur un visage aimé, la trace d'une première meurtrissure.

Chaque saison porte en elle la saison qui va suivre. Au plus brûlant de l'été, les oiseaux se taisent et préparent leur grand voyage. L'été était déjà blessé à mort pour l'enfant qui l'observait de tout près dans la bauge secrète qu'il s'était ménagée. Mais quoi ! ce dont débordaient ces journées, ces courses à travers la forêt, ces goûters au moulin, ces pêches aux écrevisses, ces libellules sur l'eau glacée, n'était-ce pas le bonheur ? Le bonheur...

Peut-être la discipline familiale trop stricte nous eût-elle empêché de l'étreindre jamais. Nos devoirs de vacances étaient de vrais devoirs. De dix heures à midi, de deux heures à quatre heures, je demeurais penché sur des cahiers dont la couverture bleue et rouge représentait la prise de Tananarive par le général Duchesne. Les cigales grinçaient derrière les volets, mais une fleur de lis y était dessinée par où le soleil féroce dardait « un long rayon poudreux plein d'innombrables danses » (c'est un vers d'André Lafon). Des guêpes se cognaient aux vitres, et au plafond des mouches énormes. Cet immense bourdonnement des étés de mon enfance, je ne l'entends plus qu'au-dedans de moi. Il me semble que les étés ne bourdonnent plus et que les grillons se taisent quand je passe pour ne pas me faire penser au jeune homme d'autrefois.

Non, ce n'était pas le bonheur. Il y a dans les enfances préservées une place vide, très apparente, une place gardée pour ce visiteur dont l'enfant connaissait bien le nom, car il était question d'amour dans les romans de Zénaïde Fleuriot que sa mère avait choisis pour lui à l'Œuvre des bons livres. Mais qu'était donc cet amour ? J'entends parler souvent des amours enfantines. Beaucoup de camarades m'ont dit qu'ils ne se souvenaient pas d'avoir

jamais été purs. Mais pour ceux de ma race, gardés comme
s'ils eussent été appelés à vivre au milieu des anges, rien
n'annonçait le visiteur inconnu. La chair et le sang étaient
enchaînés par quelque sortilège céleste. Aucun orage ne
rôdait. Il n'y avait que ce nom : amour, que ces allusions
à ce qu'il ne fallait même pas nommer, et rien que d'y
arrêter sa pensée était déjà le mal.

Et pourtant, après soixante années écoulées, c'est bien
cette attente folle et vague qui pour moi ressemble le plus
à ce que recouvre « bonheur », le mot magique, peut-être
parce qu'aucun accomplissement n'y imposait sa limite et
que l'attente seule est un pays sans frontière.

C'est ainsi qu'un cœur se trouve prédisposé à Dieu. Non
que les meilleurs chrétiens soient fournis par l'espèce
d'enfants que je décris ici, pour qui la vie religieuse est
d'abord un état de sensibilité. Si j'avais à traiter de la
vocation sacerdotale, j'aurais à ce propos beaucoup à
dire et mettrais en garde contre les vocations précoces.
Toutes les vocations devraient être tardives.

Mais que vais-je chercher là ! S'il exista jamais des
enfants comme celui que je fais surgir d'un gouffre
d'années, la race en doit être bien perdue. Il fallait, pour
produire ces garçons trop sensibles, des conditions très
singulières qui ne se trouvent plus réunies aujourd'hui.
Il n'existe guère plus, j'imagine, d'enfances préservées. Une espèce d'insurrection obscène de refrains et
d'images pénètre partout désormais, viole les foyers les
plus austères et hurle sans fin aux oreilles des enfants ce
que les hommes entendent par bonheur. Mais, qui sait ?
Telle est la bassesse de ce déferlement qu'il suscitera peut-
être une autre génération de garçons aussi avides, aussi
déçus que celui qui, il y a soixante ans, appuyé à la
barrière de la cour, regardait les ouvriers siffleurs échafauder l'estrade d'où il imaginait qu'il allait prendre son
vol vers un bonheur immense et vague, qui n'avait pas
encore de nom.

II

L'arrivée pour les vendanges. — L'heure de vérité. — La maison telle qu'elle est. — Les aîtres et l'être. — L'art des villes et l'art des champs. — Nocturne en septembre. — L'ombre qui m'apparut un soir. — Vingt semaines de ténèbres.

Quand je retrouve ce jardin, à l'approche des vendanges, c'est aussi le temps où le facteur m'apporte les premiers billets de théâtre. A Paris, déjà, chacun réoccupe son fauteuil. Les trois coups sont frappés. Une fois encore, je vais manquer le commencement de la pièce. Et pourtant, celle que je me joue ici à moi-même, que pourrait-elle encore me donner ? Je ne suis plus dupe du vieil enchantement, et si je respire au réveil, penché à la même fenêtre qu'il y a cinquante ans, la brume qui a l'odeur de ce temps-là, je me méfie du pouvoir que j'ai d'orchestrer toutes les voix venues d'un monde anéanti.

Je m'en méfie ? Ce n'est pas assez dire. Ces jours vides et tristes, je cherche à m'en distraire, non parce que je m'ennuie — je ne sais plus ce qu'est l'ennui — mais plutôt à cause de leur plénitude : ils paraissent vides et débordent d'une vie sourde et insistante. Je voudrais m'en défendre et ne le puis. Je ferme le livre à peine ouvert. Je mets un disque et la musique se fait complice de cela même dont je souhaitais être délivré : ce qui subsiste de notre vie lorsque l'œuvre est interrompue sinon finie, que le désir de séduire, de convaincre, n'est plus en nous qu'une cendre déjà froide. C'est un jour trouble de septembre. La campagne est déserte. Je ne vois rien, hors cette main un peu déformée que je lève à la hauteur de mon regard. Je n'entends rien qu'à mon oreille le chuchotement du sang.

Voici l'heure de vérité. Le poète est las de recréer indéfiniment un monde qui n'existe pas. Cette maison, cette vieille cour, cette charmille, je suis résolu à les voir telles qu'elles sont. J'abattrai ce décor d'une pièce à un seul personnage, car c'est toujours nous-même qui, depuis le commencement, parlons à nous-même. Cette pauvre maison, entre des chais affaissés, il n'y a rien d'autre pour m'empêcher de la voir que quelques images : à l'endroit même où je me tiens immobile, j'ai été photographié auprès de ma mère en 17 ou en 18. A deux pas de là, je pressais contre moi mon petit garçon, sur cette photo qui est reproduite dans un de mes livres. Je voudrais les effacer. En vain : je ne parviens pas à dégager ces murs, ces tuiles, cette pauvre matière sans style que mes yeux voient, de tout ce qui ne se voit pas et qui en renouvelle indéfiniment pour moi seul la presque insupportable beauté.

Les maisons vivent et elles meurent. Il en est qui n'ont jamais vécu, si peuplées qu'elles aient été. Celles de l'espèce vivante n'ont rien à redouter de la mort des êtres qu'elles abritaient, car toute mort les enrichit. On dirait qu'à travers ces murs épais où les lézardes courent circule un sang qui, avant même que je fusse né, brûlait à des joues d'enfants — ce sang qui s'était déjà retiré du visage blême de ma mère à l'époque où, si près de s'endormir pour toujours, elle montait encore à pied la côte de Malagar. Je ne puis faire que tout cela, qui n'est que matière, ne soit vivant dès que je le regarde. La vie qui y afflue sourd de l'œil que j'y arrête avec un amour que je ne parviens pas à surmonter.

Il m'est interdit de voir ces choses telles qu'elles sont, telles qu'elles seraient si je n'existais pas. Et même quand je n'existerai plus, la vie, qui se sera retirée de mon cœur de chair animera sourdement ce « grand cœur de pierre » : Lamartine appelait ainsi sa maison.

Lamartine, et combien d'autres poètes connus et inconnus, dont, vivants, le destin aura été lié à un endroit du monde, comme le sont leurs ossements à ces quelques pieds de terre où ils attendent la résurrection. Ils constituent une espèce, une famille d'artistes très différente de celle que Paris inspire.

L'art des villes et l'art des champs, surtout depuis Baudelaire, c'est une ligne de partage. Je sais bien de quel côté je me trouve, non par choix, mais parce que j'y suis né. Il ne m'échappe certes pas que la littérature bucolique tend à la facilité. Tout l'aspect « Rosa Bonheur » de cet art-là, je le redoute et je m'en garde, remontant aux sources pures qui me sont chères ; entre plusieurs autres, à la plus pure : Maurice de Guérin.

Parce que j'y suis né, disais-je, j'appartiens à ce côté des lettres. Pourtant, il ne suffit pas d'y être né ou d'y avoir vécu. Toulouse-Lautrec, à deux kilomètres de Malagar, voyait du perron de Malromé où il est mort ce que moi-même je vois. Mais son œil mourant, par-delà les collines embrasées, peut-être cherchait-il encore des coulisses aux pénétrantes et louches odeurs, peut-être contemplait-il au-dessus d'une table de bar, dans la lumière du gaz, une figure verte et plâtrée. Seul, un cheval immobile dans la prairie, la tête tournée et hennissant, le fit peut-être rêver de quelque après-midi de printemps sur la pelouse, à Auteuil.

Que ce soit parce que j'y suis né ou par choix, qu'importe, après tout ! Je connais ma famille invisible. Les miens, en littérature, je ne les renierai jamais. Il n'y a pas de mode qui tienne, et s'il faut demeurer seul à l'arrière-garde des lettres, j'y consens, pourvu que je retrouve, au coin de l'âtre d'une cuisine de campagne, assis sur une chaise basse, cet enfant qui se racontait à lui-même l'histoire que je me raconte encore, en regardant mourir le feu.

Une à une se sont fermées les portes des chambres. Je pousse le lourd volet de l'entrée. Il résiste à la pression de ma main. Ce grincement sur les gonds me réveillait autrefois quand ma mère, à l'aube, ouvrait pour faire entrer la fraîcheur de la nuit et pour la retenir prisonnière jusqu'au soir entre les murs de la maison obscure.

Je fais quelques pas, je m'arrête. J'écoute. Les prairies de septembre ne vibrent plus. Ces grillons que je crois entendre dans la vigne, ce sont peut-être mes oreilles qui bourdonnent et les étés d'autrefois qui murmurent dans ma pensée. Une lune à demi rongée est là. Si peu qu'il y en ait, sa clarté suffit à noyer les étoiles. Elle s'impose, elle provoque. Je suis devenu insensible à ses philtres. Elle flotte sur trop de mauvais poèmes oubliés. Dangereuse conseillère des musiciens et des poètes, mère des images faciles et des fades attendrissements, la lune attente aux ténèbres et aux constellations.

Les constellations, ce n'est pas que je me sois jamais reconnu dans leur fourmillement. Mais ici, quelques-unes s'apprivoisent et se détachent de l'immense troupeau, comme si ma voix leur était familière, comme si elles accouraient du fond de la prairie pour manger dans ma main. Il me faut le repère de ma maison pour que je sache encore les nommer — celles du moins qu'adolescent j'adorais. Quelques-unes seulement : j'ai oublié l'heure et l'endroit du ciel où le chasseur Orion surgissait. Mais Aldébaran est là et l'Arcture. La lune m'empêche de retrouver Véga.

J'avance, disponible et glacé, à travers le décor d'une pièce qui ne sera plus reprise de mon vivant. Je blasphémais la lune, mais c'est tout le mystère de la nuit que je récuse. L'âge est venu où il faut renoncer à la complicité des ténèbres. Je n'ai plus rien à projeter de moi-même sur cet écran infini. La jeunesse ne se retire pas de nous seulement, mais du monde. Tout être jeune est un enchanteur qui s'ignore. Tant que nous en eûmes le pouvoir, c'était nous qui enchantions la nuit. Elle ne nous rendait que ce que nous lui avions prêté.

Et si je me trompais ? Peut-être la nuit n'a-t-elle pas besoin de nous pour palpiter et pour souffrir. Quand j'étais jeune, je connaissais les maîtres-mots inventés par les poètes, qui, à peine prononcés, accordaient magiquement notre cœur aux sphères. Je les redis ce soir à mesure que ma mémoire les retrouve. Je les essaie un à un comme des clés rouillées qui ne tourneraient plus dans la serrure. Les invocations romantiques à la lune les plus fameuses rendent toutes un son dérisoire. Elles s'arrêtent sur mes lèvres avant que je les aie achevées.

Une d'elles pourtant me revient, qui ne fut jamais connue que des quelques amis du poète qui l'inventa ; sans doute suis-je seul au monde à en retrouver les vers au fond de ma mémoire. Si faibles qu'ils soient, une force, pour moi toujours jeune, les pénètre, une puissance intacte, au point que la nuit, l'espace de quelques secondes, redevient pareille à ce qu'elle fut il y a un demi-siècle : chaude et vivante, comme un corps vivant.

Si tu venais ce soir dans le triste jardin
Doucement, comme en rêve, ayant peur que la grille
Gémisse...

Je tâtonne à travers les mots qui frémissent, à peine les ai-je réveillés, qui soulèvent leurs ailes engourdies. Je répète : « *Si tu venais, si tu venais...* » jusqu'à ce qu'éclate la formule incantatoire :

> O nuit d'été !
> Tes astres, tes parfums, tes voix, tes voix sans nombre,
> Rien ne me serait plus que la charmille sombre
> Où le temps pour jamais semblerait arrêté.

Voici une charmille, sombre comme celle du poème, et le temps ne s'y est pas arrêté. Voici la terrasse, pierre d'un autel que les mains des morts ont consacrée — une charmille pareille à toutes les charmilles, une pierre pareille à toutes les pierres, une nuit qui n'est plus que ce qu'elle est : aveugle, sourde, sans mémoire, sans pensée.

L'étendue rongée de galaxies ne m'a jamais annoncé l'amour incréé : elle est absence infinie. La nuit n'a jamais eu d'autre cœur que le mien ni d'autres passions que les miennes. Elle ne parle de Dieu qu'à ceux dont le cœur est déjà plein de Dieu. Mais ceux-là n'ont plus besoin, pour atteindre leur Amour, de faire ce détour par les étoiles. Si je prie devant l'horizon nocturne, ce n'est pas l'œil fixé sur Cassiopée, bien que cette constellation figure déjà dans le ciel le signe du Fils de l'homme. Je ne regarde pas le ciel, mais la plaine, à l'endroit où le vaisseau d'une pauvre église est ancré dans la brume.

Je remonte vers la maison devenue décor, grâce à la lune devenue projecteur. Juliette pourrait venir — Werther aussi, hélas ! Je ne tourne même pas la tête. Le volet se referme en gémissant sur la nuit qui ne me concerne plus, qui n'est plus pour moi qu'un enchantement dissipé.

Ce soir-là, j'avais éteint toutes les lampes sauf une, près du divan, loin de l'âtre qui m'avait attiré et retenu, bien que la nuit ne fût pas froide. Des sarments embrasés faisaient luire sur la natte l'acajou et le palissandre. J'étais calme. Déjà le feu mourait. A mesure que retombait la flamme — comment dirais-je ce que je ressentis ? — le silence ne fut plus le même silence. Le temps devint autre. Alors elle ouvrit la porte sans appuyer sur le loquet, mais comme c'était sa coutume, par une poussée de son corps alourdi.

Aucun cri ne m'échappa. Je n'étais pas étonné. Elle me sourit, l'œil tourné vers le-dedans, là où proliféraient les soucis sans nombre dont se nourrissait son angoisse. Pas une seconde je ne crus qu'elle surgît de quelque gouffre inconnu. Son œil enfin s'arrêta sur moi. C'était mon visage de jeune homme qui lui apparaissait dans le vacillement de la flamme. J'ignore comment je le savais. Sa voix assourdie d'abord puis vibrante s'éleva : la part de son angoisse qui me concernait s'exprima dans des paroles confuses Mais parfois une phrase éclatait, nette et péremptoire : « La question n'est pas d'avoir ou de ne pas avoir de talent. D'abord, ne pas scandaliser. »

Je ne répondais pas : comme lorsque je m'écoute moi-même à la Radio, je m'entendais répondre. C'était ma jeune voix impatiente, contenue par le respect et par une tendresse irritée. Mais rien ne l'atteignait de ce que je pouvais dire sur l'exigence de l'œuvre à accomplir. Il s'agissait bien de vocation ! Un Juge redoutable existait. Il y avait ce compte à rendre, cette justification de toute une vie, à la merci d'une pensée, d'un regard, et cette possibilité terrifiante que nous ne fussions pas tous réunis à jamais dans l'éternel Amour — qu'un seul manquât à l'appel, entraîné dans l'abîme par cette meule de moulin attachée à son cou : un Cahier vert de chez Grasset.

Il y eut à ce moment-là comme deux clichés superposés : un souci du même ordre concernait un autre de ses enfants. L'Action française était condamnée. A Bordeaux, où régnait un cardinal intraitable, nous étions dans la gueule du lion. Des hobereaux dont la vie avait été sainte

mouraient sans sacrements. « Mais ils ont obéi à leur conscience, mère... — Il n'y pas de conscience contre l'Eglise.
— Mais l'Etre infini ne se soucie pas du journal que nous
lisons ! » Elle arrêta sur moi un regard sévère et triste et
dit : « On ne se moque pas de Dieu. » Je protestai que je
ne me moquais pas de Dieu et lui rappelai la parole : Dieu
est amour. « Pas au sens où tu l'entends, mon enfant, ce
serait trop commode. »

Je baissai la tête. Le silence s'épaissit. Une nouvelle
vague de temps déferla. Les mots que j'entendais exprimaient des inquiétudes plus ordinaires : ils concernaient
des maladies. « Entre nous, je crois que c'était d'origine
tuberculeuse, mais on ne l'a pas su... » Des chiffres s'addi-
tionnaient dans sa tête : je voyais magiquement ces
colonnes d'un livre de comptes éternel. « Le vin ne se
vendait pas. Sans doute jamais la résine n'avait été cotée
si haut. Mais fallait-il garder les pins sur pied ? La résine,
la moitié va aux métayers, tandis que le bois... » Ce que je
dis alors, et qui m'échappa à moi-même, m'attira cette
réplique : « Pourvu que tu ne te prives de rien, il ne te
coûte guère de faire le généreux... » Les maladies, les pro-
priétés, ces humbles soucis s'agitaient à la surface et elle
nous les livrait. J'en devinais d'autres connus d'elle seule.
L'irréparable et l'irrémédiable, cette grande âme exigeante
ne l'éludait pas. Elle portait ses croix les plus lourdes dans
la solitude, sous le regard de Dieu.

Ce ne fut plus qu'un chuchotement incompréhensible,
jusqu'à ce que le silence régnât — un silence qui ne ressemblait pas à celui de ma vraie vie. C'était un silence
d'autrefois, et je ne pourrais dire à quel signe je le reconnaissais. Cependant elle regardait, par-delà ce fils qu'elle
ne voyait plus, par-delà les murs salpêtrés, par-delà cette
campagne ténébreuse, elle contemplait... Oh ! Dieu ! je
comprenais quoi : la mort, l'heure de sa mort dont elle se
savait proche. Je l'observais, plein de pitié, comme si je ne
devais jamais être exposé moi-même, un jour, à cette confrontation ; je m'attendrissais sur la créature qui savait

que demain, que cette nuit peut-être une main toucherait
son épaule — ce serait un signe à peine perceptible,
comme quelqu'un qui lui dirait à voix basse : « Lève-toi,
c'est l'heure. »

Mais quelle folie d'appréhender la mort pour elle ! Dans
ses yeux levés vers moi, pourquoi cette interrogation
pleine d'épouvante ? « Mère, c'est fini pour toi, ton heure
a sonné il y a déjà vingt-huit années. Tu reposes maintenant, tu reposes dans la paix. »

Ce fut un cri que je poussai et qui déchaîna entre les
murs du vieux salon comme un remous énorme, un ruissellement infini, perceptible à mon oreille intérieure, bien
qu'aucun meuble ne craquât et que les rideaux ne fussent
agités d'aucun souffle. Reflux immense qui remportait vers
le large ce pauvre corps. Quelques tisons rougeoyaient.
Trompé sans doute par la lune tardive, un coq chanta.
J'étais revenu à ma vie de tous les jours, de toutes les
nuits. Pourquoi ne m'étais-je pas levé ? Pourquoi ne
m'étais-je pas mis à genoux ? Pourquoi n'avais-je pas pris
cette tête sacrée contre mon épaule et ne l'avais-je pas
couverte de baisers ? Pauvre fou ! tes bras n'auraient
étreint que le vide, tes lèvres auraient cherché en vain ce
front détruit. C'était un rêve dont tu te souvenais par
miracle, toi qui, à chaque réveil, vois les songes passer à
travers le filet qui ne retient jamais rien de ce que le
sommeil ramène des profondeurs. Et cette nuit-là encore,
la maison morte au cœur des ténèbres ressemblait à une
nasse vide où s'était prise, le temps d'un assoupissement,
cette ombre bien-aimée, et d'où elle avait fui. Et il ne
restait que les inutiles mailles tendues sous les étoiles de
l'automne aux morts qui ne reviennent pas.

Au réveil, cette nappe de brume sur la plaine m'épargne
la tristesse du dernier regard. Adieu, pays ! Que j'ai hâte
d'être parti ! Le désordre autour de moi est encore celui

de la vie. Les fauteuils d'hier soir sont encore rapprochés
de la cendre où un tison toute la nuit a dû rougeoyer. Des
livres traînent que je n'ai pas eu le courage de ranger. Dès
que j'aurai refermé la porte, la maison entrera dans le
sommeil. Quel sommeil ! Je sais que les volets lourds ne
laissent fuser aucun rayon et que ce sera vraiment la nuit :
celle que seuls les morts connaissent. Sur les toiles que
j'aime, les yeux de mes enfants et du jeune homme que je
fus resteront ouverts dans une ténèbre ininterrompue jusqu'à ce que se lève un matin d'avril le soleil de la Résurrection.

Alors je reviendrai, s'il plaît à Dieu : « Espérons bien
qu'on se reverra ! Il faut bien l'espérer !... » me répète
cette bonne femme à qui je fais mes adieux. Mais je devine
au ton de sa voix qu'elle envisage sans en frémir qu'ils
pourraient bien être éternels.

Ici, c'est aux objets inanimés que je prête absurdement
des regrets et c'est d'eux que je me sépare. Moi qui, dès
l'enfance, fus pourtant fermé au fantastique, à l'étrange,
qui ne pouvais souffrir les histoires de nains et de fées,
comme si le Christ avait fixé sur son mystère adorable
toutes mes puissances de crédulité et de songe, je cède à
cette folie, le matin du départ, de considérer une à une ces
épaves qu'ont laissées partout ici, en se retirant, les pauvres
vies oubliées d'avant ma vie, et je m'interroge sur ce qui se
passera pour elles entre ces murs, durant leurs cinq mois
d'ensevelissement. Je crois entendre, comme elles l'enten-
dront, ces nuits d'hiver ruisselantes sur les tuiles. Ces vingt
semaines d'une ténèbre ininterrompue créeront ici, je m'en
persuade, des possibilités que ma pensée cerne mal,
comme si ce que je laisse de moi-même dans cette maison
déserte devait l'animer sourdement, comme si j'avais le
pouvoir de donner un cœur de chair à ces objets qui n'ont
d'autre valeur que d'avoir été choisis il y a un siècle par
les femmes dont je suis issu. Dieu sait si elles avaient peu
de goût ! Mais ces opalines dont ma mère leur faisait
honte, le monde aujourd'hui les trouve « amusantes » et

elles sont passées des chambres au salon. Et moi, qui ailleurs ne m'attache guère aux choses, qui ne collectionne rien, qui n'aurai rien su garder, je les aime jusqu'à redouter pour elles ce silence et cette nuit.

Il n'y aura pourtant rien d'autre, au long de ces cinq mois, que des grignotements de souris, que des galopades, sous les tuiles, de rats affamés et cette pluie chuchotante qu'aucune oreille humaine n'entendra. Rien d'autre que peut-être dans l'âtre, à midi, durant ces journées quelquefois si lumineuses de l'hiver aquitain, une tache surnaturelle de clarté.

Rien d'autre. Je le sais et je ne le crois pas. C'est sur un mystère que je referme doucement la porte. Voici la cour où l'herbe de l'oubli repousse déjà. J'appuie un instant contre le tilleul les paumes de mes mains, mon front, ma joue. C'est fini. La route m'apparaît dans le pare-brise. Les peupliers de la propriété m'accompagnent jusqu'au tournant. Je ne cherche à déchiffrer aucun présage dans leurs cimes balancées. Déjà apparaissent, comme chaque année, aux abords des villages, les enfants qui vont par groupes à l'école, avec leurs figures soucieuses et graves d'avant la classe. A Saint-Denis-de-Piles chacun d'eux tient un bouquet de chrysanthèmes dans son petit poing serré. Peut-être un camarade est-il mort ? Mais déjà il n'y a plus d'enfants : toutes les classes des villages se sont refermées sur eux.

Je cherche au-dedans de moi si une étincelle subsiste de ce feu qui me brûlait autrefois à mesure que j'approchais de Paris. Quel désir ! quelle espérance à chaque octobre renaissante ! Mais non : ce que je vois au bout de ce grand chemin de France qui va tout droit entre ses platanes sous le chaste azur, ce sont les trottoirs de mon quartier que les cabots souillent avec une telle régularité et une telle abondance qu'ils semblent appartenir à un service public pour maintenir au seizième arrondissement de Paris le privilège, qui lui appartient sans conteste, de la plus grande concentration d'urine et d'ordures de chiens qui existe au monde.

Cette image insoutenable de Paris qui va m'aspirer
figure pour moi d'autres horreurs d'un ordre bien différent dont je ne dois rien dire ici. Et certes elles n'en exis-
taient pas moins parce que j'habitais une maison de province. Mais les arbres nous défendent contre les hommes.
De l'aube au couchant, la lumière compose, avec le même
paysage adoré depuis l'enfance, des mondes inconnus et
sans cesse recréés, peuplés d'êtres que je ne vois pas et qui
ne me font pas de mal. Voici venir l'heure d'entrer dans la
cage.

Que de fois, durant mes insomnies, je songerai à la maison endormie et comblée de nuit, à ces volets clos comme
des hublots sur une cargaison précieuse pour moi seul —
mais chaque objet a une histoire et je la connais. Je me
figurerai la maison sur sa colline, pareille à l'Arche enlisée
sur un Ararat à sa mesure. Et nul ne la voit, que le chasseur Orion qui surgit immense derrière la charmille et
s'avance à pas de loup dans le ciel de l'hiver.

III

Encore une ombre qui m'apparaît : Philippe Borrell, le
premier d'une promotion immolée. — Les destins inégaux. —
Ma rencontre avec Gérard de Nerval. — Quel poète n'est pas
fou ? — Le passage du poète au romancier. — Ce qui m'a sauvé.

UNE ombre m'a visité un soir à Malagar : je le raconte
au précédent chapitre. Une autre ombre m'est
apparue, peu de jours après, à Paris : non dans la
torpeur d'une soirée solitaire. mais au cours d'une lecture :
celle des *lettres sur la philosophie première* d'Alain.

Ces lettres avaient été adressées à un élève d'Alain qui,
comme tous les autres (sauf un : Henri Bouché), fut tué
durant la Grande Guerre. Alain, dans une autobiographie
posthume, parue à *La Table ronde* de mai dernier, rappelle
froidement ce massacre des fils de son esprit.

Parlant de lui-même à la troisième personne, il écrit :
« Bouché ne fut que blessé ; les autres y restèrent. Il y a
de ces hasards, car enfin les disciples sont des hommes et
les armes de guerre ne font point de différence. On
comprend que l'autorité du professeur Alain ne fît
qu'augmenter... » Ce ton répugnerait s'il n'était signe de
pudeur. Du moins ai-je voulu le croire. Mais voici le pire :
Alain avait oublié jusqu'au nom du destinataire de ces
lettres sur la philosophie première. Il l'avoue sans vergogne : « Je ne retrouve pas le nom de ce normalien, qui

était un garçon rouge de santé, travailleur comme un
bœuf. Il était de tous le premier parti à la guerre, mais
il n'alla pas plus loin que la bataille de l'Aisne. » Pour le
coup, cela est bien fort, me disais-je. Hé quoi, même dans
la pensée de son maître, ce jeune mort était mort au
point de n'y avoir même pas laissé un nom ?

Et puis mes yeux tombèrent sur ces lignes de Claude
Mauriac : « Une note nous apprend qu'il s'agit de Philippe
Borrell, promotion 1910, tué en 1915. » Philippe Borrell !
J'accusais Alain, moi qui ai connu son disciple bien avant
lui, et qui fus son ami ! C'était en 1905, à Bordeaux. Je
devais être son aîné de trois ou quatre ans. Il allait encore
au lycée et nous nous rencontrions au Sillon. Plus coupable qu'Alain, j'avais fait pire qu'oublier son nom. Lui-
même était sorti de ma pensée, comme beaucoup d'êtres
connus durant mon adolescence, à Bordeaux, et que ma
vie de Paris recouvrit de son énorme vague.

Et le voici tout à coup devant moi, ce Philippe, non pas
rouge de santé comme nous le montre Alain : un écolier,
mais bâti en force, avec un visage construit comme celui
du jeune Claudel qu'a sculpté sa sœur Camille. Sous le
front puissant couvait l'admirable regard. Tout me revient
alors : le Sillon qui nous avait réunis, en 1905, nous sépara
très tôt. Plein d'orgueil intellectuel, comme l'est à vingt ans
un garçon isolé dans une province, et qui ne bénéficie pas
des mises au point qu'imposent les rencontres de Paris, je
m'indignais de ce que Borrell, dont la précocité m'éblouissait, affectât de rechercher au Sillon la compagnie de ceux
qui ne pouvaient, sur aucun des sujets importants à mes
yeux, lui donner la réplique.

Nous dûmes « monter à Paris » la même année, lui
pour préparer Normale à Henri-IV et moi les Chartes.
Mais je ne l'y retrouvai pas. Il me revient tout à coup
que je le reconnus un jour, à la porte des Carmes, rue de

Vaugirard : il vendait le journal de Sangnier, *La Démo-
cratie*. Je feignis de ne pas le voir, non certes par respect
humain ; mais mon premier roman, *L'Enfant chargé de
chaînes*, paraissait au Mercure et faisait scandale parmi les
sillonnistes, à cause d'un des personnages qui par quelques
traits rappelait Sangnier. Borrell devait me haïr...

Je ne l'ai plus revu. Il allait mourir, moi j'allais vivre
et l'oublier. Et maintenant il est là, c'est bien lui ; il sort
du lycée, avec sa lourde serviette, sa pèlerine mouillée, son
regard bleu. D'un poème qu'il m'avait donné, imité de
L'Anthologie, deux vers tout à coup me reviennent en
mémoire. Je le regarde et il me regarde. Voilà un de ces
juges que nous ne récuserons pas, un de ceux dont nous
avons pris la place et que nous n'avons pas remplacés et
qui ont le droit de nous demander des comptes.

Certains, parmi les normaliens vivants aujourd'hui, ne
s'en privent certes pas. Ils nous adressent ce qu'ils
appellent des « monitions ». Le crime de Mauriac, à leurs
yeux, c'est de n'être pas Péguy, c'est de n'être pas Bernanos, c'est d'être Mauriac. Ceux-là je les écarte doucement
sans répondre.

Mais que de tous les élèves d'Alain massacrés à la fois,
un seul, après cinquante ans, remonte de l'abîme, que son
nom qui me fut cher me soit rappelé par mon propre fils,
alors je baisse la tête, j'ouvre mon dossier et déjà je
cherche à prévenir ses accusations. Ce que Borrell détestait
en moi, quand j'avais vingt ans, l'a emporté durant des
années, mais qu'était-ce après tout, sinon le démon littéraire dont j'étais possédé ? Un démon habillé à la mode
d'alors : dans ce petit milieu du Sillon bordelais, j'appor-
tais un esprit façonné par *Sous l'œil des barbares* et par
Un homme libre — ce que ces garçons ne pouvaient
qu'exécrer. Cette contradiction de toute ma vie, Borrell le
lycéen l'avait au premier regard décelée : mon orgueil
fut plus fort que l'amitié qu'il m'inspirait. Je lui dis
adieu.

Il n'empêche que ce que j'écris aujourd'hui a pris sa source, il y a cinquante ans, dans cette petite chambre du Sillon de Bordeaux, tout contre la Madeleine, qui était la chapelle des Marianites. Autant qu'on puisse sans témérité juger de ce que fût devenu en 1955 l'écolier de 1905, dont je doute qu'Alain ait pu entamer la foi ardente (Philippe Borrell était d'origine espagnole), nous nous retrouverions aujourd'hui coude à coude. S'il est revenu, ce n'est pas pour m'adresser des « monitions », mais pour me souffler à l'oreille qu'il n'est jamais trop tard et pour me supplier de me hâter avant que ma copie ne me soit redemandée. Je le prie de me pardonner tant de choses qui jalonnent mon destin et, lui, il me console avec ces deux vers d'un poème inédit d'André Lafon, mort comme lui en 1915 :

> Je ne te dirai pas : *il fallait,* ni *pourquoi ?*
> Puisque c'est si peu nous qui faisons notre vie.

Quand nous nous sommes séparés, il ne lui restait que dix années à vivre et, dans ce bref intervalle, il y eut la rencontre redoutable d'Alain (qui se montre dans ces lettres adressées à Borrell plus hostile à la Religion que dans ses autres écrits), il y eut sa foi à ne pas perdre, son amour à sauver. Il a gardé sa foi, il a sauvé son amour, il a donné sa vie : « le premier », dit Alain — oui, le premier partout, le premier de cette promotion d'immolés : Philippe Borrell.

O destins inégaux ! Philippe Borrell m'oblige à m'interroger sur ma vie préservée et comblée. Mais d'autres que lui...

Un jour de cet août pluvieux, une « dérivation » nous

engagea sur des routes moins connues. Je déchiffrai à
l'entrée d'un village le nom de Loisy. Ma femme dit :
« C'est le Loisy de Nerval... » A peine eus-je le temps
d'apercevoir, à travers la vitre embuée, un toit luisant de
pluie. Déjà, c'était Mortefontaine. Sur le vert paradis des
amours enfantines de Nerval, sur ces sombres frondaisons
mouillées, sur cette herbe pleine d'eau où les ombres
d'Adrienne et de Sylvie dansaient encore, mon œil intérieur vit se balancer un cadavre chauve.

Rue de la Vieille-Lanterne... Paris était neigeux, l'aube
était noire. D'autres que ce poète pendu avaient dû mourir
de misère, cette nuit-là. Ainsi finit, le 26 janvier 1855, ayant
peut-être encore au fond de sa poche les sept sous qu'il
venait d'emprunter à Asselineau, celui qui avait rêvé de
finir dans un jardin « au milieu des arbres, des treilles et
des fleurs d'automne ».

C'est l'étonnement qui nous vient dans la vieillesse et la
question que nous nous posons : pourquoi, moi, ai-je traversé la vie sans faire naufrage ? Certes, assez de place
subsiste pour le malheur, et ce qui concerne la mort reste
en blanc... N'importe : la traversée n'en a pas moins été ce
qu'elle fut. Pourquoi ces routes divergentes, alors que tant
de destins sont semblables au départ ? A l'aube, tous les
poètes appareillent dans la même joie, ils sont ivres du
même philtre. Nerval fut un des nombreux compagnons de
ma jeune vie. Quel romantique ne l'était ? Mais je vois
bien l'endroit de la route où nous nous sommes séparés.

Le Nerval que j'aimais, j'en fais humblement l'aveu,
n'était pas celui qui apparaît si grand aujourd'hui. Il y a
loin de l'adolescent amoureux d'Adrienne et de Sylvie au
dément lucide d'*Aurélia*. L'initiateur, le précurseur d'un
nouvel âge poétique m'était inconnu, ou plutôt je l'ai fui,
je me suis dérobé comme j'ai toujours fait devant le
dérèglement de l'esprit érigé en système. Ma répulsion à
l'égard de tout ce qui est onirique en littérature m'aura
fait avancer à contre-courant du surréalisme. Nul ne se
sera plus obstinément que moi tenu à l'arrière-garde des

lettres. Je n'en rougis ni ne m'en glorifie. Et pourtant...

Au départ de tout destin poétique, il y a le songe. Je doute si aucun enfant a transposé la vie plus que je ne l'ai fait. C'est d'ailleurs commun à cet âge. Mais ai-je jamais interrompu cette transposition ? Un poète est un enfant qui ne meurt pas, un enfant qui survit, privé des anges tutélaires de l'enfance, un enfant sans garde-fou, en proie à toutes les passions d'un cœur d'homme, d'une chair d'homme, à toute l'obscure frénésie du sang. Cela finit rue Descartes sur le carreau d'une chambre de prostituée, comme Verlaine, ou se balance au bout d'une corde, au-dessus des pavés enneigés d'une rue à bouges, dans ce Paris de l'aube dont le froid avait fait un désert. L'avant-veille, Nerval avait écrit à quelqu'un : « Ne m'attends pas. Ce soir, la nuit sera noire et blanche. »

Qu'est-ce donc qui sauve ceux qui se sauvent ? Car on a beau dire : aucun destin poétique qui ne comporte cette folie. Gœthe, Hugo, constituent, non une exception, mais une superbe victoire du désir de dominer la vie sur les forces obscures dont les descendants d'Hugo ont dû finalement faire les frais. Qu'est-ce donc qui nous a gardés, nous qui sommes encore là ?

C'est à mon âge qu'hérédité devient autre chose qu'un mot. Cela ne se démontre pas, mais dans le total de notre destin nous discernons la part de ce qui n'est pas nous, dans la mesure où « nous » désigne le songeur, le voyant, et, d'un mot : le poète. Cette prudence, ou cette imprudence calculée, cette prévision, cette méfiance qui nous détourne de tout risque inutile, cette science infuse du geste à faire ou à ne pas faire, cela venait des morts, et je le discerne maintenant — de ceux que je n'ai pas connus, qu'ils fussent de Bordeaux ou de la campagne : ils étaient tous de race industrieuse, les raffineurs de la rue Sainte-Croix, les marchands de drap de la rue Saint-James, les

importateurs de bois merrains, comme les Landais maîtres
de métairies. Se sont-ils jamais interrompus de faire jouer
dans ma vie d'invisibles freins ? Les réflexes qui m'immo-
bilisaient soudain à l'extrême bord de l'absurde ou de
l'irréparable, c'était leur volonté au-dedans de moi. Ils
m'ont sauvé, à moins qu'ils ne m'aient perdu, dans la
mesure où pour un poète c'est perdre sa vie que de la
sauver. Verlaine, s'il s'en était tenu à *La Bonne Chanson,*
et s'il était mort sous-chef de bureau à la préfecture de la
Seine...

Cette victoire des ancêtres dans la vie d'un créateur ne
va pas sans retour de flamme. Je me demande si le passage
du poète au romancier ne s'effectue pas sous le signe d'une
revanche : le poète se saisit de l'ascendance bourgeoise qui
le ligote et il en tire des types. Il se paie sur la bête.

Les personnages qu'il invente ne nous paraissent souvent
si affreux que parce que ce sont des caricatures que fait de
ses gardiens un poète fou et enchaîné.

Je demeure pourtant persuadé que le poète auquel je
songe eût finalement soulevé la pierre que faisait peser sur
lui toute sa race épargnante et précautionneuse, si à la
folie de l'adulte demeuré enfant ne s'était opposé le contre-
feu d'une autre folie. Gérard de Nerval fut, certes, un
esprit religieux. Mais chrétien ? Je le connais trop mal
pour en décider. N'est-ce pas lui (que les nervaliens me
pardonnent si je me trompe), n'est-ce pas lui qui à la
question : quelle est votre croyance ? répondait : « Je les
ai toutes » ? Les avoir toutes, c'est ajouter au feu
destructeur, et non plus le combattre. En revanche, pra-
tiquer une seule d'entre elles, et surtout si c'est le catholicisme, et même si cette pratique comporte des intermit-
tences, voilà qui plus sûrement que l'hérédité endigue le

fleuve boueux et trouble, en règle le cours, et, quelle que soit la fureur des crues irrésistibles, le ramène finalement à son lit éternel.

Mais non, cette image d'un endiguement nous trompe. La vie religieuse ne bride pas, elle satisfait au contraire l'exigence poétique, non comme un conte de fées qui serait vrai, mais comme une vision cohérente de l'être — tout en laissant assez d'incertitude, assez de mystère et d'ombre pour entretenir cette inquiétude sans laquelle l'art n'existerait pas, si, comme je le crois, toute œuvre est une tentative de réponse au « que sommes-nous ? d'où venons-nous ? où allons-nous ? » que Gauguin (je cite de mémoire) avait inscrit au bas de ce triptyque qui appartenait il y a cinquante ans à un Bordelais ami de Claudel et de Jammes, Gabriel Frizeau, et qui fut ma première rencontre avec la peinture moderne.

Mais surtout la foi vivante enracine dans l'amour, immobilise dans la contemplation le vagabond et l'errant, et se manifeste par une liturgie qui est un poème quotidien et pourtant sublime. Gérard de Nerval en eut-il la pratique ? Je relis *Aurélia*. Jamais un fou lucide n'aura permis aux hommes ordinaires d'avancer si loin dans les profondes grottes de la déraison : des visions surgissent, s'entremêlent, non dans le chaos, mais leur enchaînement obéit à une loi inconnue. Je ne me rappelais pas qu'à travers tous les songes de toutes les religions le fil d'or catholique courût si visiblement dans la trame de la tapisserie nervalienne. Ce qui ne m'incite certes pas à tirer à moi ce songeur : il est trop évident qu'il recherchait avant tout dans le christianisme la promesse d'une survie personnelle. L'idée l'enchantait de rejoindre, à la sortie de la vie, Jenny Colon, comme à la sortie du théâtre où elle jouait le vaudeville. Mais surtout de l'espérance chrétienne il attendait le bonheur d'embrasser la mère qu'il n'avait pas connue et dont il fut jusqu'à la fin comme possédé.

Il incorpora cette espérance au songe qu'il vivait. Mais la vie n'est pas un songe. Pour le chrétien, la vie est même le contraire d'un songe. Assumer la vie telle qu'elle est, c'est devant ce premier de tous les devoirs que le romantique se dérobe. Au fond, sa folie, il la choisit parce qu'il la préfère. Il préfère ce qui n'est pas à ce qui est : voilà le péché mortel du romantisme.

Joubert disait : « La Révolution a chassé mon esprit du monde réel en me le rendant trop horrible. » Aucune conjoncture historique ne fut nécessaire pour que Nerval renonçât au réel. Le réel en soi, le réel tel qu'il lui apparaissait, il fallait le changer, le réinventer... Par un dérèglement de tous les sens ? Comme Nerval est proche de Rimbaud ! et aussi de Maurice de Guérin. Je le sens mieux que je ne le vois. Si j'étais critique, j'aimerais chercher et retrouver les signes de cette fraternité secrète entre des inspirés qui ne se sont pas connus en ce monde et dont la folie commune fut à la fois de le recréer et de le fuir.

IV

QUELQUES heures d'auto suffisent, et la vie n'est plus qu'une ardoise où j'efface tout ce qui s'y inscrit, au jour le jour, de l'histoire des hommes. Ce que j'y note maintenant, c'est ce vol de grues qui crient et qui rament avec peine dans l'azur, remontant vers le nord ; c'est cet orage brusque : sur l'écume des poiriers en fleurs, le soleil, confondu avec l'averse, enveloppe la verdure à peine née d'un trouble embrasement. L'arc-en-ciel naïf, d'un coteau à l'autre, est un dessin d'écolier.

Voici peut-être la seule histoire voulue de Dieu : cette pastorale toujours recommencée. Elle seule n'est pas le mal. Tout s'y entre-dévore pourtant, comme chez les hommes, mais sans crime. Quelle grâce que ce pouvoir qui m'est donné d'échapper en quelques heures à l'événement que mon métier m'oblige à commenter, et de rejoindre ma source !

Est-ce ici ma source ? Du jeune être qui, sous cette charmille, portait mon prénom et mon nom, je ne retrouve rien. Aucune trace n'en subsiste. L'enfant, l'adolescent, le jeune homme que nous fûmes, ne reposent nulle part. On ne saurait parler de leurs restes : c'est comme s'ils n'avaient jamais été.

Ou peut-être sont-ils toujours vivants ? Ils le sont, puisque nous vivons. L'usure charnelle nous détourne de croire à cette permanence en nous de l'enfant qui, après un demi-siècle, demeure ce qu'il fut, ce qu'il sera à jamais.

Je cède, sous ma charmille, à l'illusion d'être tiré hors de la vie, vieille gabarre échouée qui n'imagine plus qu'une marée revienne jamais la soulever. Si chaque heure, devant ces longs pays muets, a une couleur différente, tous les jours sont pareils, ils se confondent : leur uniformité crée un présent éternel.

Et comme la vigne se moque des progrès de la technique, aucun bruit, aucune odeur ne m'y rappellent le moteur et l'essence. Toute mécanique est absente. Les bœufs patients trouvent en moi leur dernier fidèle. Dans l'après-midi ouatée, les mots patois remontent du fond des âges, dont sans cesse il faut envelopper ces bêtes lourdes pour qu'elles consentent à faire un pas, et puis un autre — les mêmes mots que reconnaîtrait mon arrière-grand-père. s'il poussait la porte, s'il était là tout à coup. C'est moi qui bientôt lui apparaîtrai. Ce sont les vivants qui apparaissent aux morts.

A toute autre époque de ma vie, j'aurais pu, si je l'avais désiré, demeurer seul. J'aurais pu, comme ce soir, rester immobile jusqu'à une heure avancée, maître de la nuit, assis au centre du vieux salon, les mains aux genoux, Pharaon dans son sépulcre — et cette pluie de printemps sur les tuiles, ce sont les siècles qui s'égouttent.

Je l'aurais pu, mais la pensée ne m'en venait pas. La solitude enfin apprivoisée fut l'ennemie de ma jeunesse. En octobre, pour les vendanges, il me fallait pourtant y consentir. Ce qui est devenu choix était alors nécessité. Un jeune homme seul, même si aucun amour ne l'occupe, accuse toute l'humanité d'être infidèle. Il exige qu'elle délègue des humains vers lui pour qu'il se sente vivre. Il n'en redoute aucun. Les autres ne lui font pas encore peur parce que sa jeunesse les désarme et qu'elle enchante même les monstres. Ils font peur maintenant au vieux lièvre qui fut un jeune homme autrefois. Si les Bacchantes n'avaient pas déchiré Orphée, le vieillard qu'il serait devenu eût perdu le pouvoir de rendre douces les bêtes sauvages.

Le vieux lièvre se tapit entre deux mottes, il confond son pelage avec la terre, il écoute les abois qui s'éloignent, dans un sentiment de délivrance — et s'il est un vieux lièvre capable de Dieu, il arrive que le gîte où il songe devienne le gîte où il prie.

Pourtant, qu'il se méfie. La mécanique a tout de même pénétré dans la maison de son enfance : ce pick-up qu'il y a lui-même introduit. Or toute musique n'est pas propice à cette paix enfin conquise. Peut-être n'en est-il aucune à laquelle il ne devrait préférer le silence. Certaines sont assez puissantes pour ressusciter Pharaon dans son hypogée — et ce cœur de dix mille ans recommence de battre.

Aussi, l'autre soir, la *Fantaisie* de Schumann, que j'avais prise au hasard, a tout à coup lâché, dans le vieux salon endormi, je ne sais quel grand ange désespéré qui se cognait aux murs et dont j'entendais palpiter une aile contre la vitre. J'ai eu beau ouvrir la fenêtre. Il a fallu que le disque ait fini de tourner pour que l'ange découvre l'issue enfin et qu'il s'abîme dans l'horrible nuit de printemps.

Les musiques aimées dès l'enfance, connues de moi d'aussi loin que je me souvienne, n'ont pas un pouvoir aussi redoutable que cette *Fantaisie* de Schumann, liée à des restes de passion. Ainsi ai-je pu, la veille de mon départ, à l'Opéra, réentendre *Tannhäuser* dont ma mère

chantait les airs les plus fameux, sans que mon attendrissement se mêlât d'aucune amertume.

En l'écoutant, je songeais que ceux des Parisiens de
1861 qui, comme Baudelaire, se battirent pour sa défense,
ignoraient presque tout de ce qui a fondé la gloire de
Wagner. A peine avaient-ils pu entendre quelques fragments du *Vaisseau fantôme,* de *Rienzi,* de *Lohengrin* (à
moins que des extraits de *Tristan,* qu'il venait d'achever,
n'aient figuré au programme des trois concerts que
Wagner donna à Paris vers cette époque). Mais le génie
est indivisible. Tout Wagner est déjà contenu en puissance dans l'opéra qui sombrait alors sous les sifflets des
messieurs du Jockey.

Ce premier Wagner qu'il devrait nous être si malaisé
d'imaginer, ce Wagner sans *Tristan,* sans *Les Maîtres
chanteurs* et sans la *Tétralogie,* je n'ai aucune peine quant
à moi à le concevoir, parce qu'il est le seul que j'aie
connu entre ma dixième et ma seizième année. La
« romance à l'étoile » de *Tannhäuser,* la prière de sainte
Elisabeth et la marche des pèlerins appartenaient à notre
liturgie des grandes vacances. L'Elsa, de *Lohengrin,* ne se
joignit au chœur qu'un peu plus tard.

Je crois bien, Dieu le lui pardonne, que ma mère ne
craignait pas de chanter à l'église le grand air d'Elisabeth :
O vierge sainte. Nous, les enfants, nous préférions : *Mais
tu parais, charmante et douce étoile !* C'était la musique
dédiée à l'heure libératrice, au déclin de ces journées écra-
santes de l'août landais. Une brume montait de la prairie
et nous cherchions l'étoile entre les cimes pressées des
pins.

O pâle étoile, feu du soir... Le chant de Wolfram rejoignait pour nous une autre « merveille », citée dans les
Morceaux choisis de l'abbé Ragon, qui m'introduisirent à
la poésie romantique, comme ceux de Léautaud, quelques
années plus tard, au symbolisme. Cette « merveille »,
c'était l'invocation de Musset : *Pâle étoile du soir, messagère lointaine...*

La musique et la poésie romantiques composaient pour notre enchantement un seul et immense nocturne. Je me demande si l'enfance n'est pas mieux accordée aux étoiles que l'âge mûr, et surtout que la vieillesse — du moins notre enfance qui ignorait les galaxies et que le silence éternel des espaces infinis n'effrayait pas. La nuit nous rendait manifeste un mystère à peine effrayant mais adorable. Elle chantait la gloire non d'un Dieu inaccessible mais d'un Dieu reçu et possédé. Le silence nocturne se confondait avec ce Dieu qui se taisait en nous et seuls une strophe ou un chant pouvaient le rompre sans blasphème.

Peut-être n'ai-je écrit *Asmodée* que pour le plaisir amer de faire chanter par les enfants de la pièce cet air du *Cinq Mars* de Gounod : *Nuit resplendissante et silencieuse,* qui appartenait aussi à notre liturgie de l'ombre. Et il me suffisait d'un timide ruissellement, au bas de la prairie : le *Lac* de Lamartine m'apparaissait, que l'abbé Ragon citait dans son anthologie, non sans l'avoir épuré de ses strophes trop brûlantes, et j'écoutais, au cœur d'une nuit impérissable, le bruit de l'eau déchirée par l'étrave.

Cette étroite alliance de la musique romantique et de la nuit n'était pas une imagination d'enfant. Chez Wagner, comme dans Shakespeare, les ténèbres règnent, non sur toute son œuvre, certes. Mais *Tristan* a capté le silence des nuits durant lesquelles, à Venise, il fut composé. Je relisais ces jours-ci, dans le beau livre de Guy de Pourtalès, des pages du journal que Wagner écrivait alors pour Ysolde, pour Mathilde Wesendonck. Le 29 septembre 1858, il écoute s'éloigner sur la lagune la gondole chargée de musiciens et il note : « Le dernier écho paraît se dissoudre dans la lumière de la lune qui luit doucement et semble retenir suspendu le monde devenu visible de la musique. »

Le monde devenu visible de la musique, telle est bien la révélation qui nous fut donnée par le Wagner de cette *Romance à l'étoile* que j'attendais, que je guettais, l'autre soir, à l'Opéra. Et quand elle s'éleva enfin, je me refusai à

convenir qu'elle est peu digne du génie qui créa *Tristan*...
Comment l'aurais-je écoutée sans larmes ? Elle avait parti-
cipé à un mystère. Enfants, nous ne la séparions pas de
l'étoile à qui nous l'adressions et que, la tête renversée, il
nous fallait découvrir entre les cimes noires. L'étoile ne
brillait pas grâce à un artifice et le décor n'était pas peint.
Les arbres, au flanc déchiré, se plaignaient ; leurs branches
tendues ne s'enlaçaient pas : ils étaient à jamais séparés,
si proches qu'ils fussent, et leurs têtes faisaient au moindre
souffle le signe du refus.

On ne saurait plus être un critique à mon âge parce que
les grandes œuvres ne nous apparaissent plus telles qu'elles
sont. Nous ne pouvons plus les dégager des sédiments qu'y
dépose notre vie à mesure qu'elle se retire. Ce que j'écoutais à l'Opéra, nul autre que moi ne pouvait l'entendre :
ces nuits d'été de l'enfance pleines de présages sont le
royaume d'une passion inconnue. Les pèlerins du *Tannhäu-*
ser nous entraînaient à leur suite et nous allions nous aussi
à Rome demander pardon pour des fautes que nous
n'avions pas commises et dont nous ne ressentions pas
encore le désir.

La musique règne toujours sur moi ; mais la poésie ? Où
en suis-je à son égard ?

Certaines questions que nous nous posons sur nous-
même peuvent demeurer longtemps sans réponse, et puis
un incident inattendu nous apporte la lumière que nous
ne cherchions pas. J'ai été, dès ma première adolescence et
durant toute ma jeunesse, un grand lecteur de vers. Ma
vie, toute nourrie par la lecture — la lecture qui peut-être
me détournait de vivre — était comme orchestrée par les
poètes. La prose même, la littérature d'imagination, ne
valait à mes yeux que si une profonde nappe poétique
l'alimentait. Il me semble que la lecture à haute voix des

poètes, à Bordeaux comme à Paris, tint une grande place dans mes amitiés.

Or c'est un fait que je ne lis presque plus les poètes et qu'ils ne me sont plus nécessaires. Il en va d'ailleurs de même des romans : je n'en ouvre plus guère que par obligation professionnelle ou par un reste de curiosité à l'égard du genre romanesque.

Je m'interroge à ce sujet : Ne subsiste-t-il rien aujourd'hui du jeune être enivré qui n'imaginait pas de jour ni de soir où Baudelaire, Verlaine, Rimbaud, Jammes ne fissent entendre leurs voix ? Pourtant le vieil homme n'a pas le sentiment de s'être desséché. S'il a crevé beaucoup de décors, il n'en devrait pas avoir perdu pour autant l'état de grâce poétique, car la vraie poésie n'est pas le contraire du réel : la poésie tient essentiellement dans ce qui est. Seule la fausse poésie est mensonge.

Le détachement de toute passion, chez l'homme à son déclin, ce « jamais plus » qui retentit dès que surgit un jeune visage dans le champ de son regard, cette distance désormais entre lui et les êtres, comme s'il les apercevait devenus chaque jour plus petits sur la rive déjà quittée et dont la barque s'éloigne, il y a là pourtant, il me semble, de quoi nourrir la plus authentique poésie. La présence de la mort y devrait aider aussi, car la mort est là, maintenant, non plus comme une idée, comme ce thème dont la jeunesse s'enchantait sombrement, mais dans une sécurité profonde, car la mort concernait les autres. Elle est devenue une présence toute proche, une forme voilée qui se dessine, en noir, à une distance qu'il nous est impossible de mesurer ; mais son ombre nous couvre et nous savons que, pour la toucher, il suffirait de tendre la main, et que tout ce que nous avons cru, professé, affirmé touchant l'énigme dont elle garde le mot est au moment de recevoir une confirmation ou un démenti éternels.

Cette confrontation de tous les instants n'est en rien troublée par le bruit que mène sur la scène notre personnage social. Ce drame au-dedans de nous, qui ne comporte

pas de cris, ne crée-t-il pas le climat même de la poésie ?
D'où vient donc que je ne recherche plus jamais les poètes
sans lesquels, à vingt ans, je ne pouvais vivre ?

Pour que la réponse me fût donnée ou du moins pour
que ma pensée à ce sujet s'engageât dans une certaine
direction, il a fallu le double hasard qui m'a amené, ces
jours-ci, à rouvrir des recueils de poèmes. L'une de ces
circonstances fut « poétique » à souhait, et l'autre des
plus vulgaires.

Deux jeunes filles très belles, une claire et une sombre,
nous sont arrivées un matin du pays basque. Ces visiteuses,
venues du pays de Jammes et qui semblaient sortir d'une
de ses « Elégies », m'entretinrent de lui et me deman-
dèrent duquel de ses poèmes j'avais tiré deux vers que
je cite souvent :

> On voit à l'intérieur pâle des métairies
> Les chapeaux de travail dormir près des tamis.

J'eus tôt fait de retrouver le poème. Il fallut le lire à
haute voix, puis d'autres encore. Et sans doute retrouvai-je
l'intonation qui était mienne il y a cinquante ans. Mais à
mesure que je lisais, le malaise qu'il me fallait vaincre
était le même que celui qui me vient à relire des lettres
reçues ou écrites autrefois. Un monde de sentiments
s'exprime ici dont je connais aujourd'hui l'irréalité. Le
soleil couchant d'une vie éclaire de son implacable lumière
horizontale le faux dans les sentiments. Non que les
poèmes de Jammes n'aient gardé leur beauté, et donc
qu'ils ne demeurent vrais. Mais leur vérité réside dans la
sensation, dans ce qu'éprouve un jeune faune prisonnier
de la campagne de notre Sud-Ouest : sa vérité, ce sont
les vieux villages où l'ennui le tue, les domaines assoupis
devant un horizon de coteaux que l'azur engloutit, c'est le

chapeau de soleil de Clara d'Ellébeuse qui bouge au-dessus des vignes. Ces poèmes demeurent, ou devraient demeurer éternellement vivants, s'il existait encore des jeunes hommes et des jeunes filles comme mes deux visiteuses, capables de boire avec délices à cette source glacée entre les racines des aulnes.

Mais je n'entre plus, je ne peux plus entrer dans l'attitude du jeune homme Jammes ou du jeune homme Mauriac face à cette campagne où leur adolescence a souffert. Ici l'analyse nous mènerait trop loin : à la condamnation d'un certain romantisme qui, à mon âge, apparaît le comble de l'absurde et du gratuit. Et j'ai refermé le livre, une fois les jeunes filles envolées.

Mais j'ai eu, durant la même semaine, grâce à un hasard moins poétique, la révélation d'une tout autre raison de ne plus lire les poètes, et qui est même à l'opposé de celle qui me détourne de Jammes. J'ose à peine écrire ici à quelle occasion j'ai cherché, sur les rayons de ma bibliothèque, ces *Fleurs du mal* qui demeurèrent à portée de ma main durant tant d'années, auxquelles il ne m'arrive pour ainsi dire plus jamais d'avoir recours.

Ce fut un problème de mots croisés qui m'y incita. Il s'agissait de trouver un mot invariable, mis au pluriel par Baudelaire. Comme je me flatte de connaître *Les Fleurs du mal* dans leurs tours et détours, je ne doutai pas d'aller tout droit à la pièce qui recélait ce pluriel incorrect. Mais à peine le livre ouvert, j'oubliai ce que j'y étais venu chercher. J'étais repris. Chaque vers se désengourdissait en moi comme un reptile s'éveille avant même que j'eusse achevé de le déchiffrer. Un enchantement me ressaisissait, mais il me faisait mal et je ne pouvais m'en délivrer.

Aucune jeune fille pourtant ne m'avait demandé de lui lire ces vers. J'étais seul. Si je subissais cette incantation retrouvée, ce n'était pas que j'y fusse contraint. Ou du

moins la contrainte ne venait pas du dehors. Elle rési-
dait dans le poème. Je ne pouvais m'en déprendre, mais,
ici, ce n'était plus le mensonge, c'était la vérité qui m'en
rendait la lecture presque insupportable.

J'avoue ne m'être jamais senti d'accord avec les innombrables gloses qu'ont inspirées *Les Fleurs du mal*. Jamais
je n'ai reconnu le Baudelaire, amour de ma jeunesse, dans
le malade analysé et psychanalysé par tant de critiques et
tant de fameux philosophes. Baudelaire est le poète du
réel, le moins romantique qui soit, au point que le langage
que sa poésie a inventé est le plus proche de la prose
qu'ait jamais osé un poète, le plus figuratif comme on dit
aujourd'hui, soumis étroitement à l'objet, qu'il s'agisse
d'une petite vieille hagarde, trébuchant sur un trottoir de
Paris, ou d'une charogne aux pattes écartées et au ventre
fourmillant. Mais, quel que soit l'objet, Baudelaire le voit,
le respire, le touche et le montre éternel, comme est éternelle cette chaise de cuisine qu'a peinte Van Gogh.

Or, tant que nous étions jeunes, nous consentions à être
maintenus par l'enchanteur au centre de ce monde tel
qu'il est, dont il se rendait prisonnier, et nous avec lui. Ses
évasions même, toutes les drogues de l'esprit et de la chair
ne l'entraînaient pas hors du cercle hermétique. Il y est
demeuré jusqu'à la fin, alors qu'après lui Rimbaud n'y
persévéra pas au-delà de sa dix-neuvième année, et puis
il rallia le troupeau des aveugles et des sourds.

Je ne suis devenu ni sourd ni aveugle. Mais ce monde
où Baudelaire a souffert, je sais qu'il n'est pas fermé. Je
me suis évadé du cercle enchanté des odeurs, des couleurs
et des formes. J'en ai découvert l'issue. Baudelaire la
connaissait, lui aussi, il frappait la vitre d'une aile puissante et puis il retombait sur le tapis souillé de sa pauvre
chambre.

> Ma jeunesse ne fut qu'un ténébreux orage
> Traversé çà et là par de brillants soleils.

Ces ténèbres percées de rayons, *Les Fleurs du mal* nous y replongent le temps d'une lecture. Mais ce temps, l'homme le trouve insupportablement long s'il est de ceux qui ont ouvert leur esprit à la lumière et leur cœur à la paix.

C'est à l'homme que va ma pensée, au poète frappé de la foudre, incapable d'aucune autre parole que de ce « crénom » qu'il marmonne avec un long rire. « C'est un supplice d'une main non humaine mais toute-puissante, et il faut être tout-puissant pour le soutenir. » Pascal écrit cela du Christ. Dans l'ordre humain, le poète lui aussi, qu'il est armé cruellement contre lui-même ! Baudelaire, jusqu'à son dernier jour, fut à la fois le couteau et la blessure.

Gibier de choix pour la psychanalyse : tous les disciples de Freud se seront fait la main sur le beau-fils du général Aupick. Le complexe d'Œdipe frétille ici à l'œil nu pour les délices des commençants. Dieu sait s'ils s'en sont donné à cœur joie ! Quand la démonstration eut été répétée tant de fois que personne, semblait-il, n'oserait plus la recommencer, nous crûmes que nous pouvions reprendre le corps, nous, les chrétiens, qui sommes la famille. Alors un philosophe survint et à son tour s'empara de la dépouille : c'était Sartre. Elle fut étendue sur le chariot et roulée vers une nouvelle salle de dissection.

La poésie n'impressionne pas ce professeur, et Baudelaire pour le coup dut livrer son secret. Quel secret ? C'est qu'il a voulu son destin. Il a exigé d'avoir ce destin-là, et non un autre. Il fut sa propre fatalité. Rien ne l'a accablé qu'il ne l'ait appelé sur lui. Hé quoi ? Même l'aphasie à quarante-six ans ? Bien sûr, puisqu'il l'a héritée de la syphilis qu'il quêtait, dès vingt ans, chez les plus funèbres prostituées.

Vice beaucoup plus grave, elle porte perruque.
Tous ses beaux cheveux noirs ont fui sa blanche nuque.
Ce qui n'empêche pas les baisers amoureux
De pleuvoir sur son front plus pelé qu'un lépreux.

Cet adolescent, adorateur de monstres, avait décidé de
ce qu'il serait, sans d'ailleurs être la dupe de son personnage, car « un homme n'est jamais qu'une imposture ».
C'est Sartre qui le dit, et il a raison de l'affirmer,
s'il n'y a pas dans l'homme plus que l'homme même,
s'il n'existe dans Baudelaire d'autre puissance que celle
de l'autodestruction que Sartre dénonce, et qui s'y
trouve en effet.

Ici le chrétien est battu d'avance : il ne peut rien apporter au philosophe, aucune preuve de ce qu'il croit, de ce
qu'il sait, de ce que Baudelaire croyait et savait et qui
prête au supplice qu'il s'infligeait à lui-même une tout
autre signification que celle dont s'arme l'intarissable dia-
lecticien qui s'est emparé de sa dépouille. Aucun débat
n'est possible entre nous, pas plus qu'il ne le fut avec le
poète mourant. Même si l'aphasie ne lui avait pas lié la
langue, Baudelaire n'aurait rien pu répondre à Nadar,
athée paisible et joyeux qui, lors de sa dernière visite,
répétait férocement à ce condamné à mort : « Il n'y a pas
de Dieu ! » Mais il faut lire la scène dans le livre de Nadar,
Charles Baudelaire intime : « La dernière fois que je le
vis, à la maison Duval, nous disputions de l'immortalité
de l'âme. Je dis nous, parce que je lisais dans ses yeux
aussi nettement, moi, que s'il eût pu parler. « Voyons,
comment peux-tu croire en Dieu ? » répétais-je. Baudelaire s'écarta de la barre d'appui où nous étions accoudés
et me montra le ciel. Devant nous, au-dessus de nous,
c'était, embrasant toute la nue, cernant d'or et de feu la
silhouette puissante de l'Arc de Triomphe, la pompe splen-
dide du soleil couchant . « Crénom ! Oh ! crénom ! » pro-
testait-il encore, indigné, à grands coups de poing vers

le ciel. » O faibles poings contre la porte de la maison du
Père ! Qu'elle dut s'ouvrir vite devant l'enfant qui reve-
nait !

Sartre nous opposerait ici que Baudelaire n'avait pas
la foi, qu'il n'y a cédé qu'affaibli par la maladie, que *Mon
cœur mis à nu* n'a pas plus d'importance dans son œuvre
et dans sa vie que *Num quid et tu* dans celle de Gide, qu'il
s'est vanté plusieurs fois, et en particulier dans *La Fan-
farlo,* de son incroyance. Mais nous, nous savons bien que
ce pécheur est nôtre comme les saints sont à nous. Le
pécheur et le saint, selon ce qu'a écrit Péguy, font partie
intégrante du système de chrétienté. Baudelaire a beau
nier, sa négation tourne toujours au blasphème, c'est-à-dire
à l'acte de foi. Au vrai, il ne s'est jamais interrompu de
prier. Il n'importe guère qu'il ne croie pas au Dieu des philosophes et des savants, ou même à celui des théologiens.
Il parle à quelqu'un ; il croit en lui, puisqu'il lui parle ;
et de la réponse qu'il reçoit, comme chacun de nous il
demeure seul juge : elle échappe à toute analyse, j'en
conviens. Sa prière, en revanche, relève de notre examen : elle ne tient pas dans des effusions vagues.

Baudelaire, lorsqu'il prie, reste l'artiste qui a clos l'ère
romantique et qui a écrit que le plus grand honneur du
poète était « d'accomplir juste ce qu'il a projeté de faire ».
Il dit donc à Celui auquel il s'adresse très précisément
ce qu'il a décidé de lui dire. Lorsqu'il compose *Les Phares*
il ne doute pas que chacune de ces onze strophes n'apporte
le témoignage de la présence du divin dans l'homme —
un témoignage sur lequel aucune dialectique ne mordra
jamais.

Qu'à un intervalle de l'espace et du temps, sur la surface
de la croûte terrestre ait paru une moisissure qui conte-
nait le germe de ces esprits qu'il appelle des phares, et
entre lesquels il ne choisit que quelques-uns des peintres
qu'il préfère, Baudelaire ne tourne pas impudemment cet
obstacle à la manière des philosophes. « Ce cri répété par
mille sentinelles », il nous oblige de l'entendre, comme, à

l'aube, de métairie en métairie les coqs s'appellent et se répondent, et il n'a jamais douté que Quelqu'un ne l'écoute « cet ardent sanglot ». Quelqu'un à qui lui-même se sait lié, et qui l'a choisi dès son enfance, à la fois déshéritée et prédestinée.

L'enfant que fut Baudelaire...

> Il joue avec le vent, cause avec le nuage,
> Et s'enivre en chantant du chemin de la croix ;
> Et l'Esprit qui le suit dans son pèlerinage
> Pleure de le voir gai comme un oiseau des bois.

A la veille d'être frappé, dans l'un des petits poèmes en prose : *Mademoiselle Bistouri*, Charles Baudelaire tout à coup s'adresse à Dieu, mais non par des supplications et des cris ; chaque mot interroge et exige. « La vie fourmille de monstres innocents. Seigneur, mon Dieu ! vous, le Créateur, vous, le Maître ; vous qui avez fait la Loi et la Liberté ; vous, le souverain qui laissez faire ; vous, le juge qui pardonnez ; vous qui êtes plein de motifs et de causes, et qui avez peut-être mis dans mon esprit le goût de l'horreur pour convertir mon cœur, comme la guérison au bout d'une lame ; Seigneur, ayez pitié, ayez pitié des fous et des folles ! O Créateur ! peut-il exister des monstres aux yeux de Celui-là seul qui sait pourquoi ils existent, comment ils *se sont faits* et comment ils auraient pu ne pas se faire ? »

Vanité de toute controverse ! Si ce que Baudelaire a cru est vrai, son destin échappe à la dialectique athée et la psychanalyse n'aura atteint en lui que des épiphénomènes. Qui nous départagera sinon, au dernier jour, la trompette de l'ange ?

Sur un seul point, nous sommes d'ores et déjà assurés, nous, les esprits religieux, d'avoir eu raison : le poète des *Fleurs du mal* nous appartient, et qui nous le disputera, cet amant de Jeanne Duval dont l'amitié faisait honte au vertueux Sainte-Beuve ? La connaissance métaphysique du mal, il n'est rien qui soit plus étranger aux hommes d'aujourd'hui ni qui leur répugne davantage dans ses derniers détenteurs chrétiens.

> Ah ! Seigneur ! donnez-moi la force et le courage
> De contempler mon cœur et mon corps sans dégoût !

Qui a besoin de ce courage et de cette force, désormais ? Ils se regardent, ils se plaisent et, s'ils ont appris à le faire, ils se décrivent. L'insecte humain n'a de compte à rendre à personne pour avoir suivi les lois de son espèce — non, aucun compte de tous ces corps et de tous ces cœurs dont il se sera servi, et puis qu'il aura rejetés.

Mais cela ne va pas sans conséquence d'ordre esthétique. L'entomologie a ses méthodes. Appliquées à l'histoire de l'homme, renouvelleront-elles le genre romanesque ? Si l'homme n'est rien qu'une imposture, s'il n'y a rien d'autre en lui que cette imposture, il est vrai que le roman dit psychologique aura, jusqu'aujourd'hui, vécu d'un mensonge et qu'il ne reste plus aux romanciers qu'à devenir des peintres de néant.

Mais peut-être les poètes et les saints ne furent-ils ni des imposteurs ni des dupes. Peut-être existe-t-il au-dedans de nous, ce royaume auquel nous avons cru, sur la foi de ce qu'ils nous ont rapporté, et qui recoupait ce que nous découvrions en nous-mêmes.

Charles Baudelaire avait la passion de la chose telle qu'elle est et du mot qui la cerne, au point, si hideuse qu'elle soit, de nous obliger à la toucher, à la sentir. Or l'affreuse juive pareille à un cadavre, la vieillarde insultée des gamins, la charogne, le vampire ne portent pas ici un autre témoignage que l'albatros aux ailes de géant, ou que la jeune femme accoudée à ce balcon ancré dans les vapeurs roses d'un soir de Bordeaux. Grandeur de l'âme humaine, en dépit de toutes les souillures ! « Vous vous en persuadez, mais il n'y a rien. » S'il n'y a rien, qu'est-ce que l'art ? D'où naît ce mirage dont Baudelaire et les artistes de tous les temps se sont enchantés et pour lequel ils ont vécu ?

Le 4 février 1857, Baudelaire confie à l'imprimeur son manuscrit. Le 25 juin, *Les Fleurs du mal* paraissent. Entre-temps, par une calme nuit de mai, Alfred de Musset avait reçu la visitation, non de la muse, cette fois, mais de la mort. Il dit à son frère : « Dormir... Enfin je vais dormir. » Peut-être ne songeait-il qu'au sommeil de la terre, comme certains croient que Gœthe, mourant, lorsqu'il demanda « Plus de lumière » ne souhaitait que de faire ouvrir les volets — tant la parole la plus ordinaire s'élargit aux approches de l'agonie.

Que faisait Baudelaire cette nuit-là, entre le 1er et le 2 mai, et quelles furent ses pensées quand il apprit qu'Alfred de Musset n'était plus ? Il songea peut-être que son destin le forcerait à tuer ce mort encore si vivant et qui avait incarné en poésie tout ce que lui-même haïssait. Dans des notes posthumes (Baudelaire avait songé à défendre Henri Heine contre un article très sot de Jules Janin), on a découvert ceci qui date de 1865 : « Musset, Faculté poétique. [...] Mauvais poète d'ailleurs. On le trouve maintenant chez les filles, entre les chiens de verre filé, le chansonnier du Caveau et les porcelaines gagnées aux loteries d'Asnières. — Croque-mort langoureux. » Mais déjà, en 1857, les raisons du mépris que lui inspirait Musset avaient éclaté dans une lettre à Armand Fraisse : « Excepté à l'âge de la Première Communion, c'est-à-dire à l'âge où tout ce qui a trait aux filles publiques et aux échelles de soie fait l'effet d'une religion, je n'ai jamais pu souffrir ce maître des gandins, son impudence d'enfant gâté qui invoque le ciel et l'enfer pour des aventures de table d'hôte, son torrent bourbeux de fautes de grammaire et de prosodie, enfin son impuissance totale à comprendre le travail par lequel une rêverie devient un objet d'art. »

Il faudrait ici peser chaque mot. Jamais génie ne fut plus lucide que celui de Baudelaire. Jamais la poésie ne se confondit aussi étroitement avec la critique. Jamais l'inspiration ne fut liée à une vue plus nette, dégagée de toute complaisance à l'égard de ce que le poète avait résolu de détruire et qu'il a en effet détruit : de Rimbaud à Mallarmé et à Valéry, la poésie française n'a plus dévié de la route ouverte par *Les Feurs du mal,* c'est-à-dire qu'elle n'a cessé de s'éloigner de *Rolla* et des *Nuits.*

Si la technique avait pris le pas sur l'inspiration, il n'y aurait pas de quoi se vanter. Mais la rigueur a vaincu le va-comme-je-te-pousse. Et, en gros, il est apparu qu'un poète n'avait rien à perdre à être intelligent.

Les délicats ont pourtant fait grâce à l'auteur du *Chandelier* et des *Caprices de Marianne,* et d'autres, dont je suis, l'aiment encore pour des raisons que je dirai. Il n'empêche que Musset a reçu une blessure qui ne se fermera plus. Le pauvre pélican de *La Nuit de mai* porte au flanc la dure flèche baudelairienne. Eût-elle été moins dure, elle ne l'en aurait pas moins transpercé : hélas ! que cela paraît mou, quand on y revient ! « Jeune homme au cœur de cire. » Ainsi Lamartine appelait Musset. Mais l'œuvre elle-même est de cire.

Musset a-t-il connu son sort ? Se faisait-il une idée de Baudelaire ? Il est douteux que le dandy besogneux et vaguement taré ait retenu l'attention du dandy riche, son aîné de dix ans, idole de la jeunesse, près d'occuper déjà la troisième place en poésie, après Lamartine et Hugo ex æquo, dans les manuels scolaires, membre enfin de l'Académie française. J'ai lu son discours de réception : il m'a appris que Duranty, auquel il succédait, fut une des plus pures gloires de Bordeaux, qui l'avait vu naître.

Baudelaire, ce nom devait faire hausser les épaules à l'illustre poète des *Nuits.* J'incline à croire qu'il s'en alla sans pressentir que quelques semaines après sa mort allait surgir ce formidable adversaire de Ninette et de Ninon. La révélation lui fut épargnée qui accabla quelques vieux romanciers en 1920, lorsque l'étoile de Marcel Proust apparut au zénith et qu'ils comprirent (je pense surtout à Boylesve) que c'était cela qu'ils avaient voulu écrire, que c'était ce temps perdu-là qu'ils avaient cherché, mais dans une mauvaise direction ; un autre venait de le retrouver et du même coup de les précipiter au néant.

Musset, lui, s'endormit en paix, adoré de toute la France. Il avait reçu l'hommage de Sainte-Beuve — de cet « oncle Beuve », cher à Baudelaire qui n'obtiendra jamais de lui qu'une phrase. Mais voici la vengeance de la poésie : relisant le Lundi consacré à Musset, je retrouve cette perle oubliée : « Un des poètes dont il restera le plus, Béranger... »

S'il m'arrive encore de rompre des lances pour Musset, ce n'est pas seulement pour son théâtre, qui a le tort de ne nous laisser jamais oublier Shakespeare, et dont je ne suis pas fou (n'empêche que ma prime jeunesse se gargarisait, à la lettre, avec le « Respire, cœur navré de joie ! » de *Lorenzaccio*), mais le Musset des Nuits me désarme encore, et aussi celui de la *Lettre à Lamartine*, d'*Une soirée perdue*, des *Stances à la Malibran*, et même du début de *L'Espoir en Dieu*. Je l'aime à mes heures jusque dans les verrues de *Namouna* et dans les furoncles de *Rolla*. .

L'étrange est que, pour mon humble part, tant que j'ai écrit des vers j'ai été de toute ma volonté dans la direction de Baudelaire — cherchant le secret d'un certain alliage, d'une matière dure : cela a donné le poème d'*Atys* qui demeure, de tout ce que j'ai écrit, ce qui me déçoit le moins. Qu'importe si je suis seul à n'être pas déçu ? C'était bien cela que je cherchais à capter, cette passion qui bouge encore, prise dans le filet serré de mots pour moi irremplaçables

Hostile à sa poétique, d'où vient que je demeure fidèle à une certaine poésie de Musset ? Je ne sais si l'histoire est vraie de ce jeune homme se levant, tout pâle, au

milieu d'une conférence de Paul Valéry (qui accablait
Musset) pour balbutier des protestations. Il était le frère de
cet autre jeune homme qui, un soir, à l'Opéra, en 1833, le
lendemain du jour où *Rolla* avait paru dans la *Revue des
Deux Mondes*, ramassa, sur une marche, le bout de cigare
que Musset venait de jeter. J'aurais pu être, Dieu me
pardonne ! l'un de ces deux nigauds. Mais si je m'étais
levé au milieu de la conférence de Valéry, qu'aurais-je
dit, comment eussé-je expliqué cette contradiction entre
ma fidélité à Musset et ma prédilection pour une poésie
qui condamne la sienne ?

Il aurait fallu demander aux assistants d'écouter
l'histoire de mon adolescence. Or c'eût été impossible,
parce qu'en fait il n'y a pas eu d'histoire. J'aurais dû
d'abord décrire ces deux volumes épais des Œuvres
complètes de Musset et dont l'un, oublié sur quelque banc,
avait été pénétré par la pluie d'une nuit de la fin des
vacances, et il en demeura comme constellé. Cette édition
datait du vivant de Musset, reste de la bibliothèque d'un
grand-oncle que je n'ai pas connu, vieux garçon et libertin.
Mon frère aîné se souvient d'avoir vu, dans le four à pain
allumé pour cet holocauste, son institutrice brûler les livres
du grand-oncle qui s'y tordaient comme des damnés. Pourquoi *Faublas* fut-il épargné ? Un petit format le sauva
peut-être : il se dissimulait derrière des tomes de Guizot,
où je sus bien le découvrir. Je m'étonne que de cette bibliothèque livrée au bras séculier aient pu s'évader et soient
parvenus jusqu'à moi trois recueils de dessins de Gavarni,
que j'ai encore, édités chez Hetzel, en 1846, dans une
reliure de l'époque.

Musset fut sauvé, lui aussi. Peut-être après tout ma mère
l'avait-elle aimé à vingt ans. Je ne me cachais pas pour
le lire ; mais j'avais passé, il est vrai, l'âge de la Première
Communion qui est celui, selon Baudelaire, où l'on a
quelque excuse à aimer Musset. En fait, Musset est le
poète de la première adolescence. L'asservissement à la
famille, à des devoirs, à l'enfant que l'on est toujours pour

sa mère et pour ses maîtres, devient un joug insupportable : l'éveil du sang et des songes nous condamne à la perpétuelle création d'un monde pressenti, nécessaire à notre évasion, et dont rien ne nous est connu. Univers chimérique qui trouve de la consistance dans le vague et dans le faux de Musset : ces débauchés assis sur une borne, dans une nuit de carnaval, et qui se pressent le cœur à deux mains, qui font résonner leurs éperons sous les voûtes des églises et dans les escaliers des lupanars, les vierges qui leur sont livrées... Mais des séraphins secouent des lilas dans leurs robes légères, mais le clair de lune baigne les petites mains de Lucie, voltigeant sur un clavier. Et l'étoile du soir, messagère lointaine, se lève au-dessus de notre enfance et la regarde cheminer et se perdre dans la brume.

Aucune de ces images ne dérange l'absurde univers de la seizième année. Baudelaire nous répugne à cet âge, parce que sa poésie et la réalité se confondent : son inspiration jaillit au cœur du réel qu'un jeune être repousse ; quand il l'affrontera et qu'il s'y conformera, il sera devenu un homme. Si le poète survit en lui à l'adolescent, voici l'heure d'ouvrir *Les Fleurs du mal*. Mais il faut laisser à Musset ce qui lui appartient : il contente le vague de la souffrance et du désir chez un enfant, pareil à celui que je revois derrière les barreaux des scrupules, des interdits de la famille, de maîtres aux yeux crevés, qui ne comprennent pas, prisonniers d'une terre aride, brûlante et triste.

Et pourtant, ces deux poètes qu'une génération sépare appartiennent à la même race. L'un et l'autre, ils ont été des dandys et des débauchés : deux styles de dandysme et de débauche qu'il faudrait confronter. Tous deux avaient gardé le discernement du mal et du bien — mais Musset est le fils du dix-huitième siècle ; il tient à Parny et même à Béranger ; qu'il y a loin de son déisme à cette connaissance, à cette expérience en profondeur qu'a Baudelaire du secret catholique !

Il n'empêche que les prédicateurs de ma jeunesse citaient Musset volontiers. Ils utilisaient beaucoup le « malgré moi l'infini me tourmente » de *L'Espoir en Dieu*. Et même *Rolla !* Durant le carême de 1875, à Notre-Dame, le père Monsabré leur avait donné un dangereux exemple, en faisant retentir cette chaire illustre de vers dont la valeur apologétique nous paraît bien douteuse aujourd'hui :

> J'aime ! voilà le mot que la nature entière
> Crie au vent qui l'emporte, à l'oiseau qui le suit !

Les religieux de ce temps-là n'étaient pas, comme les nôtres, à la fine pointe de l'avant-garde. Ils ignoraient qu'il vaut mieux ne pas citer Musset.

Mais ceci paraît grave pour notre poète : le père Monsabré n'aurait pu lui emprunter un hémistiche qui n'offensât la sainteté du vrai. Il n'est rien d'authentique en lui que sa souffrance. Elle ne suffit pas à me le faire aimer, moi qui compte tant d'amis parmi les morts, comme Maurice de Guérin ou Benjamin Constant, dont le moindre mot me retient encore. Mais Musset... Les pélicans de la littérature qui distribuent leurs entrailles, à mon âge ne touchent plus. Peut-être, après tout, n'était-ce pas à Alfred de Musset que je demeurais fidèle, mais au recueil de poèmes relié en basane verte, oublié sur un banc, vers la fin des vacances de ma seizième année, et que la pluie d'une nuit d'automne avait pénétré lentement et qu'elle a marqué pour jamais.

V

*Un Balzac au hasard. — Les romans qui durent. — Haute-
Plainte. — Le secret d'Emily Brontë. — La fin des personnages. — Ils meurent avec le jeune être que nous fûmes. —
Je préfère les livres de* Souvenirs. *— Ceux d'André Salmon
sont les miens.*

U N de ces derniers soirs, comme il m'arrive souvent,
j'avais ouvert un Balzac au hasard. C'était *La
Muse du département*, et je suis tombé sur la scène
où Lousteau et Brianchon traitent de haut les romans écrits
du temps de l'Empire : « La littérature de l'Empire, dit
Lousteau, allait droit au fait, sans aucun détail. Elle avait
des idées, mais elle ne les exprimait pas. Elle observait,
mais elle ne faisait part de ses observations à personne...
Aujourd'hui, reprit Lousteau, les romanciers dessinent des
caractères, ils vous décrivent le cœur humain... »

Lousteau, aujourd'hui (car il est éternel), sait que les
vrais romanciers ne dessinent plus de caractères, parce
qu'il n'existe nulle part de caractères, sinon dans l'idée
que nous nous en formons, et ils ne nous dévoilent plus
le cœur humain, la réalité ne nous montrant rien qui
ressemble au cœur humain tel que les auteurs de tragédie
et les romanciers psychologues l'ont fabriqué pour satis-
faire aux exigences de leur profession. Le roman, c'est la
vie elle-même et non les « planches d'anatomie morale »

qu'on en peut tirer, comme le croyait Paul Bourget. Je m'accorderai là-dessus avec les Lousteau d'aujourd'hui. Mais une pensée me vient. J'ai pris ce Balzac au hasard, d'un geste qui m'est familier. J'y entre de plain-pied comme dans une maison dont je connais chaque chambre. J'ai passé des nuits de ma jeunesse dans chacune d'elles. Si je descendais au jardin je saurais trouver le tilleul dont l'écorce garde encore les initiales que j'y ai entrelacées il y a bien des années.

Je me demande si l'œuvre de Kafka, par exemple, ou celle de Joyce, pour citer de grands noms parmi les morts qui sont les maîtres de nos cadets, offre ce caractère d'être habitable, comme l'étaient celles que notre génération préférait — si délicieusement habitables qu'à tout âge de la vie nous y revenons, bien que nous n'y retrouvions qu'un faux réel recréé par des romanciers dont la présence encombre l'ouvrage, et, s'il s'agit de Balzac, quand l'énorme bonhomme avec ses grosses idées et ses grâces d'éléphant s'interpose partout entre nous et ce qu'il prétend nous montrer et nous commenter, au lieu de nous le faire voir, sentir, dans une discontinuité qui romprait avec la logique d'une narration bien construite.

Pour moi, j'avoue qu'un vrai roman est celui où j'ai envie de revenir et que je ne traverse pas comme un cauchemar. A dire vrai, il n'y a guère que Proust pour me donner au même degré que Balzac cette familiarité avec un auteur et le monde qu'il a créé : une œuvre où l'on entre et d'où l'on sort sans même chercher le commencement du chapitre. En dehors de Balzac et de Proust je ne vois que *Guerre et Paix* où je m'introduise ainsi en poussant la première porte venue.

La plupart des autres grands romans exigent d'être repris depuis la première page. Quels sont-ils, ces romans que j'ai rouverts souvent au long de ma vie ? Ce ne sont pas les mêmes, bien sûr, que mes cadets relisent. Mais que relisent-ils ? Pour nous, c'était *Adolphe*, la *Bovary*, *L'Education*, *Le Moulin sur la Floss*, *Middlemarch*, *Dominique*..., entre beaucoup d'autres. Mes cadets aiment-ils vraiment ce qu'ils aiment ? Je veux dire le fréquentent-ils, l'habitent-ils comme nous avons fréquenté et habité les romans de mœurs et de caractère, écrits selon une esthétique qu'ils condamnent ou qu'ils considèrent aujourd'hui comme dépassée ?

C'est la question que je me pose. Je suis tout prêt à croire qu'ils appréhendent aujourd'hui le réel comme on ne l'avait jamais appréhendé depuis qu'il y a des hommes et qui racontent des histoires. Mais je me demande si ce réel à peine saisissable ne fuit pas à mesure que le lecteur s'efforce de le capter. Les caractères, cernés d'un trait appuyé du roman traditionnel, les déductions arbitraires de la psychologie qui était la spécialité des observateurs du cœur humain selon la vieille mode, assureront mieux peut-être à leurs meilleurs ouvrages le privilège de durer dans la mémoire et dans le cœur des hommes.

« Et celui-là ? Est-il pour elle ? » On me tend un livre. C'est de ma petite-fille qu'il s'agit. Je me souviens, il y a soixante ans, de la même question posée presque chaque jour par ma mère scrupuleuse : « Est-ce pour lui ? » Ses scrupules rendaient la réponse redoutable : ils me condamnaient à Zénaïde Fleuriot. « Cet enfant dévore... » disait-on. Je ne suis pas sûr d'avoir beaucoup perdu à tromper sur d'aussi pauvres nourritures ma jeune fringale : je détenais alors cette puissance de transfiguration qui prêtait à une héroïne de Zénaïde Fleuriot, Armelle Trahec, autant de beauté que j'en découvris plus tard chez Natacha Rostov de *Guerre et Paix*, au point qu'après toute une vie, ses yeux verts luisent toujours pour moi dans une mince figure tavelée.

« Ce roman est-il pour elle ? » Non, une adolescente ne saurait entrer dans cette histoire que je feuillette, que je redécouvre, qui m'a déjà repris, que je ne quitterai

plus : *Les Hauts de Hurle-Vent, Wuthering Heights*
(les Lacretelle l'ont traduit par *Haute-Plainte*). Les habitants de ce haut-lieu, l'un des plus sombres de la
littérature anglaise, qu'ils sont demeurés vivants en moi !
Leur nom me suffit, à peine déchiffré, pour qu'apparaisse
chacun de ces cœurs dévorés. Heathcliff, le forcené, les
domine de très haut. Orphée n'était pas entouré d'ombres
suppliantes plus que je ne le suis. Mais je les écarte, pour
en atteindre une autre. Ou si je m'attarde auprès d'elles,
ce n'est pas que je souhaite de réentendre leur histoire.
Je veux les interroger au sujet d'Emily Brontë, l'amère
jeune fille qui les a conçues et qui ne pouvait pas ne pas
porter en elle tout ce qui dévore les habitants de Wuthering Heights, puisqu'elle a vécu sa courte vie (à part deux
séjours d'enfance dans des collèges et un autre plus long
à Bruxelles avec Charlotte son aînée) dans ce presbytère
d'un village du Yorkshire dont les fenêtres ouvraient sur
le cimetière ; et par-delà les tombes régnaient la lande et
le vent, et elle y errait sans fin dès qu'elle pouvait se dérober
ber aux soins du ménage, tandis que s'enivrait tristement à
l'auberge, Branwell, son frère débauché.

Enfant, je dévorais une histoire. J'aurais lu *Haute-
Plainte* en un jour de vacances. Maintenant je relis à
petites gorgées. Je m'attarde à relever de page en page
les traces d'une fille très secrète, endormie depuis cent
huit ans. S'il existe une œuvre pourtant qui devrait se
détacher de son créateur et s'imposer seule, c'est bien ce
livre puissant, ce monde clos refermé sur un petit nombre
de damnés dont chacun est cerné d'un trait fin et dur.
Je savais qu'il est vain de prétendre séparer les passions
de leur contexte physiologique, de l'enchevêtrement indé-
terminé des conjonctures. Mais je n'ai jamais douté non
plus qu'un grand livre comme celui d'Emily Brontë a été
lentement formé par les alluvions d'une vie et qu'il s'est
enrichi jour après jour de son désir et de sa douleur.

Peut-être n'ai-je pas droit, après tout, au nom d'artiste
tel qu'on l'entend aujourd'hui, moi qui ne suis pas retenu

par l'œuvre séparée de son auteur, par l'œuvre autonome
et qui n'est plus que langage — moi qui tente, sans me
décourager jamais, une remontée à sa source, jusqu'à cette
âme d'où elle a jailli et à laquelle mes cadets ne croient
pas. Mais je m'obstine, je la cherche avec l'espoir fou de
la tenir tout entière palpitante entre mes mains, comme
ce petit faucon qu'Emily Brontë avait trouvé un jour dans
la lande et ramené au presbytère. Je ne découvrirai rien,
je le sais. Cela n'empêche pas que je tourne sans fin autour
de ce visage clos d'Emily et de ses lèvres serrées : non
autour d'une œuvre, mais autour d'un être.

Je cherche, mais je déteste les recherches des autres.
J'écarte le livre pesant que Mme Virginia Moore a publié,
il y a une vingtaine d'années, touchant le secret d'Emily
Brontë. Elle essaie d'une clef qui, plus ou moins, tourne
toujours dans la serrure quand on ne sait rien d'une créature qui ne s'est livrée à personne. Selon cet auteur, Emily
eût été prisonnière d'une passion étrange et triste qui
l'eût dévorée vivante dans ce presbytère d'Haworth.
Comme elle a laissé des poèmes qui, même traduits, rendent un son déchirant, il n'est rien de si aisé que de leur
prêter cette signification entre cent autres.

Et puis, avec ses sœurs et son frère, Emily avait inventé
une île qui s'appelait Gondal. Tous les enfants Brontë
collaborèrent, durant des années, à l'histoire des Gonda-
liens et beaucoup des poèmes d'Emily se rattachent à ce
cycle. Peut-être a-t-elle voulu brouiller ses pistes. Peut-être
n'a-t-elle créé ce monde que pour le jeter entre elle et
nous et pour que nous nous y perdions.

Je n'entrerai pas dans ce débat : il y faudrait un livre ;
je doute que Mme Virginia Moore ait rien deviné d'Emily.
Mais moi, je recommence à la chercher et à la poursuivre,
comme je fis autrefois, à travers les créatures qu'elle a

conçues. J'interprète le gémissement de ses poèmes. Je sais les pages de *Wuthering Heights* où c'est elle qui parle et qui directement se livre : je reconnais sa voix ; un bref instant, je serre sa petite main brûlante.

Voilà par où j'appartiens à la vieille espèce : je ne me plais pas à la surface, et qu'il n'y ait rien à ramener des profondeurs ne me détourne pas d'y descendre. Selon M. Maurice Blanchot, si j'en crois son commentateur M. Gaétan Picon dans le dernier numéro de *Critique*, le langage de l'art nous donne accès à l'ultime vérité de l'Etre : « Et cette ultime vérité n'est autre que la transcendance du Rien. Le mouvement de néantisation du langage témoigne de la vérité ontologique du néant... » La méfiance, le mépris à l'égard du « psychologique », a sa racine dans cette adhésion au rien. Il s'agit bien de technique ! Ce n'est pas une technique qui nous divise. J'appartiens à une génération qui a cru à l'homme, et à Celui dont l'homme est le témoin irrécusable.

J'ignore si « les grandes pensées viennent du cœur », mais je sais que les grands romans tels que *Haute-Plainte* en viennent ; et ce n'est pas assez dire : ils sont la projection brouillée de ce cœur qu'il est donné à chacun de comparer à sa propre énigme. Car toute lecture est comparaison, affrontement. Le peu que nous savons de nous-même, c'est parfois le personnage d'un livre qui nous le suggère à voix basse. Le clair de lune d'automne luit sur le toit de notre maison que la brume mouille, et sur ce cimetière d'Haworth où Emily Brontë s'est étendue, le 19 décembre 1848, après en avoir toute sa vie contemplé les tombes de sa fenêtre. Elle y repose « incomparablement au-delà et au-dessus de nous tous... », comme il est écrit d'une jeune morte de *Wuthering Heights*.

Ces romans ont autre chose à me dire que ce qu'ils disent. Quelqu'un derrière eux se dérobe. Le sombre Heathcliff me livrera-t-il cette part d'elle-même qu'Emily a voulu dissimuler ? La psychologie de personnages inventés me renseigne sur celle d'une jeune fille qui a réellement vécu.

Ou du moins je fais semblant de le croire. J'agis comme si je le croyais.

Voilà par où je me sens le plus étranger à la généra-tion d'écrivains venue après la nôtre et pour qui « psycho-logique » a pris un sens injurieux et, accolé à un récit, le disqualifie. A vingt-cinq ans, irrité par tel jugement, par tel déni de Bourget ou de Barrès, je me disais : « Quand j'aurai leur âge, il faudra se souvenir de ne pas leur ressembler. Il faudra apprendre à voir et à juger des choses et des êtres par le côté qu'abordera la génération nouvelle. » Je n'ai pas oublié ce vœu. Je me suis efforcé de ne pas le trahir et peut-être, dans un autre ordre que l'art, y ai-je réussi. Mais, écrivain au dernier tournant de la vie, je me retrouve seul avec en moi le mot de Lacordaire qui y fut gravé au départ : « Tôt ou tard, on finit par ne plus s'intéresser qu'aux âmes. » J'aimerais mieux : « aux « êtres », parce que c'est le cœur de chair qui m'importe ; à travers les créatures de *Haute-Plainte,* c'est celui d'Emily Brontë dont je compte les battements.

Non que sur l'essentiel je ne sois d'accord avec mes cadets : depuis longtemps, dès ma jeunesse, qui éleva Dostoïevski au premier rang de ses dieux, j'avais discerné qu'il est naïf de prétendre établir, comme faisait Bourget, « des planches d'anatomie morale ». Je savais que les pas-sions du cœur n'existent à l'état pur que dans les tragédies classiques et dans les romans du type d'*Adolphe,* qui sont des épures et des diagrammes.

Je relis *Haute-Plainte.* Je le relirai encore : j'entre, je sors, je reviens dans ces livres de ma jeunesse. Mais un roman d'aujourd'hui, « une nouveauté », quelle paresse me décourage d'y pénétrer !

On me dit : « Il faut lire ça. C'est le prochain Gon-court. » Je soupèse le volume. Qu'il est gros ! Près de cinq cents pages, à vue de nez. Pour me donner de l'appélit, comme j'aurais fait à vingt ans, je demande : « C'est une histoire d'amour ? » On me répond : « Non : une histoire d'éléphants. » Je soupire. Je n'eusse pas soupiré moins fort si l'amour avait été au programme. J'ouvre, je lis dix lignes, je referme. Le vrai est qu'une fois de plus, devant un roman, je me prends en flagrant délit d'impuissance de lire.

Qui l'eût cru ? Qui l'eût dit ? Car si le compte est établi, quelque part hors du monde, des heures de ma vie que j'aurais consumées dans la lecture de romans, il en ressort sans doute qu'à la vie réelle j'ai longtemps préféré la vie inventée.

Au début de mon séjour à Paris, je me souviens que délivré de l'Ecole des Chartes, et de tout ce qui asservit un étudiant, il m'arrivait de ne quitter le coin d'un feu de boulets que pour un rapide repas durant lequel je ne lâchais pas mon livre. Il ne s'agissait pas toujours d'un « grand » : Dostoïevski ou Balzac. Les mornes histoires naturalistes, comme *En ménage,* de Huysmans, ne faisaient pas peur à mon vaste appétit. Ni *Charles Demailly*, ni *Manette Salomon,* des Goncourt. Je choisissais peu, en somme. Le nom de l'auteur me décidait, car j'avais le respect des noms, lecteur de bonne foi et de grande foi, plein de révérence pour les génies catalogués — pour les autres aussi d'ailleurs : ce qui était coté en marge de la Bourse officielle de la gloire ne m'échappait guère non plus.

Je sortais de ma lecture au crépuscule, comme je me fusse réveillé, cherchant une transition pour passer sans trop de souffrance de ce monde imaginaire au monde réel. Alors s'ouvrait le Paris nocturne et ses rues infinies.

Que m'est-il advenu ? Sur tant d'autres points, je me retrouve pareil aujourd'hui à ce que j'étais il y a un demi-siècle. Qu'est-ce donc qui se dresse entre moi désormais et l'univers romanesque et m'en interdit l'accès ? « Les romans que vous-même avez écrits... » Oui, c'est à cela d'abord que l'esprit s'arrête. Notre œuvre se substituerait à celle des autres, et nos personnages à leurs personnages. Eh bien, non, puisque cette fringale a duré tout le temps de ma maturité, alors que j'écrivais mes livres. La lecture des romans continuait de ronger mes journées. Elle demeurait la récompense attendue de mon propre travail. Je bousculais l'histoire que je racontais pour retrouver celle des maîtres. Or il n'est rien que je ne leur préfère aujourd'hui : une revue, le premier journal venu qui me rapporte des faits et des chiffres. « C'est l'âge que vous avez atteint ? » Bien sûr, mais constater cela, c'est ne rien dire.

Le vrai est que les personnages inventés par le romancier ne s'éveillent à la vie, comme la musique enregistrée, que grâce à nous. C'est nous, les lecteurs, qui offrons à ces créatures imaginaires un temps et un espace au-dedans de nous, où ils se déploient soudain et inscrivent leur destinée. Or ce temps, cet espace, du moins en ce qui me concerne, je comprends aujourd'hui qu'ils se confondaient avec la vie ouverte devant mes vingt ans, la vie que je n'avais pas vécue, que j'allais vivre. Ils incarnaient mon destin encore voilé. Ils lui prêtaient des visages successifs. Je m'essayais, par héros interposés, dans l'abjection et dans la gloire, dans l'amour et dans le crime. Ils projetaient au-devant de moi mes propres possibilités. Je ne soupçonnais pas alors que la pièce était déjà commencée et je perdais mon temps à lire. Les rencontres que déjà j'eusse pu faire au-dehors n'auraient pas lieu parce qu'au coin d'un feu de boulets, dans une chambre au cinquième de la rue Vaneau, je substituais à mon propre destin des destins fictifs.

Cependant j'étais moins jeune ; l'espace au-devant de moi se rétrécissait ; si peu que je vécusse il se peuplait d'êtres vivants et de choses réelles, et ma destinée personnelle s'entrelaçait à l'histoire du monde. Pourtant les créatures romanesques n'en continuaient pas moins d'y respirer, de s'y mouvoir, mais non plus comme une préfiguration de ma vie. Elles devenaient des points de comparaison. Où en était Rastignac, ou Lucien Leuwen, ou Dominique, à mon âge ? Risquais-je de rejoindre dans le ratage Frédéric de *L'Education sentimentale ?* Pour l'homme mûrissant déjà engagé dans la réalisation d'une œuvre, lire les romans des autres, c'est une manière de faire le point, c'est se confronter.

Mais à mesure que le temps s'écoule, que notre avenir temporel se réduit, lorsque les jeux sont faits, que l'œuvre est achevée et la copie remise, que l'aventure humaine touche à sa fin, alors les personnages de roman ne trouvent plus en nous d'espace où se mouvoir : ils sont pris entre le bloc durci et inentamable de notre passé où plus rien désormais ne pénètre et la mort qui, plus ou moins proche, est désormais présente. Son ombre nous recouvre, et, à mesure que nous avançons, elle épaissit.

Quelle créature romanesque s'y déploierait ? Toutes n'ont subsisté que de notre juvénile espérance. C'était notre jeune sang qui brûlait leurs joues. Elles palpitaient de nos propres passions.

Voici le temps où Julien, Fabrice, Dominique, Lucien, quand je m'efforce de les arracher au gouffre, ne me racontent plus que des histoires à dormir debout. Je l'avais déjà noté à propos d'Emily Brontë et de *Haute-Plainte :* seuls existent désormais ceux qui les ont conçues et qui ne m'intéressent que dans la mesure où ils se sont exprimés par des confidences directes. Si je suis si attaché à Benjamin Constant, ce n'est pas que l'homme au fond me séduise, mais parce que son *Journal* me le livre. Ne l'ayant connu qu'assez tard, je n'ai jamais pu lire jusqu'au bout aucun des romans de D. H. Lawrence : *Le Serpent à plumes* et *Lady Chatterley* me sont tombés des mains. En revanche j'ai lu avidement toute la copieuse littérature qui concerne Lawrence lui-même, les confidences de Catherine Carswell et de Dorothy Brett, tout ce qui m'introduisait dans les machinations de ce prophète dérisoire.

Seules les créatures de chair et de sang subsistent encore pour nous sur cette lisière indéterminée entre le fini et le rien qui s'appelle la vieillesse. Et c'est pourquoi « l'engagement » m'apparaît comme un faux problème. Je ne me sens pas aujourd'hui plus engagé que je ne le fus autrefois. Seulement je ne parviens plus à interposer une fiction entre moi et le réel. Aucune lecture ne me divertit plus de ce qui me reste de vie, ni de la part de mort que je détiens déjà, ni de la politique où s'inscrit au jour le jour la férocité ou la bêtise des hommes. Certes, il me serait toujours loisible de chercher une voie de garage pour oublier, d'être une de ces locomotives d'ancien modèle, qui sont encore faiblement sous pression, dans les dépôts, ou qui poussent les wagons vides... N'importe : rien ne saurait faire que l'homme âgé ne soit livré sans recours possible à ce qui se passe maintenant ou à ce qui s'est réellement passé (ce sont les vieux qui dévorent les livres d'histoire). Aucun refuge dans le futur, puisqu'il n'y a plus de futur pour lui, et que ce vide propice aux ravissantes figures inventées par les romanciers et qui constituait leur milieu naturel est devenu de l'inentamable passé.

Rien devant lui que ce à quoi il a cru ou a prétendu croire, s'il s'est dit croyant. Plus rien que cette réalité inimaginable, pareille à la mer toute proche qu'une dernière dune cache et que nous n'entendons pas gronder. S'il existait un monde romanesque qui tînt compte de l'éternité, nous y aurions recours encore ; et il est vrai que je relis *En route* de Huysmans. Mais ce n'est qu'un journal à peine romancé. Qui nommerons-nous d'autre ? Bernanos ? Graham Greene ? Mais toute fiction, même si elle tient compte de la Grâce dans le monde, altère cette vérité qui ne s'invente pas, qui ne se communique à nous que par-delà les mots.

Au vrai, les poètes seuls demeurent accordés à ces dernières années de la vie. C'est que la poésie, comme la religion, bouscule les apparences et va droit à ce qui est. Non

que j'ouvre les livres des poètes plus volontiers que ceux
des romanciers : la mémoire ici se substitue aux livres, il
me suffit de tout ce que j'ai engrangé au long de ma vie,
de toute la poésie qui murmure au-dedans de moi, et que
j'ai recueillie depuis les premiers Morceaux choisis de
l'enfance : des poèmes totalement oubliés aujourd'hui ont
gardé pour moi seul une résonance secrète qui durera aussi
longtemps que la pensée ne me sera pas ravie.

Les créatures des romans ne sont pas pour nous tout à
fait mortes ; elles appartiennent elles aussi à notre passé,
mais elles y sont éclipsées par les êtres de chair que nous
avons connus et aimés. Dans les vies les moins comblées
il se trouve plus de Natacha, de Dominique, de Lucien que
dans les œuvres complètes des grands romanciers, et ils
gardent sur les Natacha, sur les Dominique, sur les Lucien
de l'univers romanesque cette prééminence d'avoir été
et d'être toujours, non des imaginations, mais des âmes
vivantes. Le passé nous enveloppe d'une ténèbre étoilée
de regards qui ont existé, et la source de lumière qui les
faisait resplendir brille peut-être encore par-delà la
mort.

Ainsi, à mesure que nous approchons du terme, nous
nous déprenons de ce qui est figure et de ce qui est énigme
pour atteindre cette réalité que les mots exprimaient et
dissimulaient à la fois. Si c'est le néant, nous concevons que
le silence où tendent nos derniers poètes est annonciateur
du rien dans lequel toute apparence est appelée à se dissoudre. Mais s'ils sont vivants à jamais, ces bien-aimés qui
nous ont précédés dans la mort, si chaque minute nous
rapproche d'eux, nous consentons à ce que toute fiction
se dissipe. Voici le temps de fermer les livres, et si ce fut
jamais celui d'aller voir des films, voici le temps de
mettre fin à ce pullulement d'images. Dans la jeunesse
l'art n'est que l'ombre des choses à venir. Mais au soir de
la vie, lorsqu'il n'existe plus pour nous d'avenir terrestre,
comment l'art nous parlerait-il de cette éternité que déjà
nous contemplons ? A cette contemplation, la musique

seule s'accorde. Encore doit-elle très tôt le céder au silence
— à ce silence vivant qui est, dès ici-bas, l'éternité commencée.

Je n'entre plus dans aucune histoire inventée par mes
contemporains, mais je dévore leurs mémoires. Leurs
souvenirs sont les miens.

Si j'ai pris un plaisir amer aux *Souvenirs sans fin*
d'André Salmon, c'est que j'ai fait le voyage avec lui. Nous
devons être contemporains, à quelques années près. J'ai lu
ses mémoires avidement, comme tous les livres de bord de
la traversée que j'achève. Les souvenirs des autres, quelle
résurrection de nous-même !

Dieu sait pourtant si je suis éloigné de l'auteur du *Calu-
met* et de *Tendres Canailles,* par le milieu natal, par l'éducation, la croyance, les amitiés, les goûts. N'importe : la
même époque nous a soulevés tous les deux, la même
vague nous a caressés de son écume. Ce qu'il raconte, je
l'ai observé, d'un peu loin et comme à travers la vitre d'un
wagon de première classe d'où je descendais à mes heures,
mais sans rôder beaucoup du côté de Montmartre et de sa
bohème. Une seule fois, je me souviens d'avoir franchi le
seuil de Max Jacob, rue Gabrielle. Quelle horreur m'inspira
cette chambre, non parce qu'elle était pauvre, mais parce
qu'elle était sordide. Une chambre à crime, un de ces
repaires où la femelle rapporte la proie vivante ramassée
sur le trottoir

Ce n'est pas l'argent qui décide du décor de notre vie.
Qui fut plus pauvre qu'André Lafon ? Quels logis furent
plus démunis que les siens ? Pourtant, même dans un
sous-sol, au lycée Carnot, il recomposait avec quelques
étoffes, un vase de grès, des reproductions de toiles qu'il
aimait, une lampe de cuivre, l'univers de silence et de
songe hors duquel il eût perdu le souffle. Notre milieu
social ne nous impose pas toujours son atmosphère. La
nature profonde d'un être sécrète l'univers qu'elle exige.

Dans ces souvenirs de Salmon, Alain-Fournier nous en propose un autre exemple. Salmon l'a bien connu : ils travaillaient ensemble à *Paris-Journal,* mais c'est trop peu dire qu'ils ne menaient pas la même vie et qu'ils ne fréquentaient pas les mêmes gens. Avec son col empesé, sa cravate stricte, Alain-Fournier ne recherchait guère les mauvais garçons. A ce fils d'un instituteur de campagne, il fallait, pour son idylle mi-rêvée mi-vécue, Clara d'Ellébeuse et la Sylvie de Nerval. Le grand Meaulnes, enfant paysan, part à la conquête de la maison bourgeoise, de la demeure ancienne, au secret d'un parc enchanté ; il colle sa figure d'ange pauvre à la vitre du salon où les portraits d'ancêtres couvent, de leur regard éternel, les enfants groupés sous la lampe autour des gravures de Gustave Doré. Le grand Meaulnes, tournant le dos à tout ce qui est sordide, bruyant, souillé, s'en est allé vers l'immolation de 1914, à travers un laborieux enchantement.

En revanche — mais cela se passait dix ou douze années plus tôt, entre 1894 et 1896, l'année de ma première communion — et c'est une autre lecture qui me le rappelle — Jean de Tinan, fils d'une famille patricienne, et certes demeuré patricien par mille délicatesses, se mêlait au Quartier latin à ce que Barrès, son maître, appelait « un prolétariat de bacheliers et de filles ». Tinan, ce jeune seigneur, faisait ses délices, avec Pierre Louÿs, des petites prostituées du d'Harcourt ; ce d'Harcourt où Colette Willy venait elle aussi, tenue en laisse par son mari quadragénaire, pour qui tout jeune auteur était un nègre possible (Jean de Tinan fut l'un d'eux : *Maîtresse d'esthètes* et *Un vilain monsieur* sont de lui). Colette se souvient de l'y avoir admiré et un peu aimé, et elle le décrit de cette plume gourmande qui prête aux jeunes êtres une succulence de fruit : « Fin et doux, la main un peu plus délicate qu'il n'est permis à un homme, et des cheveux noirs en boucles sur un front qui ennoblissait tout son visage... »

Ceci est emprunté aux souvenirs de Colette : *Mes apprentissages.* Quel plaisir singulier donnent les lectures entre-

mêlées des mémoires de divers contemporains ! Nous
suivons le même personnage qui passe des souvenirs de
celui-ci dans le journal intime de celui-là et se montre à
nous à des époques et dans des éclairages différents.

Ainsi, en même temps que j'achevais le livre de Salmon
et que je reprenais *Mes apprentissages,* je découvrais, dans
l'étude de Jean Delay sur la jeunesse d'André Gide, des
fragments d'un journal inédit de Pierre Louÿs. L'adolescent de l'Ecole alsacienne qui éblouissait le jeune Gide
et que le jeune Gide éblouissait, Colette nous le montre
deux ou trois années plus tard, avec son cher Tinan, ado-
rés l'un et l'autre de ces dames du d'Harcourt.

De fille en fille, l'itinéraire nocturne que nous décrit
Penses-tu réussir ? mena Jean de Tinan à une prompte
mort. Rue Bréda, place Saint-Georges, rue Notre-Dame-
de-Lorette, rue du Faubourg-Montmartre, rue Drouot, rue
de Richelieu, place du Carrousel, les quais..., Tinan a
descendu ces rues, chaque nuit, un peu avant l'aube. Si
sage que je fusse, que de fois les aurai-je descendues
moi-même, souvent chaussé de légers escarpins ! Entre les
berges des toits coulait le ciel blêmissant. Une voiture de
l'Urbaine passait que j'arrêtais si ses lanternes étaient
bleues : les lanternes bleues remisaient à Vaugirard, du
même côté que moi.

Mais je reviens à mon propos : c'est notre nature profonde et non la fortune ou le manque d'argent qui impose
son décor à notre vie et qui crée le milieu propice à un
jeune poète, et d'où il pousse son premier cri. Si je n'ai
pas appartenu à la bohème des lettres, si je demeurai du
côté des enfants sages, je me garderai bien de m'en glorifier. Je ne réciterai pas la prière du pharisien. Car ce
retrait, ce besoin d'être à part, ces défenses dressées entre
les autres hommes et nous, ce n'était pas vertu mais
faiblesse.

Barrès l'avait décelé, si peu qu'il eût arrêté sur moi
son bel œil : « Hésitation à quitter le rivage, écrivait-il à
propos des *Mains jointes,* regret vague d'une enfance si

douce, d'une quiétude si tendre, si tiède... Mais il faudra
sortir de cet attendrissement, de cet avril trouble et devenir un homme. Il faudra prendre sa course, adopter une
pente et cesser de stagner. » Ai-je cessé de stagner ? La
maison et le parc enchanté du grand Meaulnes auront été
mon milieu natal et je ne m'en suis jamais écarté. Je serai
passé d'un jardin à un autre jardin tout au long de ma
vie, remplaçant par un nouveau paradis modeste ceux de
mon enfance qui ont disparu. Aujourd'hui encore je ne
quitte les hêtres de Seine-et-Oise que pour regagner le
refuge de ma charmille girondine. Je ne m'éloignerai
du salon d'acajou où j'écris ces lignes que pour retrouver
l'ombre du salon de palissandre où je respirerai dans un
mois l'odeur vineuse du cuvier proche et des vendanges
d'autrefois. Entre la vie et moi, entre les hommes et moi,
en dépit des événements, des guerres, des deuils, fourmi
que ne décourage aucune destruction, j'aurai inlassable-
ment reconstruit cette retraite d'où je distribue de loin aux
autres hommes des jugements, des conseils et des blâmes.

Il n'empêche que c'est dans la misérable chambre de
Max Jacob que le Seigneur est apparu un jour, c'est de
cette chambre que Max montait, chaque matin, au Sacré-
Cœur pour entendre la première messe. C'est de là qu'il
est parti pour Saint-Benoît-sur-Loire, où un matin des
gendarmes de France sont venus le chercher.

Grandeur et misère de Montmartre ! Je l'ai fui, mais non
certes méconnu. Il fallait que Picasso y vînt pour être
fécondé par ceux qui, avant lui, avaient souffert dans la
lèpre vivante de ses murs : Van Gogh, Toulouse-Lautrec.
Non, je ne juge pas de haut cette bohème qui fut la patrie
de Salmon. En vérité, il n'existe pas de vraie frontière
entre les gens du même voyage. Salmon n'évoque guère de
figures dont je ne me rappelle les traits. Presque aucun
incident de sa vie qui n'ait retenti dans la mienne.

Bohémiens ou garçons bourgeois, la vingtième année de tous les poètes d'une génération a la même couleur et, si je puis dire, un même style de souffrance :

> Ce n'est ni la nuit ni l'aube,
> Mais cette heure où, dans Paris,
> Les rôdeurs et les chiens maigres
> Errent dans un brouillard gris...
>
> L'heure amère des poètes
> Qui se sentent tristement
> Portés sur l'aile inquiète
> Du désordre et du tourment.

Ainsi fredonnait le jeune Carco. Le désordre et le tourment furent notre patrimoine commun, enfants de bohème et enfants bourgeois d'il y a un demi siècle, et ceux qui survivent aujourd'hui se retrouvent accroupis autour de la même cendre.

VI

*Le bonheur du musicien. — L'écrivain livré après sa mort à
ses ennemis. — Le bonheur d'être oublié. — L'exemple de
Benjamin Constant. — L'implacable Henri Guillemin. —
Qui était Benjamin ?*

L'HOMME s'habitue vite à ses propres miracles. Je ne
m'étonne pas que les grands virtuoses, un Yves Nat,
un Walter Gieseking, qui ont quitté la terre, ou
plutôt qui y sont retournés et qui y dorment leur dernier
sommeil, reviennent si je le désire et jouent pour moi
seul comme, vivants, ils jouaient pour des foules silen-
cieuses, dans toutes les capitales du monde. Leurs mains
inspirées créent l'enchantement que j'exige d'elles — leurs
mains qu'aucune chair ne recouvre plus aujourd'hui —
ossements légers, croisés encore peut-être sur ce vide horrible, là où leur cœur a battu, et, de ce cœur, il ne subsiste
rien. Pourtant je l'écoute battre encore tandis que j'écris
(Yves Nat joue la *Fantaisie* en *do* majeur de Schumann).

Les écrivains que nous aimons, qui nous ont accompa-
gnés durant notre vie, dont les livres nous auront secourus
jusqu'à la fin, leur présence est d'un autre ordre. A dire
vrai, ils ne sont pas présents comme le musicien. L'auteur,
nous avons beau le lire, il n'est plus là. Son œuvre lui
survit, elle se substitue à lui. C'est un dossier dont les
pièces très souvent se retournent contre lui et l'accusent.

Tout dépend des mains entre lesquelles il tombe. Un écrivain, quelle que soit sa gloire posthume, n'est plus là pour
se défendre. Nous ne l'entendons plus. Et même si la Radio
peut encore nous le faire entendre, c'est un fantôme qui
parle — sans plus de défense qu'il n'eût été, s'il avait vécu
avant l'invention du phonographe.

La voix de Benjamin Constant, eût-elle été enregistrée,
il n'en serait pas moins livré à ceux qui l'accusent aujour-
d'hui — livré à ses ennemis par son œuvre même qui se
fait leur complice, par son *Journal* surtout, où il n'a cessé
de déposer contre lui-même. Et nous qui l'aimons, pour
sa lucidité même et d'autant plus qu'il s'est regardé avec
cette passion d'y voir clair et de ne rien dire de lui-même
que ce qu'il découvrait, ce témoignage irrécusable nous
désarme devant ceux qui le haïssent.

Durant des années, avant de publier son roman, Benjamin Constant fit des lectures d'*Adolphe* dans les salons.
Cette lecture, captée par un disque, ne lui servirait de rien
aujourd'hui. Si nous pouvions l'entendre, elle ajouterait
une charge, au contraire, à toutes celles que ses accusateurs détiennent déjà. Hé quoi ! diraient-ils, il ne lui a pas
suffi de trahir à la fois sa maîtresse et lui-même dans son
livre : il trouvait du plaisir à le débiter en public. J'imagine
que l'emphase de l'époque, restituée par le disque, nous
rendrait plus odieux son personnage. Nous nous rappel-
lerions qu'à Coppet il jouait dans *Andromaque* le rôle de
Pyrrhus, et Mme de Staël celui d'Hermione. Et le soir, à
peine démaquillés, ils recommençaient leur dispute, que
Racine les avait aidés à transposer pour des invités qui
étaient peut-être maintenant à l'écoute, derrière la porte
de la chambre où les deux illustres amants recommençaient à échanger des injures atroces.

Le sort de l'écrivain, livré après sa mort à ceux qui
le haïssent, ne l'effraie pas d'avance, parce qu'il est
inconscient de ce que son œuvre recèle et qui se retournera
contre lui lorsqu'il ne sera plus là. Son œuvre, il la connaît
mal d'ailleurs : elle ne comporte pas seulement les livres

médités, mais tout ce qui a échappé à sa plume, toutes les confidences, toutes les lettres écrites à des moments où il était le moins lui-même, et où, comme on dit, il ne s'appartenait plus.

Bonheur de ce musicien que j'écoute ! Car je pensais d'abord à l'interprète mort aujourd'hui et demeuré vivant grâce au disque. Mais les disques sont fragiles et s'altèrent. Ils disparaîtront bien que la technique permette de retranscrire d'anciens enregistrements. Certes, la présence physique de Schnabel, de Gieseking, d'Yves Nat dans ce salon de campagne où ils jouent pour moi, eux qui ne sont plus au monde, est le plus beau miracle de ce temps ; mais il m'en dissimulait un autre qui est de tous les temps : ce privilège de la musique qui ne survit pas comme le poème, comme la chose écrite ; elle ne survit pas, elle continue de vivre.

Le livre nous est livré et, à travers lui, son auteur. Au contraire, nous sommes livrés à la musique. C'est elle qui pénètre en nous, qui agit sur nous comme un révélateur et fait affleurer le plus secret de notre être, mais sans déchirement ; ou, s'il y a déchirement il n'est que délice.

Nous ne demandons pas ses raisons à Mozart. Si ses lettres nous montrent un personnage qui ne ressemble pas à sa musique et qui n'en a pas les dimensions, il nous importe peu : nous savons que ce sont les lettres qui se trompent. La musique est évidence, elle détruit le compte à rendre, elle supprime le procès. Du moins pour les musiciens purs : ce n'est déjà plus tout à fait vrai pour Wagner, théoricien, philosophe et poète à sa manière. Il tombe sous notre coupe, dans la mesure où il n'est pas seulement un musicien. Parmi les autres grands, presque tous nous échappent, c'est nous qui ne leur échappons pas.

Nulle injustice ne dure en musique. Quel grand musicien a jamais été exposé aux outrages qui n'épargnent pas

6

Racine ? Je n'en connais aucun qui risque d'être traité comme le sont aujourd'hui Benjamin Constant ou Vigny. Dans ma jeunesse, nous parlions assez légèrement de Beethoven. Cocteau (je crois) se moquait « de la musique qui s'écoute la tête dans les mains » — celle que j'ai précisément toujours aimée ; et je me suis un peu forcé, je l'avoue, pour goûter l'autre, celle qui essaie de me faire entendre ou voir autre chose que moi-même : des jets d'eau, des nuages, des jardins sous la pluie.

La musique s'écoute la tête dans les mains parce qu'elle nous oblige à ne rien voir d'autre que ce qu'elle découvre en nous et qui est toujours le plus caché, le plus enfoui, elle nous y amène quelquefois par le dehors. C'est le tour que nous joue Mozart. Les petites musiques de nuit, son œuvre en est toute vibrante. Seulement l'allée du jardin où il nous entraîne se dérobe loin de la fête et de ses flambeaux, sous des feuillages endormis, loin des sérénades, jusqu'à ce que nous ne les entendions plus. Nous y retournerons tout à l'heure. Nous savons dans quelle sarabande folle tout finira. Pour l'instant, nous sommes seuls. Quelqu'un pleure sur un banc dans l'ombre : c'est Mozart ou c'est nous-même. C'est lui et c'est nous. Nous voudrions demeurer là toujours, bien que ce soit à peine supportable. Nous sommes tués par sa douceur. Mais déjà il nous a pris la main. Nous rejoignons les masques qui se cherchent et qui se fuient dans le jardin nocturne. Une statue les domine, énorme, et ils ne la voient pas : un colosse blême ; c'est le Commandeur. Les cors d'une chasse lointaine, à travers ce labyrinthe où nous sommes perdus, se mêlent au gémissement du *Requiem*. Quoi que Mozart fasse et où qu'il aille, nous le suivons. Lui, il échappe à nos prises. Mais nous, comment lui échapperions-nous ?

Si, presque tous, la mort les a saisis en pleine jeunesse (Mozart était loin encore de sa quarantième année, Schubert avait à peine la trentième. Et Weber, et Schumann, et Mendelssohn...) ce fut la rançon peut-être de ce privilège : ils demeurent au milieu de nous plus invulnérables que des anges, et d'en bas nous les contemplons avec un humble amour, nous, pauvres écrivains, dont le destin se déploie sous le double signe de l'outrage et de l'oubli.

Oui : pauvres écrivains ! Notre ami Henri Guillemin a été créé et mis au monde pour nous guérir de l'ambition absurde qui tient la plupart des hommes : n'être pas oubliés lorsqu'ils auront quitté ce monde. Il a une façon si cruelle d'accommoder les morts illustres que nous devrions nous sentir très peu envieux de leur douteuse immortalité. Mais la crainte de tomber un jour entre les mains redoutables d'un critique de cette espèce ne suffira pas à délivrer nos contemporains de leur idée fixe ; car il n'en faut pas douter : c'est pour survivre dans la mémoire des hommes que tant de filles et de garçons cèdent à la tentation d'écrire.

Si infime que soit leur chance de composer une œuvre qui dure après eux, c'est cette chance-là qu'ils prétendent courir, même quand ils croient ne songer qu'au prix Goncourt. Ils ne se donneraient pas tant de peine s'ils n'avaient l'espérance de devenir immortels. Là est la vraie source de ce flot ininterrompu de manuscrits et d'imprimés qui se déversent chez les éditeurs, qui recouvrent les tables des critiques et qui dressent partout, dans nos maisons, des récifs de livres non coupés.

Mais voici Henri Guillemin. Ce n'est pas un critique comme les autres. Il est moins soucieux de nous faire connaître l'œuvre dont il s'occupe que de nous donner les raisons de l'amour ou de la haine qu'un auteur lui inspire. Comme il y a l'amour-passion, il a inventé une critique-passion, et nous ne songeons pas à lui en faire grief, car il y excelle, jusqu'au jour où il s'en prend à un grand mort que nous vénérons et qui nous est cher. Alors nous nous rebiffons.

Ses livres m'ont fait réfléchir sur ce qui risque de nous accabler lorsque nous ne serons plus là pour nous défendre. Si je songe à ce qu'on ose écrire d'un homme vivant, dès qu'il est mêlé à la vie politique, alors qu'il a une plume et qu'il passe pour être un polémiste peu commode, je ne puis sans en frémir imaginer ce que feront ses adversaires lorsqu'il aura quitté la scène, et que son numéro sera fini.

J'entends bien que la politique ne s'occupe guère des morts et que la haine se détourne assez vite des cadavres. Il n'empêche qu'un écrivain qui, vivant, a suscité des fureurs demeure après sa mort une cible. Un cadavre encore vulnérable, quelle tentation pour les survivants ! Il laisse des traces écrites : celles qu'on connaît déjà, mais d'autres aussi et qui sont le gibier des chasseurs de l'espèce Guillemin : correspondances privées, carnets intimes, notes de toutes sortes, tout ce que, de l'enfance à la vieillesse, peut accumuler un homme dont l'écriture est le moyen naturel d'expression.

Les passionnés de cette chasse s'y adonnent très souvent par amour : c'est l'amour qui anime le stendhalien Martineau ou le balzacien Bouteron. Mais Guillemin, qui est certes lui aussi fort capable d'être animé dans sa recherche par l'amour (Rousseau, Lamartine, Hugo eurent tour à tour ses faveurs quoique ce dernier ait eu à souffrir de sa part d'assez atroces indiscrétions), Guillemin a inventé la chasse aux manuscrits, inspirée par le désir d'atteindre la réputation de tels morts illustres qui, comme Alfred de Vigny, avaient quelques raisons de se croire éternellement à l'abri.

Notre ami protestera sans doute que la recherche de manuscrits accusateurs n'est pas inspirée par l'inimitié, mais qu'au contraire elle la crée. Ce n'est pas parce que Vigny lui est odieux qu'il nous livre sur lui certaines découvertes qu'il a faites, ce sont ces découvertes qui le lui ont rendu odieux. Il y aurait beaucoup à dire là-dessus, et, au vrai, je n'en crois rien. L'antipathie préexiste. Elle est, chez Guillemin, politique et guide le chasseur vers le document dont sa haine a besoin.

Cela éclate dans le cas de Vigny. Aucun autre critique n'aurait trouvé, dans ce que Guillemin nous livre, la moindre raison d'accabler le poète. Mais je reviens à mon propos. Voici donc le danger d'après la mort : nous risquons d'être livrés à des Guillemin : nous, notre vie — et non pas notre vie telle que nous la connaissons, ce qui en émerge à la surface de notre mémoire, mais cette part immense, inconnue de nous-mêmes, et que l'oubli recouvre.

Car nous ne savons presque plus rien de ce que nous avons fait ou même de ce que nous avons été. Voici une expérience qu'une fois passée la cinquantaine chacun peut tenter : prendre au hasard une lettre reçue il y a trente ans, d'une mère, d'une fiancée, d'un ami : elle est tissée d'allusions que nous ne comprenons plus, à des personnes, à des faits dont nous ne savons plus rien.

Je lisais, l'autre jour, dans le catalogue d'un libraire la reproduction d'une lettre de moi écrite en 1913, il y a donc quarante-trois ans. Certes je reconnaissais l'écriture, et aussi, hélas, mon emphase d'alors. Mais aucun souvenir du destinataire de cette épître ni des raisons qui me l'avaient dictée. Avant qu'un écrivain en vienne à se dire : « Attention à ce que j'écris, cela risque d'être publié un jour ! » il faut qu'il parvienne à la notoriété. Que n'a-t-il pu accumuler jusque-là, durant une période qui est précisément celle de la jeunesse !

Et sans doute nous pouvons nous en moquer. Nous ne serons plus là pour souffrir de ces indiscrétions. Et le pire, qui d'ailleurs reste le plus probable, serait qu'aucun Guillemin ne fût sollicité par cette chasse.

Au vrai, ce risque nous rend sensibles à un autre aspect de notre échec : ce n'est pas notre œuvre qui demeure, c'est nous-mêmes, c'est notre vie dans la mesure où elle propose des découvertes amusantes ou scandaleuses aux érudits. Dans le cas Vigny, c'est l'œuvre demeurée vivante

qui a répondu victorieusement aux accusations de Guillemin. L'auteur d'*Eloa*, l'auteur des *Destinées*, ne peut pas
être un indicateur de police, et en fait il n'en est pas
un.

Ce ne sont pas les admirateurs de Vigny qui se sont
dressés contre celui qui l'accuse, mais *La Maison du berger*.
Le pire destin serait donc de survivre sans son œuvre,
sans ce témoignage « le plus haut que nous puissions donner de notre dignité ». La vraie gloire, c'est de disparaître
dans le rayonnement d'une œuvre, et d'échapper ainsi à
Guillemin. La vraie gloire, c'est celle de Shakespeare qui
est un auteur invulnérable parce qu'il est un auteur
inconnu.

Benjamin Constant, lui, est plus vulnérable que Vigny,
j'en conviens. Il a écrit un jour « qu'il se sentait impatient
d'avoir traversé la vie et échappé aux hommes ». Il
oubliait que, pour un petit nombre, la mort n'est pas une
protection, et qu'il serait à jamais de ce petit nombre :
de tous, le plus exposé, le plus livré. Les autres ont pré-
paré — avec quelle science ! — leur destin d'outre-tombe.
Pour Rousseau, pour Chateaubriand, pour Gide, ce fut
leur grande affaire, le plaisir physique mis à part. Ils
n'affectent de tout confesser, ils ne mettent l'accent sur
le pire d'eux-mêmes que pour se rendre invulnérables
et ne rien laisser derrière eux que puissent déterrer les
furets de la critique littéraire.

Rousseau fut le premier de ces pharisiens qui ont compris que c'est la prière du publicain qu'il faut réciter. Gide
a porté à sa perfection le système qui consiste à tirer gloire
de tout ce qui diffame une vie. A la veille de mourir, Benjamin Constant, glorieux et méconnu, se moque bien, lui,
de la postérité. « Il mange sa soupe aux herbes et va au
tripot », puis meurt insoucieux de ses traces et d'abord de
ce *Journal* écrit pour lui seul et où surabonde tout ce que

le commun des hommes exècre par-dessus tout chez un
de leurs semblables.

On peut puiser presque au hasard dans les soixante
années de cette existence : le filet ramène toujours quelque
misère ou quelque honte. Helvétius, Laclos, Restif ont été
les premiers maîtres de ce petit prodige sans mère qu'un
de ses précepteurs amène dans une maison de passe.
D'aussi loin qu'il se souvînt, il ne devait pas se rappeler
avoir été pur. Scandaleux dès l'enfance, Benjamin Constant
n'est pas gardé, comme d'autres victimes d'Henri Guillemin, comme la dernière : Alfred de Vigny, par ces figures
incorruptibles qui protègent à jamais la mémoire des
grands poètes. Et non pas, pour Vigny, les seules figures
d'Eloa, de Satan, de Moïse ou de Samson. Les longs pays
muets qui s'étendent au seuil de « la maison roulante »,
la bruyère épaisse où *La Maison du berger* s'enfonce jusqu'aux essieux, cette bruyère sur laquelle s'étend le loup
de *La Mort du loup* pour finir sans un cri (j'en ai imaginé
la place qu'à chaque retour de Malagar je salue, à un certain endroit de la route, sur la lisière sauvage de la
Guyenne et de l'Angoumois), un monde qui m'est familier garde cette mémoire sacrée à l'abri de tous les
outrages.

Mais Benjamin Constant, qui le protégera de ses ennemis éternels ? Car une race éternelle le hait et le haïra,
de siècle en siècle. Qui se dressera contre ses accusateurs ?
Aucune créature de son génie, en tout cas, personne sinon
lui-même, puisque Adolphe, c'est lui encore. Mais lui, qui
est-il ?

Lorsque Guillemin rapporte de sa chasse un papier
qu'il a découvert, cette lettre par exemple où Benjamin
demande au Directoire qu'on éloigne le curé de Luzarches
(mais non qu'on l'arrête et encore moins qu'on l'envoie au
bagne ; il insiste au contraire pour qu'on ne lui fasse pas
de mal. Et qui vous dit, cher Guillemin, que ce prêtre fut
déporté en effet et que Benjamin ne s'interposa pas ?)
ce triste geste ne ressemble pas à l'homme qui apparaît à

chaque instant dans le *Journal intime,* le seul journal à ma connaissance, avec celui de Stendhal, où ne se trahisse aucune pensée tournée vers un public futur. L'auteur de cette horrible requête ne ressemble pas au jeune être éblouissant que tant de femmes ont aimé qui avaient entre elles ce trait commun : la noblesse du cœur, la supériorité de l'esprit. Benjamin n'en pouvait être dépourvu, lui qui n'a jamais été compris et pardonné que par des créatures de la grande espèce. Sans doute ce débauché fut-il partisan de la dissociation du plaisir et de l'amour, dont Gide a fait une doctrine. N'importe : les femmes qui hantent un destin jugent ce destin. Nous n'écarterons pas les prostituées de celui-là. Mais ce sont les amoureuses qui comptent : Mme de Charrière, Julie Talma, Anna Lindsay, Mme de Staël, Rosalie de Constant. Dis-moi qui t'a aimé et je te dirai qui tu es.

Benjamin Constant, qui était-il ? Nous nous plaignons de ce que la critique littéraire aujourd'hui a été envahie par les philosophes. Convenons pourtant que l'auteur d'*Adolphe* et du *Journal intime,* dès le départ, impose à notre réflexion ce mystère de la personnalité. A qui en avez-vous, Guillemin, mon cher ami, quand vous partez en guerre contre Constant ? Aucun autre homme ne s'est livré comme l'a fait celui-là. Lorsque à tous les instants de sa vie il se regarde et s'interroge, qui regarde-t-il, qui interroge-t-il ? Quelqu'un ? je n'oserais le dire : il n'est personne et pourtant il s'appelle légion.

A certaines époques, lorsque Mme de Staël et lui donnaient la comédie à toute l'Europe, il se crut un monstre. « Quand je rentre dans Paris, je lève les glaces de ma voiture de peur d'être montré au doigt. » Ce velléitaire, cet âne de Buridan sentimental qui se laisse mourir entre Germaine et Amélie, entre Minette et Charlotte, celui qui a écrit : « Telle est la bizarrerie de notre cœur misérable que nous quittons avec un déchirement horrible ceux près de qui nous demeurions sans plaisir... » Et encore : « Il y a quelque chose de sacré dans le cœur qui souffre parce

qu'il aime... » est aussi ce patricien huguenot de Lausanne,
calculateur et astucieux, qui, d'échec en échec, parviendra
finalement plus haut que ce qu'il avait rêvé et mourra
dans une apothéose. Pourtant, au soir de sa vie, ce défenseur illustre de la liberté politique, ce grand seigneur adoré
des faubourgs, observez-le : négligé et sombre, c'est Mylord
l'Arsouille. Et je me redis le mot affreux de sa dernière
année : « Je mange ma soupe aux herbes et je vais au
tripot. »

Tel avait été l'enfant, lecteur d'Helvétius et de Laclos,
tel le vieillard , qui détache le soir le masque si patiem-
ment modelé et qui donne le change à Paris, pour retrouver autour d'une table de jeu clandestine la sensation
d'être vivant.

Sainte-Beuve dénonce courtement la duplicité de Benjamin Constant. Au vrai, c'est de multiplicité qu'il s'agit.
Lorsqu'il écrit à Mme de Charrière : « Ne vous inquiétez
pas de ma situation. Je m'en amuse comme si elle était
celle d'un autre... » il se montre déjà conscient de cette
infirmité : sa vie n'est jamais tout à fait la sienne et son
destin lui demeure extérieur à quelque moment qu'il
l'observe et le subisse. Cette inconsistance même explique
sa frénésie à devenir un personnage. Parce qu'il se décom-
pose et se défait sans cesse, il ne s'interrompt jamais
d'ajuster tant mal que bien l'armature sociale entre
laquelle il se coule. C'est à l'instinct de conservation
qu'obéit ce jeune ambitieux : il se dilue s'il n'avance pas.
Cela ne lui est pas particulier : nul ne *fait figure* dans le
monde qui ne cherche obscurément à se donner l'illusion
d'être.

Vous nous le montrez avide d'argent et spéculant sur
les biens nationaux. En fait personne n'a plus méprisé
l'argent que ce joueur. Il le prêtait, l'empruntait et le per-
dait insoucieusement. L'argent lui est nécessaire, certes,
dût-il le soutirer à sa maîtresse, parce que son personnage exige de s'épanouir dans la grande politique, qu'il
n'existe pas de politique suisse, qu'il lui faut donc deve-

nir propriétaire en France et obtenir la nationalité française : il n'a pas le choix entre Paris et une autre capitale, et il n'existe aucun autre théâtre à sa mesure. On ne donnait qu'au bord de la Seine cette comédie parlementaire qui dure encore après un siècle et demi. Mais il y a beau temps qu'aucun Benjamin ne fait plus partie de la troupe, grands dieux, non !

Il ne préfigure qu'en apparence les Rastignac et les Marsay de *La Comédie humaine.* Qu'il est loin des médiocres fauves balzaciens ! Lui qui a écrit : « Les circonstances sont peu de chose, le caractère est tout... » Lui qui dit d'Adolphe « qu'il a été puni de son caractère même, qu'il n'a suivi aucune route fixe, rempli aucune carrière utile, qu'il a consumé ses facultés sans autre direction que le caprice, sans autre force que l'irritation... », il sait bien, il a toujours su qu'il y allait de la vie pour lui de ne pas ressembler à Adolphe sur ce point, de se frayer une route et de remplir une carrière. Mais jamais il ne s'est confondu avec ses ambitions : il n'est que de lire son journal pour s'en persuader. Il a toujours su qu'il n'avait pas le choix entre « devenir quelqu'un », comme on dit dans les familles, et n'être rien.

Ce quelqu'un, il l'est devenu. A-t-il cru qu'il était réellement ce personnage qu'il a dressé « dans les siècles et dans les cieux » ? A-t-il cru qu'il était devenu lui-même, ou qu'il existait au contraire un autre Benjamin Constant tout différent de celui dont le peuple de Paris allait escorter la dépouille ?

La croyance à notre personnalité est liée à l'idée que nous nous faisons de l'âme. Cet adolescent athée était parvenu vers la fin de sa vie à discerner une lueur sous la lourde porte qui l'avait toujours séparé de Dieu. Mais a-t-il jamais cru qu'il eût une âme ? L'âme existe dès que nous sommes nés, et pourtant il nous appartient de la garder vivante, de la faire s'épanouir ou de la dégrader et de la perdre. Notre âme, c'est à la fois ce que nous sommes et ce que nous devenons. Pour ceux qui ne croient pas à la leur, j'ignore où se situe le noyau autour duquel se compose la personne, et quelle cristallisation permit à Benjamin Constant d'amalgamer le piteux Adolphe, le personnage illustre qu'il jouait à Paris, l'amant-bourreau de Mme de Staël, l'amoureux torturé de Mme Récamier, l'amateur de filles.

Et pourtant, nous qui l'aimons, nous savons qu'il est quelqu'un, et quelqu'un qui a résisté à tous les poisons du xviiie siècle à son déclin et bien que dès l'enfance on les lui eût injectés. Ce qui survit de noble et de tendre dans Benjamin Constant, voilà ce qui exige notre attention respectueuse, même si nous ne l'aimons pas. Je le demande à Guillemin : est-ce à vous, contempteur, s'il en fût, du christianisme politique et du catholicisme de classe, est-ce à vous de vous indigner de la haine qu'inspire à ce petit-fils des religionnaires chassés de France, une Eglise qu'il ne connaît pas du dedans, dont il ignore la sainteté cachée et que déshonore en apparence, sous la monarchie française, à la veille de la Révolution, la plus scandaleuse des simonies ? Vous le savez comme moi : ce que Benjamin Constant haïssait était en effet haïssable, et il lui était impossible de discerner, sans un miracle de la Grâce, derrière cette façade surdorée et croulante, le Christ vivant.

Il n'empêche qu'en 1822 il dénonce du haut de la tribune, dans des termes qui pourraient être aujourd'hui signés de Guillemin, ces ultras, oppresseurs au nom du Christ : « Ce que toute une nation éclairée réclame, on le lui conteste, on le lui arrache au nom de la religion. On invoque une croyance essentiellement amie de l'égalité et de la justice, en faveur des privilèges et des iniquités. »

Comédie ? Qui pourrait le dire ? Ce grand livre aujourd'hui oublié, l'œuvre de sa vie à ses yeux, cette histoire des religions à laquelle il ne cessait de revenir, montre que ce

libertin n'a jamais été indifférent à Dieu, qu'il ne s'est
jamais interrompu de le chercher. A partir de son âge
mûr, il ne s'en prend aux dogmes que parce qu'ils inter-
disent, croit-il, aux esprits de sa sorte l'approche du divin.
C'était d'ailleurs oublier qu'en deux rencontres au moins,
avec ses cousins Langalerie et auprès de la baronne de
Krüdner, il montra de la complaisance à la religiosité,
sous ses formes les plus basses.

Il aurait fallu, disions-nous, que Benjamin Constant crût
à son âme pour pouvoir croire à lui-même. Et en vérité, il
y a cru. Lui qui n'a jamais rencontré Dieu sur sa route
aura du moins, une fois dans sa vie, rencontré l'âme
humaine. Il l'aura vue se détacher vivante d'un corps
détruit. Cet événement s'est accompli au chevet de Julie
Talma mourante, le 8 mai 1805.

Il faudrait rapporter ici tout ce que le *Journal intime*
relate de ce tête-à-tête de Benjamin Constant avec la mort.
Que Guillemin le relise et le médite, et aussi *La Lettre sur
Julie*. Le plus étrange est que Julie Talma, fille de son
siècle, fut une athée militante et que le spectacle d'une
mort toute païenne aura donné à Benjamin la sensation
d'une présence spirituelle indépendante du corps. Julie
passe de la vie à la mort sans que son esprit soit en rien
altéré : « Ses organes sont détruits, ses yeux n'y voient
plus, elle ne respire qu'avec effort, elle ne peut soulever le
bras et cependant il n'y a pas d'atteinte à la partie intellectuelle. Pourquoi la mort qui n'est que le complément
de cette faiblesse lui porterait-elle atteinte ? [...] J'ai
contemplé la mort sans effroi, car je n'ai rien vu d'assez
violent pour briser cette intelligence. »

Tous les autres amis de Julie s'étaient éloignés. Lui seul,
Benjamin, demeura auprès d'elle : « Hors d'état de parler,
elle indiquait, par des gestes, les secours qu'elle croyait
encore possible de lui donner. Elle me serrait la main en

signe de reconnaissance. Ce fut ainsi qu'elle expira. »
Cette noble femme lui rendait par sa mort infiniment
plus qu'elle n'avait reçu de lui. A ce sceptique si brillant
et si désarmé, si détaché de tout et si avide, à ce faible
bourreau incapable de supporter les larmes qu'il faisait
couler, qui ne croyait ni aux idées, ni aux êtres, ni à
lui-même et qui prenait la plus large part du mépris
que lui inspiraient les autres hommes, Julie laissait ce
témoignage d'une âme qui hésite et frémit au bord de la
chair déjà abandonnée. Le 8 mai 1805, Benjamin a vu ce
qu'il est donné de voir à très peu d'entre nous : que le
cadavre est à la lettre une dépouille. La chair se corrompt
dès que l'esprit l'abandonne — l'esprit : cette part de
nous-même différente des milliards d'humains qui nous
ont précédés et qui viendront après nous, cette âme qui
peut être sauvée ou perdue mais non détruite. Et nous ne
constituons une personne que dans la mesure où elle existe
et où nous le savons. L'homme est esprit ou il n'est
rien.

Implacable Guillemin ! Que Benjamin Constant ait
dénoncé au Directoire et fait arrêter le curé de Luzarches,
qui s'opposait à sa candidature, il me fallait bien
l'admettre. Mais enfin, objectais-je, rien ne prouvait que
le prêtre eût été déporté en effet et que Benjamin Constant
ne fût pas intervenu en sa faveur. Ce mol oreiller du doute,
il n'a pas fallu six semaines à Guillemin pour me l'arracher, et voici qu'il triomphe sans modestie : « L'abbé
Oudaille, m'écrit-il, dénoncé par Benjamin Constant, fut
condamné à la déportation. Il figure sur la liste des prêtres
arrivés à Rochefort entre le 6 et le 17 Nivôse An VI et il
mourut à la Guyane, le 7 Vendémiaire An VII. »

Rien ne m'étonne plus de personne. Que Benjamin
Constant ait été capable du pire, je le savais et ne l'en

aimais pas moins. Mais ceci est horrible, décidément. Je
me force pourtant à regarder en face cette dénonciation ;
elle est répugnante, elle n'est pas singulière : nous avons
vécu dans des temps où une infamie de cet ordre fut
monnaie courante. Les quatre années de l'occupation,
puis celles de la Libération ont rendu manifeste ce que les
exigences de la haine politique et de la haine raciale,
combinées avec les intérêts et les convoitises, peuvent ins-
pirer d'écrits et d'actes ignobles à des hommes qui se
tiennent pour les plus honnêtes gens du monde.

Et aujourd'hui encore... Des confrères, qui ne sont pas
des « salauds » au sens où l'entend Sartre, ont couvert les
crimes judiciaires les plus hypocrites et les plus lâches de
l'Histoire. Staline a trouvé partout dans le monde, et chez
nous en France, parmi les écrivains, les philosophes, les
sages de profession, des approbateurs qui se taisent toujours et dont aucun, que je sache, ne s'est encore frappé
la poitrine.

En l'An VI, Benjamin Constant ne connaissait pas le
déterminisme historique, mais la raison d'Etat. Ce curé
Oudaille, qu'était-il, en somme ? Un conspirateur, et qui
tombait sous le coup de la loi. Oui, mais Benjamin
Constant avait intérêt à le perdre. C'est cela que nous ne
pouvons souffrir. Il ne cède pas à la passion politique, il
écarte un obstacle : il envoie au bagne et à la mort quelqu'un qui le gêne. Et pourtant l'auteur de ce crime n'est
pas un autre Benjamin Constant que celui qui nous est
cher, que celui qui disait à sa cousine Rosalie : « Tout ce
que je respecte sur la terre est la douleur... », que l'ami
qui, lorsque Mᵐᵉ de Staël était au désespoir de la mort de
son père, écrivait ce texte du *Journal* que Charles Du Bos
aimait tant à citer : « Je ne connais que moi qui sois toujours entraîné à sentir pour les autres plus que pour moi-
même, parce que la pitié me poursuit, et que la peine qui
s'affaiblirait sur ce qui m'est personnel se renouvelle au
contraire sans cesse par l'idée que ce n'est pas moi qui
ai besoin d'être consolé. » Et il se forçait à pleurer la mort

de M. Necker et refusait de se divertir « parce que je sens que Mme de Staël a besoin, non pas seulement de ma consolation, mais de ma douleur ».

L'homme qui a écrit cela et qui l'éprouvait réellement — dans son *Journal* il se montre assez dur quand il se regarde, il manque assez de charité envers lui-même pour que nous le croyions lorsqu'il nous découvre les côtés nobles de sa nature — n'a-t-il jamais plus arrêté sa pensée sur le bagnard aux mains consacrées qu'il avait dénoncé et perdu ? Le pauvre prêtre de Luzarches a-t-il parfois, avec ses gros souliers, traversé les songes d'Adolphe ? Comment le savoir ? *Le Cahier rouge* concerne une époque bien antérieure à l'An VI, et Benjamin Constant ne commença que huit ans plus tard à rédiger son *Journal intime*. Il faudra le relire, à la recherche d'une trace comme de pas à demi effacés. Je n'ai encore retrouvé que ceci : à la date du 20 avril 1804, Constant relate le supplice d'une fille anglaise qui fut pendue. Et il écrit : « Il y a dans les détails de sa souffrance, depuis le commencement de la procédure jusqu'à son exécution, une telle profondeur de misère humaine qu'on en est saisi et glacé. » Il dénonce « la main de fer d'une société implacable ». Ne s'est-il pas souvenu alors que lui-même, un jour, il avait fourni la victime ?

Les quelques lettres ou fragments de lettres, à Rosalie de Constant, qui datent de l'An VI nous montrent un Benjamin uniquement soucieux d'obtenir la nationalité française, de s'insérer dans la vie politique de la grande nation. « Etre ou n'être pas » : il ne serait rien s'il ne s'accomplissait dans la politique.

Lui qui se détachait si tôt de sa conquête, que ce fût une créature ou une chose, avec quelle frénésie, quelle rage il la poursuivait tant qu'il ne l'avait pas obtenue !

Malheur à qui se trouvait sur la route de son désir !
Qu'était pour lui ce prêtre hors-la-loi ? Un imposteur, à
ses yeux de libertin et d'athée, et le Directoire avait raison d'en détruire l'espèce. Benjamin avait alors trente
ans, l'âge de la férocité chez beaucoup d'hommes. Tel il
est apparu en tout cas, même à celle qui le chérissait. En
l'An VI, Julie Talma lui écrivit : « Il y a quelque chose
en vous de perfide. Vous n'êtes pas si bon que vous me
l'avez dit. »

Mais enfin, une fois assouvi, et dégoûté, et détaché, rede-
venu lui-même le jouet des femmes qui l'aimaient, désarmé
par leur souffrance, comment n'eût-il plus jamais pensé à
sa victime ? Lui qui, à propos des prisons de Venise, écrit
qu'il avait hâte d'avoir traversé la vie pour échapper
aux hommes, comment a-t-il pu vivre avec le souvenir
d'un certain curé de Luzarches qui n'avait pas échappé
au jeune Benjamin Constant ? Il s'attendrissait sur les
chagrins de ses maîtresses et non sur cette mort ignominieuse. Il se reprochait ces larmes et non ce sang. Les
tristesses de l'amour, que sont-elles pourtant au prix de ce
que souffre dans sa chair et dans son cœur un prisonnier
calomnié et torturé ? Le désespoir romantique ne me
touche plus. L'homme devenu vieux découvre que souffrir
par la créature que l'on aime, c'est, dans l'ordre humain,
une forme du bonheur. Il ne s'apitoie plus sur Werther,
mais sur l'innocent persécuté.

Le cadavre qui, grâce à Guillemin, flotte, après un siècle
et demi, à la surface d'une illustre vie, c'est du fond de
notre propre destin qu'il remonte. Nous nous croyons
capables de bonté parce que nous sommes capables de
tendresse. Nous recouvrons du nom d'amour le désir et
la convoitise — mais nous avons consenti mille et mille
fois au martyre du curé de Luzarches, si nous ne l'avons

pas nous-mêmes dénoncé et livré. La réprobation tempo-
relle d'une si grande part de l'espèce humaine a trop souvent laissé froids ceux qui ne nous entretiennent que de
leur cœur. Je me rappelle ce mot furieux de Bourget à
Paléologue pendant l'affaire Dreyfus : « Je me moque de
la justice ! » Ce romancier hors de lui parce qu'un jeune
diplomate disait ce qu'il savait en faveur d'un Juif injustement condamné était le même qui s'attendrissait dans ses
livres sur de nobles adultères et qui prétendait, aux dernières lignes d'*Un crime d'amour,* ne professer d'autre foi
que « la religion de la souffrance humaine » ! Mais quoi !
cette équivoque est dans chacune de nos vies et nous ne
pardonnons à Benjamin Constant ce qu'il a fait que pour
avoir le droit de nous pardonner à nous-mêmes ce que
nous avons laissé faire.

Aucun Guillemin ne pourra jamais nous apporter la
preuve que le curé de Luzarches attendait Benjamin
Constant, la nuit, à la sortie du tripot, et que l'auteur
d'*Adolphe* marcha quelquefois escorté de cette ombre
douloureuse, sur les pavés boueux et dans les ténèbres du
Paris d'alors. En revanche, nous pouvons être assurés que
l'abbé Oudaille ne put pas ne pas prier pour son bourreau.
Le cadavre de ce prêtre est remonté à la surface, mais, son
âme, qui sait si elle ne demeura pas comme immergée
au plus secret du destin de Benjamin Constant ? Ce fut
elle peut-être qui lui inspira ce que nous trouvons dans
une lettre de Benjamin à Prosper de Barante, écrite dix
ans plus tard : « Ma religion consiste en deux points :
vouloir ce que Dieu veut, c'est-à-dire lui faire hommage
de notre cœur ; ne rien nier, c'est-à-dire lui faire hommage de notre esprit. »

Mais non : si Benjamin avait écrit cela sous l'inspiration
du curé de Luzarches, il eût ajouté : « Se connaître devant
Dieu en tant que pécheur et que criminel et tout attendre
de sa grâce. » Mais voilà bien ce dont ce maître de la
connaissance de soi-même était le moins capable. Il ne
sert à rien d'aller jusqu'à l'horreur quand nous nous

regardons, si nous ne regardons pas en même temps
l'Innocent crucifié dont le bagnard de Rochefort et de
la Guyane, à ses mains, à son flanc et à ses pieds portait
invisiblement les marques.

VII

Le Journal des Goncourt *ne m'intéresse plus.* — *Goncourt et*
Flaubert. — *Misère et grandeur de Flaubert.* — *Son silence.*
— *Du silence en littérature.* — *L'ombre qui a perdu son*
homme. — *Le silence de Proust entre* Jean Santeuil *et* Swann.
— *L'œuvre à faire se fait toujours.*

L E *Journal des Goncourt* me plaisait quand j'étais
jeune. D'où vient que l'édition nouvelle, à peine
ouverte, me tombe des mains ? Autrefois, je discer-
nais bien le côté gobe-mouches des deux frères et leur
facilité à avaler toutes les bourdes : longtemps avant que
Proust l'eût pastiché, je lisais leur *Journal* pour en rire.
Le style artiste qu'ils ont inventé, et qui miroite à la
surface des choses, les rattache à cette espèce de peintres
comme il n'en a jamais manqué, qui voient tout et ne
comprennent rien. Mais ils étaient les auteurs de *Charles*
Demailly, de *Manette Salomon,* de *Germinie Lacerteux,*
dont je ne sais trop ce que je penserais si j'y remettais le
nez. Il y a quarante ans, je trouvais cela très fort — et je
trouve encore très fort aujourd'hui que les Goncourt aient
eu l'idée de survivre grâce à une Académie comme il n'y
en a pas deux, et qui se recrute principalement — chose
incroyable ! — parmi les gens de lettres.

N'empêche que j'ai refermé le *Journal* et que je ne
l'ouvrirai plus : on y patauge, on y touche partout le fond.

Et ces âneries de Gavarni dont ils ne veulent rien perdre...

Laissons cela. Je songe qu'en cette même année où ces deux jeunes pies commençaient à accumuler des petits faits brillants et faux — des petits faits pas vrais — un autre jeune homme, au retour d'un voyage en Orient, entrait, comme en religion, dans le roman qu'il avait résolu d'écrire et décidait de n'en plus sortir. La *Bovary*, à peine née, était déjà une cellule et une ascèse.

Non que Gustave Flaubert ne nous paraisse d'abord appartenir à la même espèce que les Goncourt dont il est à peine l'aîné. Il existe une sottise d'époque à laquelle tous les contemporains, grands et petits, et eussent-ils du génie, participent. Le magazine, la radio et l'écran multiplient la nôtre à l'infini. A ce propos, j'admire que chez les Goncourt le récit de leurs médiocres orgies corresponde très exactement à l'idée qu'Emma Bovary et que le pharmacien Homais se faisaient du sabbat des étudiants parisiens. En somme, la réalité de 1851 est bien telle que ces sots l'imaginaient, et elle est aussi sotte qu'ils le sont eux-mêmes. Certains propos de Flaubert, cette année-là, tenus fort sérieusement, pourraient figurer dans un « dictionnaire des idées reçues » chez les artistes de son bord et devenues aussi ridicules à nos yeux que celles qu'il prête à Homais.

Il n'empêche que passer des Goncourt à ce Flaubert de trente ans, près d'entrer dans une lutte de six années avec la phrase, c'est franchir une distance non mesurable : nous quittons la « gendelettrerie », et nous abordons l'histoire d'un homme — un destin.

J'avais ouvert le premier tome de la *Correspondance* avec l'idée d'y retrouver les sources de *Madame Bovary*.

Peut-être eût-il fallu remonter plus haut que la lettre d'octobre 1851 où il écrit à Louise Colet : « Je me tourmente, je me gratte ; mon roman a du mal à se mettre en train. J'ai des accès de style et la phrase me démange sans aboutir. Quel lourd aviron qu'une plume... » Mais cette correspondance n'est pas un document qu'on consulte ; elle respire : un homme est ici vivant — un homme, et non un homme de lettres, bien que celui-là ne prétendît à rien d'autre qu'à en être un et qu'à écrire la *Bovary*.

Ce corps à corps avec la phrase, ces ahans de porteur d'eau durant ses veilles, les écroulements hébétés sur son divan pour quinze lignes qu'il supprimait au petit jour, cette absurde ascèse demeurait la seule qui fût à sa portée, comme Croisset lui proposait la seule cellule où vivre reclus, puisqu'il avait le malheur de ne pouvoir tendre à l'absolu que dans la phrase et par la phrase. *Salammbô*, la *Tentation* manifesteront plus tard comme des tumeurs énormes cette maladie d'une mystique sans objet.

Certes, « l'écharde dans la chair » nous est connue, qui rendit nécessaire cette vie recluse. « L'ange de Satan qui le souffletait », c'est celui qui abattit ce beau jeune homme dans son cabriolet, sur la route de Pont-Audemer, « le mal sacré, la grande névrose, celle que Paracelse a appelée le tremblement de terre de l'homme », selon le perfide Du Camp.

Mais avant d'en être atteint, l'adolescent avait souffert d'étranges hantises : il se souvenait de telle devanture, dans telle rue de Paris, devant laquelle il avait comme Atys pris la décision de se châtrer — lui, ce dieu juvénile qui, le soir de la première de *Ruy Blas*, l'année de ses dix-sept ans, au théâtre de Rouen, avait vu se tourner vers lui, lorsqu'il entra, les regards de toute une salle enchantée !

A l'époque où il commence de se colleter avec la Bovary, il s'est réconcilié avec Louise Colet, après une longue brouille, mais Croisset demeure interdit à la dame. Les rencontres de Mantes n'ont lieu que tous les deux mois. Comment ne pas croire que son combat avec la phrase, dont les épisodes remplissent les lettres à Louise Colet, lui servit aussi pour tenir à distance une muse insatiable ?

Quand cette étrange personne — qui avait compté les battements de tant de cœurs illustres et qui aimait reposer sa belle tête sur des poitrines de l'Institut — osa braver l'interdit, en 1855, et qu'elle força les portes de Croisset, Flaubert la balaya de sa maison et de sa vie, si brutalement que Mme Flaubert, qui n'avait jamais consenti à connaître la maîtresse de son fils, en fut scandalisée et offensée. « La rage des phrases t'a desséché le cœur ! » Elle eut tort pourtant de lui adresser ce reproche. Ce cœur demeurait ce qu'il avait été. La tendresse de Flaubert adolescent n'était pas de celles dont la vie vient à bout. La phrase n'a pas desséché Flaubert, mais à un cœur qui a faim et soif d'absolu elle ne propose que l'ombre de la pureté, le fantôme d'une perfection à laquelle il aspire et pour laquelle il est né et qui, croit-il, n'existe pas.

Lorsque nous pensons avoir épuisé un auteur qui nous a accompagné toute notre vie, nous avons beau ne plus jamais rouvrir ses livres, incorporés, en quelque sorte, à notre substance, des pages détachées subsistent dans notre mémoire où se condensent toutes les délices d'une œuvre aimée. Or, de ce Flaubert méprisant et dur, ce sont des phrases de tendresse qui continuent de flotter dans mon ciel intérieur, au-dessus de *Salammbô* et de *Saint Antoine*, ces mornes reconstitutions, ces décors d'opéra, ces villes mortes qui n'ont jamais vécu. Quelles phrases ? Celle, par exemple, des lettres écrites après la mort des deux créatures qu'il a le plus aimées, Alfred Le Poittevin, son ami, Caroline, sa sœur — celle surtout qu'à l'aube de leur liaison Louise Colet avait reçue de lui, datée de la nuit du 8 août 1846 : « Le ciel est pur, la lune brille. J'entends des marins chanter qui lèvent l'ancre pour partir avec le flot qui va venir. Pas de nuages, pas de vent. La rivière est blanche sous la lune, noire dans l'ombre. Les papillons se jouent autour de mes bougies, et l'odeur de la nuit m'arrive par mes fenêtres ouvertes. Et toi, dors-tu ? »

Plus vivant encore que ses lettres, le dernier chapitre de *L'Education sentimentale,* que nous savions par cœur autrefois, brille en nous d'un feu que le temps n'a pas affaibli, qu'il ravive plutôt. C'est dans le réseau de ce chapitre que le vrai Flaubert demeure pris. Lui qui avait résolu de ne plus se livrer directement dans un personnage, qui n'était Madame Bovary que malgré lui, en dehors de toute transposition délibérée, et parce qu'il l'avait tirée de sa chair, ici, dans ce dernier cri, ce dernier soupir de *L'Education,* il se substitue à Frédéric, et Mme Arnoux devient Mme Schlésinger, l'adoration de son adolescence, la femme plus âgée, l'amante et la mère au sein de laquelle il avait toujours aspiré, pour s'y abriter d'un monde horrible. Et quand ce secours lui manqua, que restait-il ? La phrase. Mais qu'est-ce que la phrase ? On ne masque pas durant toute une vie, avec des mots, ce monde sombre d'où Dieu s'est retiré. Ce que laisse le flot sur la plage aride, ce sont des méduses mortes, ces résidus d'une humanité qui a perdu son âme : c'est Pécuchet, c'est Bouvard. Il ne reste plus que d'aller dîner chez la princesse Mathilde, ou de s'amuser chez Magny, à jeter des bourdes aux Goncourt, comme des sardines à deux otaries.

Il ne reste plus que le silence.

Que Racine se soit tu après *Phèdre (Esther et Athalie* sont des pièces de circonstance) et Rimbaud après *Une saison en enfer,* je m'étonne qu'on y ait vu un si grand mystère. Des gens qui se taisent s'ils n'ont plus rien à dire que ce qu'ils ont déjà dit, cela devrait nous sembler la

chose du monde la plus raisonnable et ne pas même retenir notre attention. Mais ils sont au contraire, à nos yeux,
des personnages très singuliers, des espèces de monstres.

Chez nous autres, gens de lettres, l'habitude est trop
souvent de ne pas tenir compte du fait que nous n'avons
plus rien à apprendre à personne depuis des années.
Trop de vieux moulins tournent à vide, bien qu'ils n'aient
plus de grain à moudre, s'ils en ont jamais eu. Mais c'est
ce dont nous nous soucions le moins : qu'il ne subsiste de
nous qu'un tic-tac que la mort seule interrompra et que
l'oreille ne perçoit même plus.

Elle ne le perçoit plus, mais elle y est accoutumée au
point que le silence d'un seul homme de lettres cause du
saisissement, et c'est trop peu dire : il nous scandalise,
d'un scandale qui ne s'épuise pas ; voilà quatre-vingts ans
que Rimbaud s'est tu et nous n'en sommes pas encore
revenus. C'est qu'écrire est notre métier — et quel métier !
Un écrivain qui choisit de se taire en foule au pied le
privilège et l'admirable prérogative qui est de nourrir son
homme (pourvu qu'il se soit fait ce qui s'appelle un nom)
— sans qu'il soit tenu compte de la qualité du travail produit ni même de sa réalité. Le semeur est payé pour faire
son « geste auguste » et même s'il ne sème rien.

« Et nous qui travaillons pour plaire au public... » cette
incidente de Racine, dans sa lettre dédicatoire à Madame,
montre toute la distance parcourue : il ne s'agit plus
aujourd'hui de plaire ou de ne pas plaire, mais de vivre,
et le public l'entend bien ainsi qui trouve fort bon que
les gens dont c'est le métier continuent d'écrire et de
publier, même si le néant est la matière de leur ouvrage,
et sans aucune autre raison que de publier et que d'écrire,
puisqu'ils en vivent. Après *Phèdre*, Racine a pu craindre
de plaire moins C'est une question qui ne se pose plus
pour nous : le droit à l'écriture, et à l'écriture rémunérée,
à quel écrivain chevronné le contesterons-nous ?

Un temps vint, il est vrai — et ce fut le siècle des
« lumières » — où l'écrivain ne travailla plus pour plaire

mais pour éclairer. Dès lors, il n'y eut plus, sur le Par-
nasse, de silence à craindre : on n'imagine pas Jean-
Jacques ou Voltaire ou Diderot s'interrompant jamais
d'apprendre aux hommes ce qu'ils doivent penser de
l'homme qui est né bon, de la société qui le corrompt, et
des lois, et du progrès des sciences, et de la superstition.
Les encyclopédistes ont fait des petits qui aujourd'hui
encore se mobilisent contre certains abus : les affaires
Calas n'ont manqué à aucune époque. Il n'empêche que
la littérature qui revendique et qui dénonce est pratiquée
de moins en moins chez nous : ce n'est pas le lieu de nous
demander pourquoi. Mais enfin il ne faut pas trop compter
sur la Muse Indignation pour donner aux diseurs de rien
l'occasion de dire quelque chose !

Vraiment ne disent-ils rien, ce qui s'appelle rien ? J'exa-
gère, bien sûr : la plupart sont à eux-mêmes la matière
de leur livre, et je compte pour trop peu cette furie de
se peindre jusque dans ses plus secrètes verrues qui est
parmi nous une séquelle du romantisme, parvenu à son
dernier état « post-gidien » ; lorsque nous n'avons plus
d'autres sujets, celui-là demeure, ce moi dont on peut toujours tirer quelques gouttes, si pressé qu'il ait été et ne
resterait-il que le zeste.

Ceux de cette espèce, vivraient-ils mille ans, comment
se tairaient-ils ? On dirait que leur épuisement même les
inspire et que ce leur est un délice d'entasser des livres
faits de si peu de matière, comme si, à leurs yeux, ce
néant les sacrait grands classiques.

Mais enfin il est temps de le rappeler : en ce moment,
une autre famille d'écrivains existe qui me donne tort,
puisqu'elle manifeste au contraire une farouche vocation
de silence, surtout parmi les poètes. Ils tendent vers le
silence : de poème en poème les mots s'égaillent sur la
page jusqu'à ce que le dernier s'efface. Le livre, composé
de feuilles blanches dont Virginia Woolf disait : « C'est
mon plus beau livre... » n'était pas le fait d'un auteur
n'ayant plus rien à dire (ceux qui n'ont rien à dire sont

au contraire intarissables), mais d'un auteur qui avait
trop à dire : trop, ici, désigne la qualité, non l'abondance.
Stéphane Mallarmé est à la source de cette rétention dont
la poésie française est affectée et l'infusion de queues de
cerises que lui administra le pauvre Francis Jammes ne
l'a pas guérie. Depuis Mallarmé, nous voyons ceux de sa
postérité piquer du nez :

> Sur le vide papier que la blancheur défend

et il se défend si bien qu'il leur clôt le bec à jamais. Voilà
ce que c'est que d'être idolâtre et à quoi mène le culte du
verbe qui n'est pas le Verbe : mais quoi ! tout ne vaut-il
pas mieux que de vieux moteurs ronronnants qui tournent
à vide ? Et ne devons-nous pas préférer cette stérilité
chargée d'intentions ?

Seulement il ne faut pas confondre les silences. En
poésie, le silence n'est pas un état auquel le poète se trouve
réduit : il est à la source. Toute grande œuvre naît du
silence et y retourne. Même un vieil écrivain qui se survit
et qui n'écrit plus que n'importe quoi, son œuvre, dans la
mesure où elle existe, continue de se taire. Un roman-
fleuve, tout bourdonnant de bavardages inspirés, comme
A la recherche du temps perdu, n'en est pas moins né
du silence et en demeure gorgé. Il suffit de lire les
premiers mots de *Du côté de chez Swann :* « Longtemps
je me suis couché de bonne heure... » Nous pénétrons d'un
seul coup dans ce silence accumulé des insomnies et des
songes éveillés de l'enfance. L'œuvre ici est née d'un
ruminement ininterrompu. Comme le Rhône traverse le
Léman, un fleuve de silence traverse le pays de Combray
et le salon des Guermantes et ne s'y mêle pas. C'est le
miracle proustien.

Chez certains poètes, l'œuvre ne se détache pas tout à
fait du silence : elle y demeure plus qu'à demi prise. Chez
Maurice de Guérin, chaque mot reste chargé de silence
intérieur. Il a noté dans son *Journal :* « Ce que tout

homme d'une certaine nature, plutôt écartée que supérieure, garde avec le plus de vigilance, c'est le secret de
son âme et des habitudes intimes de ses pensées. J'aime ce
dieu Harpocrate, son index sur sa bouche. »

Chez Maurice de Guérin, l'œuvre est à la fois rupture
et confirmation du silence. Dans ma jeunesse, chez André
Lafon, j'ai vu sourdre la poésie d'un recueillement et d'une
contemplation intérieure aussi soutenue et aussi jalouse-
ment défendue que chez Maurice de Guérin, bien que son
chant, comme voilé et étouffé, ne rappelât en rien *Le
Centaure*, où le verbe de Guérin se fait cristal pour garder
l'eau très précieuse d'un certain silence.

La solidité, la dureté, la transparence de la poésie racinienne et valéryenne préservent le silence au cœur de
l'œuvre. C'est ce qui sépare le vers de Racine, le vers de
Valéry, du vers romantique : celui-ci fait du bruit, le leur
est chargé de silence. Et de même la prose de Maurice
de Guérin. C'est un jeune être qu'on écoute se taire : il
faut oser écrire cette absurdité. Et même si la mort ne
lui avait pas scellé les lèvres, à moins de trente ans, il eût
suffi de « ce doigt sur sa bouche du dieu Harpocrate »
pour que son chant s'interrompît ou plutôt se mêlât de
nouveau à cette rumeur au-dedans de lui et ne s'en déta-
chât plus.

Les circonstances extérieures ne sont que des prétextes
pour le poète qui choisit de se taire L'échec de *Phèdre*,
l'affaire des Poisons, le scrupule janséniste, l'ambition de
l'historiographe, tout ce qui a concouru, selon les historiens, pour interrompre la carrière littéraire de Racine,
n'a peut-être pas pesé d'un plus grand poids dans sa décision que, dans celle de Rimbaud, le sordide fait divers
bruxellois. Car non seulement ils se taisent, mais ils
renient (surtout Rimbaud) ce qu'ils ont écrit, comme si
cette part d'eux-mêmes, leur œuvre, les avait trahis et
comme si, en la reniant, ils espéraient retrouver l'intégrité
de leur être et restaurer leur moi dans son unité.

« Vous aurez eu ce bonheur de vous être exprimé »,

dit-on souvent à un écrivain. « Vous laisserez de vous-
même ce témoignage... » Est-ce vrai ? Ce que nous avons
détaché de nous, et que nous appelons notre œuvre, qui
sait si nous n'en demeurons pas à jamais appauvris et si
un écrivain n'est pas une créature irréparablement muti-
lée ? Peut-être Arthur Rimbaud, quand il entre dans le
silence, part-il à la recherche de cette part de lui-même
qu'il en avait arrachée, qu'il avait jetée en pâture à notre
génération. Un écrivain, c'est au fond l'homme qui a perdu
son ombre — ou plutôt, quand il se survit et qu'il n'est
plus qu'un vieux moulin broyeur de mots, c'est une ombre
qui a perdu son homme.

Dans le destin de Proust, cette loi du silence joue.
Si j'en crois M. Bernard de Fallois, entre le moment où
le premier essai romanesque de Marcel Proust, *Jean Santeuil,* se perd dans les sables, et celui où il commence
d'écrire *Du côté de chez Swann,* règne un temps de désespoir : l'auteur a renoncé à cette œuvre dont pourtant,
même en ces jours où il ne s'occupe plus que de Sainte-
Beuve, les sommets commencent à lui apparaître. Son
désespoir, en tout cas, ne dut pas être absolu. Si ce renoncement avait été sans appel, Marcel Proust n'y aurait sans
doute pas survécu. L'analyse interne de son œuvre nous
révèle d'ailleurs une angoisse, non un désespoir : ce continent est tout proche, il en respire les effluves — cette terre
qui demeurera à jamais inconnue si ce chétif petit Marcel
n'en tente l'approche. Comment s'y fût-il résigné ? En
vérité, ces années de découragement furent celles d'une
gestation, plus qu'à demi inconsciente peut-être aux pires
heures ; mais très tôt il dut sentir bouger en lui ce monde
qu'il portait et qui allait naître.

Non, il n'aurait plus supporté de vivre s'il avait dû
renoncer à retrouver le temps perdu. On objectera que
d'autres s'y résignent et s'accommodent jusqu'à leur mort

de ce renoncement. « Que d'hommes admirables et qu'on ne connaîtra jamais ! » En fait, rien ne doit être si rare qu'une grande œuvre mort-née ; je n'en ai jamais eu le pressentiment. Certes nous recevons chaque jour des lettres de lecteurs jeunes ou vieux où il semble que se manifeste cette angoisse. Or ce n'est pas souvent d'une œuvre à créer qu'il s'agit dans ces correspondances, mais d'une vie d'homme de lettres, de femme de lettres à ne pas manquer. C'est leur destin particulier que la plupart de ces apprentis auteurs redoutent de ne pas vivre et qui les obsède, et non celui de terres vierges qui disparaîtront avec eux s'ils n'en deviennent les révélateurs.

A l'enquête : « Pourquoi écrivez-vous ? » le jeune Paul Morand, je crois, avait répondu : « Pour être riche et honoré. » Comme il arrive presque toujours, la boutade sert ici à faire passer une vérité trop amère, pour être avalée sans être enrobée. Même chez les plus grands, à y regarder de près, l'existence d'un monde, au sens balzacien et proustien, n'est pas en cause. André Gide n'a rien à nous découvrir qu'André Gide. Depuis la première ligne des *Cahiers d'André Walter* jusqu'aux dernières confidences d'*Ainsi soit-il*, il n'a exploré d'autre continent que lui-même.

Et certes, un être humain est à lui seul un monde — malheureusement un monde où l'on s'ennuie, lorsqu'il s'agit d'Y ou de Z, mais non lorsqu'il s'agit d'André Gide : ce que je note ici ne le diminue en rien. Cependant nous ne nierons pas la différence de grandeur ; car le Marcel qui dit « je » dans *A la recherche du temps perdu*, s'exprime dans son œuvre aussi totalement que peut le faire Gide dans la sienne ; seulement il n'en est pas l'unique objet, il n'est pas non plus un personnage parmi beaucoup d'autres. Il faudrait plutôt le comparer à un bain révélateur où les visages et les passions de toute une société déjà aux trois quarts engloutie surgissent, et aussi son propre visage, sa propre passion, non isolés, incorporés au magma d'une famille, d'un monde — d'une époque morte dans le temps, mais prise dans la durée du chef-d'œuvre qu'il écrit.

Gide était trop lucide pour n'avoir pas mesuré cette différence. Lorsqu'il entreprend de composer *Les Faux Monnayeurs*, il se persuade qu'il va enfin échapper à André Gide et créer un univers peuplé d'autres êtres que lui-même. Il n'empêche que si nous rouvrons aujourd'hui ces *Faux Monnayeurs*, nous voyons dès les premières pages que le livre demeure vivant grâce au personnage d'Edouard qui est Gide, et aux adolescents sur lesquels Edouard pose le regard de Gide. Le passionnant *Journal d'Edouard* serpente comme une eau vive à travers des mannequins.

L'intelligence du romancier observe mais ne découvre pas. Proust, non moins intelligent que Gide, ne cherche pas comme lui à bien voir pour bien comprendre. Ce monde en suspens dans les saveurs et dans les odeurs ne se comprend pas, il se retrouve. Et même quand Proust croyait avoir renoncé à sa découverte, des avenues secrètes l'y ramenaient au long de ces journées où il désespérait de devenir un romancier : il suffisait d'un parfum, d'une rumeur, d'un cahotement de charrette, d'une vague lueur sous la porte de sa chambre. Ce malade, claustré dans une alcôve, est le nœud de mille routes invisibles par où afflue le passé vivant.

Durant ce temps où il avait renoncé à son destin, qu'il parlât de Balzac ou de Sainte-Beuve, tout le ramenait à cette vue de ce qui dans l'œuvre ne relève pas de l'intelligence critique. Alors qu'il en était venu à croire qu'il mourrait sans avoir dit les choses qu'il souhaitait le plus de dire et que le secret dont il était le dépositaire disparaîtrait avec lui, il affirmait du moins que pour le découvrir il n'existait pas d'autres lois que celles qu'il était seul à détenir. Rien n'était plus éloigné de sa pensée que la prétention, si répandue aujourd'hui chez les romanciers, qu'il existe une méthode, des disciplines qui valent en soi et par soi. Pour Proust, la solitude d'un romancier est totale. Il n'a pas de précurseurs, tout commence avec lui. Lorsqu'il se décide enfin à écrire la première ligne de *Du côté de chez Swann,* le premier jour se lève d'une création qu'il n'appartiendra plus à personne de recommencer : parce que le roman n'est pas une science, il ne comporte pas de loi.

Proust a écrit le mot « fin » à la dernière page du *Temps retrouvé,* et puis il est mort. S'il avait survécu à son œuvre, qu'aurait-il fait ? Comme il avait une admirable intelligence critique et qu'elle eût été sollicitée par les faiseurs d'enquêtes des deux mondes, peut-être eût-il commencé une autre carrière, mais sur un tout autre plan que celui où il était parti *A la recherche du temps perdu.* Certains grands créateurs peuvent continuer leur création indéfiniment, comme a fait Balzac, puisque la comédie humaine ne comprend pas de terme. Eût-il vécu un siècle sans perdre sa faculté créatrice, l'œuvre se fût poursuivie : ce fleuve ne pouvait finir que dans la mort. Mais si le créateur a dans l'esprit, comme l'avait Proust, un monument achevé, si vaste soit-il, avec ses proportions, son équilibre, son harmonie, l'œuvre enfin terminée, il lui reste de se taire. Il peut certes la nourrir encore en y injectant de nouveaux éléments : c'était assez dans la manière de Proust dont l'œuvre maintenue entre des digues se serait sans doute gonflée, serait devenue un énorme fleuve débordant.

Il reste aussi, à l'auteur qui a remis sa copie, de servir par la plume, s'il a d'autres certitudes que celles d'ordre esthétique. Plus j'avance, et moins je vois de contradictions, dans une vie d'écrivain, entre l'œuvre à faire et le parti à prendre. Si la grâce lui est donnée de survivre à ses fictions, c'est le temps pour lui de choisir, ou la retraite à laquelle chacun a droit, et que certes je ne reprocherai à personne d'avoir préférée — ou la lutte s'il croit que la vérité existe et qu'elle exige de lui qu'il la défende sur tous les plans et dans tous les ordres, et si mêlée d'impuretés qu'elle lui apparaisse.

A mon sens, ce qui devrait être interdit au vieil écri-

vain, c'est de ne pas faire retraite et de ne pas prendre parti,
de manquer à la fois à la loi du silence et à la loi de
l'engagement, et d'ériger en système de vie le « parler
pour ne rien dire ». La moisson est finie, le blé engrangé, si
blé il y a eu, mais la vieille batteuse continue de ronfler
et les colonnes de mots se font et se défont, réalisant le
miracle (car c'est un miracle pour les mots) de ne rien
signifier, comme une eau de néant qui serpenterait à travers l'époque — une époque pourtant chargée d'événements, de révolutions et de crimes, sans en rien refléter.
Le monde en eux s'anéantit.

VIII

A chaque automne, je rentre à Paris quelques jours trop tôt : jamais je ne vois prendre les palombes. C'est saint Luc, le 18 octobre, qui préside au grand passage. Mais mon cousin le chasseur a plus confiance en saint Simon — non l'auteur des *Mémoires,* mais le Cananéen, l'un des Douze et dont la fête est célébrée le 28.

Il n'empêche que, dès la Saint-Michel, aux derniers jours de septembre, la chasse du cousin est prête, les appeaux en place sur les cimes, reliés à la cabane par un jeu de longues ficelles à portée de sa main. Déjà, sur le banc élevé d'où il domine les taillis de chêne, la face tournée vers le nord, il surveille d'un œil patient les vastes avenues ménagées entre les pins, coulées de ciel par où les palombes surgiront. Ces fleuves de ciel convergent vers le « sol » où tout est disposé pour attirer des oiseaux qui ont voyagé et qui ont soif. Du grain, de l'eau... mais les perfides filets demeurent invisibles. Les appeaux, manœuvrés selon une méthode mise au point par des générations de chasseurs, feront ce bruit d'ailes d'une palombe qui descend et qui se pose. Par un tunnel reliant la cabane au sol, une palombe appelée « poulet », préparée et dressée, mais surtout affamée, sera lâchée pour attirer les hésitantes qui, de haut, la verront picorer, paisible...

Les palombes ne sont pas là encore. Mais le cousin est un amoureux qui arrive le premier au rendez-vous. Il arrive longtemps d'avance et ne s'ennuie pas ; attendre ce qu'on aime, c'est déjà le posséder. Quitte-t-il jamais sa chasse ? Durant les mois d'hiver, il a taillé lui-même en charmille les petits chênes qui pourraient gêner la vue du guetteur...

Non, cela ne l'ennuie pas d'attendre. Rien n'ennuie ce chasseur dont la vie est un guet sans fin. La nuit règne encore quand il se lève. Il descend seul dans la cuisine obscure dont j'imagine le parfum, l'odeur accumulée de tout ce qui, depuis des générations, y cuit à feu doux. Il prépare son café lui-même et attend l'aube.

Je doute s'il lit : un livre lui tient lieu de tous les autres, cette terre du sous-bois qu'il ne quitte guère des yeux. Quand je marche auprès de lui, je l'observe : il déchiffre sa terre comme un livre, ou plutôt comme une partition dont il interprète chaque signe. Aucune bête n'y passe, aucun sanglier, aucun chevreuil, mais non plus aucune bécasse qu'il ne le sache. Son œil décèle le cèpe à peine sa tête noire a-t-il écarté les feuilles mortes.

S'il lève les yeux, c'est que l'heure est venue d'interroger le ciel lorsque le ciel devient la route où vont poindre les premières bien-aimées. Ces palombes rôdeuses des premiers jours sont des isolées, des téméraires parties en avant-garde, et leur prise est précieuse au chasseur qui a toujours besoin d'appeaux. A peine les a-t-il fait poser, qu'il « coucourège », qu'il imite le roucoulement rauque de l'oiseau et il l'attire ainsi vers la captivité et vers la mort avec ce chant qui est un appel tendre et passionné.

Chasseur, je ne l'ai jamais été. Adolescent, il m'importait peu que les palombes ne passent pas. J'avais un livre dans ma gibecière, un Balzac presque toujours, d'une édition qui appartenait à mon père et qui a paru du vivant de Balzac avec des titres que je ne retrouve pas tous dans les œuvres complètes. Notre chasse était rustique, plus que celle du cousin, beaucoup plus éloignée aussi, au fond d'une lande sauvage et perdue, sous des chênes très antiques qu'il me souvient d'avoir célébrés dans *Le Mystère Frontenac* et qu'ont anéantis les derniers incendies « dus à la malveillance » : les hommes assassinent aussi les arbres.

Nos livres sauvegardent pour nous seuls certains lieux très secrets où, durant nos jeunes automnes, nous aurons connu cette attente, ce guet qui nous aidait à rejoindre la vie instinctive des premiers hommes.

Le cousin, disais-je, a ouvert devant lui, tandis qu'il demeure de l'aube au crépuscule à son poste d'écoute, cette partition qui le dispense d'en déchiffrer aucune autre : les odeurs et les sons, les nuages, un aboi, un sifflement, tout revêt une signification précise. La science divinatoire des augures est passée chez ce dernier héritier d'un petit monde que j'ai chéri dans mon enfance.

Le cousin ne sait pas tout ce que je sais de lui et de son fils. Durant les vacances d'il y a soixante ans, j'allais à Villandraut, le jeudi, le jour de la foire, chez ma grand-tante qui était son arrière-grand-mère. Je sais de quel côté de la famille vient ce fils qui n'a pas hérité sa passion pour la chasse. Que de morts je reconnais dans ce jeune homme qui ne le sait pas ! Il n'a que vingt ans, mais il remonte d'un gouffre d'années.

Cette chasse à la palombe d'avant le 15 octobre, et où je ne vois prendre aucune palombe, devient ainsi une chasse d'un tout autre ordre — ou plutôt non : une descente aux enfers d'où je ramène cette Eurydice toujours reperdue, cette enfance toujours vivante, si vieux que nous soyons, jusqu'à notre dernier souffle.

Le jour où je me rends à l'invitation du cousin, je quitte un Malagar embrasé où la rumeur des vendanges,

l'odeur puissante du cuvier montent aussi du fond de ma
jeunesse... Mais Malagar demeure lié à mon histoire présente. Il fait partie de mon moi d'aujourd'hui. Ce n'est
pas un hasard si sur le diplôme du prix Nobel les acadé-
miciens de Stockholm eurent la délicatesse de faire figurer ma vieille maison. A Malagar, l'écrivain chevronné
tient plus de place que l'adolescent qui, sur ce même
banc où je suis assis, écrivait les vers des *Mains jointes.*

Mais à peine ai-je franchi les barrières de Langon et
pris à Sauternes la route de Villandraut, déjà j'entre dans
un monde tout différent : il fut le mien, et ne l'est plus.
Quelques pas suffisent dans la forêt où le cousin est à
l'affût : je me sens la proie d'un charme. Je siffle longuement pour annoncer ma venue, de peur qu'un vol ne soit
posé. Le cri du chasseur m'avertit que je puis avancer. Je
pénètre alors au cœur du bois enchanté, peut-être maléfique. Comment le savoir ! Cette forêt ne me connaît
pas et je ne la connais pas.

Quand j'ai le courage de pousser plus loin, jusqu'à Saint-
Symphorien, et de pénétrer dans le parc, aujourd'hui un
peu abandonné, où s'écoulèrent mes vacances d'écolier,
alors je ne crains pas qu'un sort mauvais tombe des
branches noires étendues pour me bénir. Beaucoup de ces
pins du parc sont morts depuis longtemps et chaque jour
il en meurt. Les tempêtes de l'équinoxe abattent ceux dont
le cœur est dévoré. Mais les survivants me connaissent et
le chêne que notre enfance adora se rappelle la chaleur
de ma main, de mes lèvres, de ma joue, lorsque je lui redis
les vers que mon frère l'abbé, quand il était enfant, avait
composés pour lui et que j'étais seul à connaître : « *Vieux
chêne qui m'a vu souvent chercher ton ombre. Pleurer tout
bas l'amour qui ne reviendra plus...* »

Mais la forêt du cousin ne sait rien de moi, celle du moins où il chasse la palombe. Car plus d'une propriété de son domaine innombrable vient « de mon côté » : mon père, enfant, passait ses vacances près d'Uzeste, à l'ombre des chênes plusieurs fois séculaires de ce Pieuchon, si cher au cousin et qui appartenait à notre commun aïeul. Il y entretient un étrange bois sacré où il interdit qu'on coupe la moindre branche. Un profond sentiment religieux, venu du fond des âges, lui inspire ce culte primitif que le chrétien, en moi, ne renie pas.

Si nous pouvions choisir le lieu de notre mort, à peine le prêtre se serait-il éloigné, qui m'aurait donné le Seigneur, j'aimerais m'étendre non loin du chêne sacré, dans le parc de Saint-Symphorien, sentant une dernière fois sous mes paumes ces fougères sèches, ces mousses, ce tissu d'aiguilles et d'écorces, ces champignons frais. Des cloches de troupeaux et d'Angélus se détacheraient de cette basse déchirante des pins qui n'interrompent jamais leur plainte. Car la forêt landaise épouse le tourment de la mer jusqu'à ce que le feu l'anéantisse.

Le soir, dans Malagar retrouvé, j'observe de ma terrasse la forêt que j'ai quittée et dont l'immense armée noire ferme l'horizon. C'est l'heure où le cousin descend ses appeaux, les fait boire, les gorge.

Je songe que si je voulais retrouver l'endroit où, adolescent, je chassais la palombe, bien au-delà de Saint-Symphorien, près du marais de la Teychouère, il me serait impossible de le reconnaître. Les pins doivent repousser au hasard, là où les chênes vénérables, qui avaient peut-être vu passer les troupeaux de mes ancêtres bergers, abritaient notre cabane. Ils ont été brûlés vivants et rien n'en subsiste plus que ces dernières pages du *Mystère Frontenac* qu'ils ont inspirées. Elles me restent chères à cause d'eux.

Retour à Paris : en ce jour des Morts, c'est une note
au bas d'une page du *Mariage de Proudhon* de Daniel
Halévy qui oriente ma méditation. Ce village de la
Franche-Comté, Burgille-sur-Ognon, d'où la mère de
Proudhon était originaire et où il avait gardé un chaume,
ne compte plus aujourd'hui que cent trente habitants et,
comme tant d'autres villages de la vieille France, il se
meurt.

Un de nos confrères, qui, ces jours-ci, me faisait sa visite
de candidat à l'Académie, a le bonheur de vivre dans une
petite commune du Béarn : depuis son enfance le nombre
des habitants y a diminué de moitié.

Certains départements comme le Gers et l'Ariège
deviennent des déserts, mais ces déserts sont peuplés de
morts. Les cimetières abandonnés des vieux villages se
pressent autour d'églises, mortes elles aussi. De ces cimetières, il en est qui, peut-être pour la première fois depuis
mille ans, n'ont vu personne aujourd'hui s'agenouiller sur
leurs tombes ; et personne n'y viendra plus jamais. Le
déclin de notre pays tient d'abord à ce tarissement de la
source paysanne d'où sortait Proudhon et d'où nous
venons tous. Si peu que nous ayons de génie, nous l'avons
tiré de là.

Si cette terre abandonnée ne nourrit plus les hommes
d'aujourd'hui, ce n'est pas qu'elle n'ait plus de nourriture
à leur donner ni que la frugalité paysanne soit une vertu
perdue. Mais ses fruits pourrissent sur place. En Gironde,
les petits ports au bord du fleuve où les Anglais venaient
chercher ce vin qu'ils chérissaient sont depuis longtemps
désertés, il n'en subsiste que quelques pontons pourris.
« La facilité des communications », dont les libre-échan-
gistes du dix-neuvième siècle ont tant espéré, ne sert plus
aux échanges ; ce sont les hommes qui en profitent pour
s'en aller. Même s'ils ne « montent » pas à Paris, s'ils ne

gagnent pas le chef-lieu, il se trouve toujours à quelques kilomètres du village une scierie ou une cartoucherie ou, comme dans ma campagne garonnaise, un camp américain ; et les petits propriétaires abandonnent leurs vignes pour aller « chez les Américains », au Poteau, dans cette immense lande, au bord de la route qui va de Bazas à Mont-de-Marsan, et dont des fils de fer barbelés gardent le mystère.

« La terre qui meurt », c'est un titre de René Bazin. Mais la terre abandonnée ne meurt pas. Elle attend le retour des hommes. La page écrite par les générations qui durant des millénaires nous ont précédés ne sera un jour presque plus lisible ; les pauvres églises romanes, dont s'effondrent déjà les voûtes, sont les majuscules qui se détacheront longtemps encore d'un texte à demi effacé. Il faudra des siècles pour que la terre les recouvre, elles aussi. Alors elles se mêleront aux ossements de ces pères oubliés pour lesquels il n'y aura plus jamais de « jour des Morts ».

Maudire le présent, louer les jours révolus, c'est le ridicule du déclin de la vie. Dieu sait si j'ai peu de goût pour « la belle époque » dont j'ai, à vingt ans, fredonné les refrains. Je la trouvais laide alors. Je fus toujours insensible, je l'avoue, à la poésie de ce Montmartre de Carco et de Dorgelès. Je n'ai jamais su y voir, même en ce temps-là, qu'un quartier sordide, immonde, bien que je me souvienne d'y avoir fait mon pèlerinage, comme les camarades, à la chambre de Max Jacob.

La source de toute poésie ne jaillissait pas pour moi de ces pavés et de ces bouges. J'étais un jeune homme à Paris, mais, comme au temps du collège, les vacances me ramenaient vers cette Cybèle aux deux visages qui m'avait enfanté et allaité et je chérissais du même amour sa face éclatante, celle de Malagar, et l'autre visage, couvert de cendres, tendu vers les pins murmurants et blessés.

Un déraciné, certes je l'étais et me glorifiais de l'être, puisque Barrès nous avait ainsi appelés. Mais un jeune arbre déraciné garde ses racines et sa motte. Il me semble que la province d'alors ne lâchait ses Rastignac qu'un à un. Et à vrai dire, elle ne les lâchait pas. Ils montaient à Paris mais redescendaient vers elle à la belle saison par un mouvement aussi bien réglé que celui du sang. Rien qui ressemblât moins au monstrueux nettoyage par le vide qui aujourd'hui aspire les êtres et ainsi recrée lentement ce désert où les loups de la vieille France, s'ils revenaient, ne trouveraient même plus d'agneaux à dévorer, car les troupeaux ont disparu avec les hommes.

Relu, ces jours-ci, *La Lettre écarlate* de Hawthorne.

Julien Green, qui a traduit le livre, nous assure que Nathaniel Hawthorne à dix-huit ans était si beau qu'une bohémienne lui demanda s'il était un ange ou un homme. Julien Green, au même âge, était, lui aussi, sombrement angélique, et ce n'est pas le seul trait commun au traducteur et à l'auteur. Hawthorne vivait, comme Green, dans un monde qui n'était pas tout à fait le nôtre et lorsque, dans le prologue de *La Lettre écarlate,* il nous parle du mystérieux engourdissement de sa vie, peuplée des êtres qu'il inventait : « Tard dans la nuit, je restais assis dans le petit salon désert, éclairé seulement par la lueur d'un feu de charbon et le clair de lune... » c'est le Julien Green de la vingtième année dont le visage, tour à tour, apparaît ou se dilue, selon que la pièce est noyée d'ombre, ou qu'une brève flamme l'éclaire un instant, et fait luire l'acajou des fauteuils.

La vérité devenue folle, et folle furieuse, c'est la meilleure définition que nous puissions donner de cette république de cagots sanglants qui peuplent ce roman de Hawthorne, — des cagots qui, par-delà l'incarnation du Fils de l'homme, et sans s'y fixer, remontent jusqu'au

Dieu des juifs, non le Dieu d'amour et de consolation qui a parlé à Abraham, notre père, et dont la miséricorde déborde des *Psaumes,* mais l'Etre inflexible, recréé à leur image par les juifs vétilleux et attachés à la lettre, le Dieu des pharisiens, en un mot — des mauvais pharisiens, car il en existait de justes — les seuls hommes que le Christ ait dénoncés avec une sorte de fureur presque désespérée. C'est qu'il savait, lui qui savait tout, que le pharisien était, autant que lui-même, immortel. Il les regardait, dans les siècles des siècles, se servant de lui pour assurer leur règne. *La Lettre écarlate* illustre sinistrement cette utilisation de l'esprit par la lettre impitoyable.

Dans la petite ville qui devait devenir Boston, une jeune femme dont le mari voyage depuis un an devient enceinte. Coupable d'adultère, crime capital, elle échappe à la mort, mais non à la honte du pilori sur la place principale. Elle sera condamnée à porter toute sa vie, sur la poitrine, la lettre écarlate, l'A majuscule qui la désignera au mépris de ses concitoyens et la vouera à une honte sans recours. Or le séducteur est le jeune pasteur le plus saint de la ville, qui vivra et mourra étouffé par son secret, mais en même temps sanctifié et transfiguré par lui.

Ce qui donne à ce récit atroce toute sa portée, c'est qu'ici la lettre devenue folle ne se moque pas seulement de l'esprit, mais qu'elle bafoue la parole de Dieu. Car l'évangile de saint Jean nous rapporte la rencontre du Christ avec l'adultère. Sur ce point précis, les puritains étaient d'autant moins libres d'interpréter à leur guise l'enseignement du Seigneur qu'il est ici d'une netteté sans défaut et ne laisse place à aucune équivoque. Qui n'a présente à l'esprit cette page éternelle ? la femme a été surprise en adultère et les scribes et les pharisiens l'amènent devant le Maître. « Moïse ordonne de lapider ces femmes-là : Et toi, qu'en dis-tu ? » Cependant Jésus, sans répondre, traçait avec le doigt des signes sur la terre. Et puis il prononce la parole qui, depuis, n'a cessé de retentir : « Que

celui de vous qui est sans péché lui jette la première
pierre ! » et il se remet à écrire sur le sol tandis que tous
se retirent la tête basse, en commençant par les plus vieux.
Alors la femme coupable et le Christ demeurent seuls :
« Femme, où sont-ils ? Personne ne t'a condamnée ? » Elle
répondit : « Personne, Seigneur. » — « Moi non plus,
je ne te condamne pas. Va : ne pèche plus. »

Hé bien, ce que les pharisiens n'ont pas osé faire, les
puritains de *La Lettre écarlate* l'ont fait et ils s'en sont
glorifiés. Et le pire est que cette falsification de l'Evangile, si elle atteint dans le puritanisme, tel que nous le
décrit le roman de Nathaniel Hawthorne, sa limite
extrême, s'observe dans toutes les sectes chrétiennes et
au sein même de la vieille Eglise mère. Nous pouvons en
suivre, de siècle en siècle, les ravages, et qui de nous, en
France, n'en a souffert, qu'il appartienne à la postérité de
Port-Royal ou à la postérité de Calvin ?

Quel mystère ! les hommes rejettent de l'Evangile ce
qui, précisément, constitue la bonne nouvelle et qui devrait
être le cœur du cœur de l'espérance humaine : ce pardon
indéfiniment renouvelé, cette rémission des péchés attestée
chaque fois que le Christ voit une créature à ses pieds :
« Tes péchés te sont remis. » D'où vient cette haine du
bonheur ? *La Lettre écarlate* nous permet de l'entrevoir :
à la dure loi de Moïse, la théologie chrétienne, lorsqu'elle
devient folle, substitue la sienne, non moins dure, non
moins impitoyable, car c'est la même au fond. Mais je
n'irai pas plus avant de ce côté-là.

L'étonnant, c'est que le roman de Nathaniel Hawthorne,
qui met l'accent sur les déformations les plus odieuses de
l'esprit religieux et qui en devrait être la satire, rend un
tout autre témoignage : bien différent du *Tartuffe* de
Molière, ce Tartuffe américain nous initie à l'un des
secrets les moins connus de la religion véritable. Le pharisaïsme puritain suscite ici, non seulement dans l'héroïne
porteuse de la lettre écarlate, mais aussi chez le jeune
pasteur coupable, condamné au mensonge par son lâche

silence, une sainteté authentique. Je ne l'entends pas seulement au sens de l'*etiam peccata* de saint Augustin. Que
nos fautes même servent à notre sanctification, c'est un
lieu commun de sermonnaire que *La Lettre écarlate*
dépasse profondément.

Le jeune pasteur prisonnier de son mensonge passe pour
un saint dans la ville, comme Tartuffe aux yeux d'Orgon ;
mais lui, il est réellement un saint, en dépit de son hypo-
crisie ; le crime qu'il a commis le condamne à la sainteté
en le transformant par le dedans.

Je touche ici à ce qui donne tant de prix à mes yeux à
La Lettre écarlate. Ce roman nous livre une clef pour
pénétrer un mystère impénétrable entre tous aux yeux du
croyant : le mystère du mal. Le mal est dans le monde et
au-dedans de nous. Mais « tout est Grâce ». C'est le dernier
mot du curé de campagne de Bernanos. Le principe même
de notre régénération peut se trouver contenu au pire de
nous-même. *La Lettre écarlate* nous propose à ce point de
vue un texte capital que j'ai cité bien souvent à des êtres
tourmentés et désespérés. Il s'agit du pasteur coupable et
qui passe pour saint : « Il eût gravi les plus hauts sommets de la sainteté sans le fardeau de crime et d'angoisse
sous lequel c'était son destin de chanceler. Ce fardeau le
maintenait au niveau des êtres les plus bas, lui, l'homme
aux qualités si élevées qu'à sa voix les anges eussent pu
se montrer attentifs et répondre ! Mais ce même fardeau
le mettait en étroite sympathie avec toute l'humaine con-
frérie des pécheurs. Ainsi son cœur vibrait-il à l'unisson
de mille autres cœurs... » Il faut lire toute la suite.

Ce n'est pas seulement parce qu'il s'humilie, parce qu'il
voit son abjection et se frappe la poitrine que le pasteur
coupable se rapproche de Dieu ; son péché même devient
en lui un principe de total renouvellement devant ses
frères, mais aussi devant Dieu. Et de même la lettre
écarlate attachée à la poitrine de la jeune femme adultère
fait d'elle aux yeux de toute la ville une sainte authentique et vénérée. Voici donc le pharisaïsme devenu créa-

teur de sainteté. La Grâce utilise les pires canalisations que Tartuffe et qu'Orgon inventent. Elle ruisselle au travers pour atteindre et féconder le cœur des hommes. L'Esprit utilise la lettre, si misérable que soit la lettre. Telle est la morale de cette sombre histoire.

Qu'un roman nous intéresse surtout par sa signification théologique, on peut juger que ce n'est pas très bon signe, du point de vue littéraire. Mais qu'après un siècle il garde, en dépit de la technique dépassée, un tel pouvoir de suggestion, voilà qui témoigne, il me semble, de la fécondité d'un genre littéraire auquel certains voudraient aujourd'hui imposer leur code étroit. Mais le vrai roman se moque de leur « art romanesque », comme la vraie poésie se moquait de l' « art poétique ». Le roman peut prétendre à tout exprimer et atteindre, comme *La Lettre écarlate,* à ce tour de force : une caricature cruelle du christianisme qui tourne subtilement à l'apologie et qui nous ouvre une porte sur le mystère du mal.

IX

ÉCRIRE c'est se souvenir, mais lire s'est aussi se souvenir. Et c'est se comparer. « Longtemps je me suis
couché de bonne heure... » A peine cette première
phrase de *Du côté de chez Swann* est-elle entrée en moi
que je me prépare à accompagner un enfant dans son
pèlerinage, aussi loin qu'il voudra m'amener, et à mesurer
la distance qui sépare sa route de la mienne et à admirer
que si souvent elles se rejoignent.

Mais l'âge change la perspective de cette confrontation.
Les personnages inventés de l'univers romanesque, notre
jeunesse les interrogeait avidement comme s'ils eussent
détenu un secret pour ne rien perdre de nos dons, pour
parer à nos déficiences, pour masquer les vides, comme
s'ils eussent préfiguré le destin qui nous attendait.

Au dernier tournant de la vie, la curiosité qui nous
penche sur les livres devient rétrospective. Il nous importe
alors de savoir si notre image, dès maintenant fixée dans
des attitudes et dans une œuvre, s'oppose ou correspond à
celle des maîtres qui nous ont précédés. Ce ne sont plus
les personnages inventés et nous-même que nous confron-

tons. Nous préférons aller directement aux créateurs.
C'est eux que j'interroge et non leurs héros imaginaires.
C'est à eux que je me compare, moi qui suis encore de ce
monde, mais qui ai comme ces morts achevé ma copie,
si je ne l'ai pas encore remise.

Voilà ce qui me fait aimer ce petit livre : *Maurice
Barrès avant le Quartier latin*, de Henri Mondor. Il y
commente des lettres inédites de l'adolescent Barrès, avec
un respect lucide : ni louangeur ni détracteur, mais véri-
dique et tendre. C'est la seule attitude digne d'un histo-
rien de la littérature, à l'égard de ceux qui, dans la traversée de ce monde confus et sombre, nous auront escortés
jusqu'à la fin, et les flammes de leurs torches vacillent
encore autour de nous, si près de les rejoindre. Que
j'aime Pierre Reverdy, dans un récent ouvrage : *En vrac*
(titre détestable pour un recueil de pensées où affleure
partout, magnifiquement, la confidence d'une vie secrète
et déchirée), que je l'aime d'avoir écrit : « *Les grands
hommes morts, on devrait les aborder avec prudence. Je
veux dire avec décence et ne pas grouiller sur ce qu'il en
reste pour s'en nourrir comme de voraces insectes avec trop
de délices et d'avidité.* » Donc Henri Mondor m'invite à
interroger cet écolier, ce lycéen, cet étudiant qui devait
me précéder de vingt ans dans la vie et qui, après qu'il
eut collaboré par ses premiers livres, plus qu'aucun autre
auteur, à ma formation, intervint si miraculeusement dans
ma destinée et me donna le départ. Et d'abord je m'étonne
d'avoir longtemps presque tout ignoré des commencements d'un écrivain si proche de moi. Il n'y a guère que
le premier volume des *Cahiers* de Barrès, paru en 1929
(il ouvre sur les quelques pages de ses mémoires qu'il eut
le temps de rédiger durant les dernières semaines de sa
vie) pour me donner une idée précise de ce que fut ce
petit garçon lorrain. C'est que la génération d'avant celle de
Gide gardait un reste de pudeur. On ne se déshabillait pas
encore en public, on ne se mettait pas tout nu devant le
monde. Nul ne se croyait un personnage assez intéressant

pour se charger soi-même d'un travail qui incombait, croyait-on, aux spécialistes de l'histoire littéraire.

Mais comme, à dix-huit ans, je tenais sans cesse, à portée de ma main, *Sous l'œil des barbares*, j'avais su dès lors déchiffrer entre les lignes de ce livre tout ce qu'Henri Mondor raconte, et d'autant mieux qu'il n'est guère de traits de l'écolier Barrès qui ne répondent à ce que je devais être moi-même vingt-cinq années plus tard. Que de fois, dans ma chambre de Bordeaux, me serai-je répété l'invocation de *Sous l'œil des barbares* : « O maître, je me rappelle qu'à dix ans, quand je pleurais contre le poteau de gauche, sous le hangar au fond de la cour des petits... » Pas une souffrance même physique (les engelures) à laquelle fut soumis l'enfant Barrès dans la cour glacée qui n'ait été mienne. Mais je reconnais surtout ce repliement, moins peut-être devant les maîtres que devant les camarades, cette sensation d'une faiblesse confondue avec une force. L'enfant Barrès, chétif et brutalisé, décide de devenir le plus fort. Ce qu'il se répétait, blême et serrant les poings : « Ils verront bien, un jour ! » je me le disais, moi aussi.

Et la même souffrance nous jetait lui et moi dans les bras de la même consolatrice. Barrès note que ce fut le seul mérite de son collège, la Malgrange, d'être situé à la campagne : il y vivait en communion étroite avec le ciel et avec les arbres, accordé à la métamorphose des saisons. C'est ce que j'aimais aussi dans ma Malgrange à moi, qui s'appelait Grand-Lebrun, non plus aux portes de Nancy mais aux portes de Bordeaux, et dont le parc recélait encore, il y a cinquante ans, des coins un peu sauvages. Le collège n'interrompait pas ce dialogue que l'enfant taciturne avait noué, pendant les vacances, avec sa terre natale

La terre natale... Elle n'éveille pas les mêmes images et ne nourrit pas les mêmes songes, selon qu'elle parle à un petit Lorrain ou à un petit Gascon. Et si je dis Gascon, c'est qu'il n'existe pas d'adjectif qui corresponde à

Guyenne — province aux contours indécis, un peu en
retrait, il me semble, et je me donne l'illusion de ne la
partager qu'avec des âmes aimées. Ici deux destins se
séparent et s'opposent : les deux enfants n'ont pas entendu
la même leçon. Celle que le petit Barrès recevait de la
Lorraine fut renforcée par le désastre de 70, qu'il avait
vécu à huit ans. Sur cette terre sans éclat, l'histoire impri-
mait une image d'Epinal simple, et durement bariolée.
Barrès l'a épinglée une fois pour toutes au mur de sa
chambre et il n'en a plus détourné le regard.

Mais que je fusse assis, appuyé contre un pin, sentant à
mes paumes la brûlure du sable, ou que, dans une autre
campagne, la vallée garonnaise, lumineuse et surchargée
de fruits, s'étendît à mes pieds, aucune humaine histoire
ne s'interposait entre moi et Cybèle, non plus qu'entre Dieu
et moi. Certes, la guerre avait ravagé notre Guyenne à
d'autres époques et ses traces étaient partout. Mais les
châteaux du prince Noir que l'on me montrait ne me par-
laient plus de massacres oubliés. Les portails mutilés par
les huguenots, les remparts détruits durant la dernière
révolte de la Guyenne, cela ne concernait plus l'enfant. Les
morts de ces vieilles guerres ne remontaient plus à la
surface, comme dans les provinces de la frontière où,
naguère encore, affleuraient en plein champ des tertres et
des croix.

Non que la leçon reçue de ma province fût médiocre et
basse — religieuse au contraire et dans deux acceptions du
mot : à la fois chrétienne et païenne. Ainsi a subsisté, au
secret des quelques poèmes que j'ai écrits, la seule part
de mon œuvre qui me soit vraiment chère, ce qui aura
été mon inspiration la plus vraie, comme si d'être né
d'une terre contrastée, à la lisière de la Garonne opulente
et de la grande lande, ce pays de désolation, comme si cette
Guyenne aux deux visages m'avait marqué à jamais.

Quelle autre leçon reçut Barrès de sa Lorraine ? Une
leçon d'histoire, d'histoire-batailles, où Dieu n'entrait pas
— où il n'y entrait que comme un élément de cette tuerie

ininterrompue et il faisait partie de l'héritage. Mais la seule divinité vivante, c'était la nation française dont l'armée assurait le service et le culte.

Ce que la Lorraine lui enseignait, le petit Barrès était prédisposé à l'entendre, certes, et si j'avais été transporté tout enfant à Charmes, je n'eusse pas retenu la même leçon. Qu'il est étrange de le voir, à sept ans, vivre passionnément, comme toute la France, le drame de Victor Noir assassiné par Pierre Bonaparte, et prendre parti avec violence, comme il fera trente ans plus tard durant la guerre civile déchaînée par l'affaire Dreyfus ! Mais alors que le peuple de Paris, presque unanime dans sa fureur, accompagnait derrière Rochefort la dépouille de Victor Noir, c'est au prince assassin que le petit Barrès avait donné son cœur.

Les réflexions qui nous viennent à ce propos demeurent confuses ; il y faut rêver à loisir. Barrès a ce caractère commun avec Gide d'être un signe de contradiction : c'est une chance de survie. Pour moi qui les ai aimés tous deux, ni le harnachement idéologique barrésien ni l'affreuse nudité gidienne finalement ne m'auront séduit. Chaque créateur doit se frayer son chemin — une piste singulière qui n'existait pas avant lui. Servira-t-elle encore quand nous ne serons plus là ? Les routes royales subsistent, mais quelques sentiers aussi, préservés par miracle. Pourquoi pas le nôtre après tout ? Ne l'espérons pas trop. Nous avons beau dresser nos livres comme des bornes milliaires le long de la piste qui mène à une fosse : si personne n'y passe plus, l'herbe y repoussera et les ronces de l'oubli.

Le 18 octobre 1897, Maurice Barrès note dans un de ses *Cahiers* : « Elle mûrit lentement en moi, cette grande idée d'opposer aux hommes dont je sens l'insondable ignominie (ils sont tels parce que telle est la nature

9

humaine) une systématique politesse et jamais les mouvements de ma sincérité. La réprimer, l'écraser à coups de
botte. »

Ce n'est pas là le mot d'un jeune romantique ou d'un
garçon de province qui veut se mesurer à Paris. C'est un
homme de trente-cinq ans qui se décide entre deux routes,
ou plutôt entre deux camps affrontés. C'est un homme de
lettres passionné de politique et qui au fond ne se plaît
qu'à la politique. Elle lui fournit, faute de mieux, ses
thèmes littéraires, mais il désirerait ardemment y être
acteur : tout le reste l'assomme.

Or notre vie, et singulièrement notre vie publique, est
dominée par l'idée que nous nous faisons de l'homme,
et à laquelle nous nous sommes délibérément arrêtés,
même si nous n'avons pas retenu et fixé la date, comme
Barrès, du jour où nous avons choisi. Car, de toute évidence, nous avons le choix : l'ignominie humaine est un
fait, mais la bonté, la tendresse, le sacrifice qui va jusqu'au don de la vie, ce sont aussi des faits que ce Barrès
de trente-cinq ans ne nie pas. Et ce qu'il connaît mieux
encore puisqu'il se connaît et qu'il a consumé sa jeunesse
dans cette connaissance, lui dont les premiers livres
concernent « le culte du moi ». Tout est vrai de l'homme,
sauf précisément ce qu'écrit Barrès. L'insondable n'est
pas son ignominie : ce serait trop simple. Le secret de
sa contradiction essentielle, voilà ce qui échappe à nos
prises. Je m'attriste souvent de voir les historiens de la
littérature reconstruire toute une illustre vie autour d'un
texte qui la rabaisse, et dont l'importance à leurs yeux
vient de ce qu'il est inédit et de ce qu'ils l'ont découvert
— je m'en attriste parce que c'est une simplification et
que, dans cet ordre, tout ce qui simplifie, calomnie.

Pour Barrès, le 18 octobre 1897, il s'agit bien de littérature ! La déclaration de mépris qu'il adresse à l'espèce
humaine a une tout autre portée: ce n'est pas une découverte qu'il fait mais une résolution qu'il prend — celle de
traiter désormais l'être humain, dans le combat politique,

comme s'il était ignoble et capable du pire. Certes, sa religion est éclairée sur ce point, depuis Panama. Mais son
choix va se fixer cette année, bien qu'il semble hésiter :
Zola a dîné avec lui chez Durand, s'est efforcé de le gagner
à la cause de Dreyfus. Les premiers lecteurs de Barrès se
trouvaient à gauche, ceux qu'il enchantait : Blum était
l'un d'eux. Ah ! qu'ils eussent préféré que ce fût lui et non
Zola qui ait écrit *J'accuse !* Mais nous n'en sommes pas là
encore.

En 1897, qui était-il, ce prince de la jeunesse, sinon
déjà un vaincu ? Après une éblouissante entrée dans
l'arène, en 1889, l'année de ses vingt-six ans, l'année d'*Un
homme libre* et de son élection triomphale à Nancy, tout
s'effondrait sous lui. 1893 a vu son premier échec électo-
ral : il a fait partie de la liquidation boulangiste, il a été
balayé. En 1896, il sera battu de nouveau à Neuilly-Bou-
logne par un de ses cadets qui lui donnera l'âpre revanche
de mourir en pleine victoire. Quelles pages, dans les
Cahiers, lui inspire ce jeune cadavre !

Le boulangisme finit, mais l'affaire Dreyfus commence,
et même, au moment où Barrès prend la mesure de
l'ignominie humaine, on peut dire que l'affaire Dreyfus
se noue. Ce Barrès de la trente-cinquième année, ce Barrès
aux cheveux plats qui a perdu une bataille, regarde sa
montre et songe qu'il est temps d'en gagner une autre. Ce
sera une bataille sans merci où il ne s'agira plus de traiter
les hommes comme une fin. Pour ne pas céder à la tentation de ce qui subsistait en lui de la confiance d'un jeune
cœur, de même que Pascal avait écrit sur le papier dont
il ne se séparait jamais : *grandeur de l'âme humaine,* Maurice Barrès écrit dans son cahier secret que l'ignominie
humaine est insondable.

Nous nous interrogeons souvent sur ce qui sépare essentiellement la droite de la gauche. Je vois d'abord cette
ligne de partage : il y a ceux qui font follement confiance
à l'homme, la postérité de Rousseau ; et les sages qui s'en
méfient, mais dont la méfiance a vite fait de tourner au

mépris. Tous les tyrans, tous les dictateurs, les nobles et les pires, Bonaparte ou Hitler, ont exprimé cent fois le peu de cas qu'ils font de l'être humain. En 1897, ce mépris va aller, chez certains, jusqu'à considérer que l'innocence présumée d'un condamné pour trahison doit peser moins lourd que les intérêts supérieurs qui exigent que sa condamnation soit maintenue.

Nous n'avons aucune raison de croire qu'à cette date Maurice Barrès ait nourri le moindre doute au sujet de Dreyfus ni qu'il ait cru à son innocence. Mais il s'engage délibérément du côté de ceux qui ne considèrent pas que l'important soit de connaître la vérité à ce sujet et de chercher la justice. Il s'agit pour lui de faire front contre les forces mauvaises qui risquent d'utiliser l'Affaire ; il est urgent d'empêcher leur triomphe par tous les moyens — ou, du moins, de fermer les yeux sur les moyens auxquels d'autres, dont c'est le métier, auront recours — et de venger les vaincus du Boulangisme.

Ainsi l'histoire intérieure de la France se ramène à un interminable règlement de comptes. A un demi-siècle de distance, une autre affaire oppose les mêmes esprits antagonistes Le prétexte change, mais les mêmes Capulet ferraillent contre les mêmes Montaigu.

Pour Barrès, cette journée du 18 octobre, je l'imagine comme une veillée d'armes. L'année qui finit a vu le lieutenant-colonel Picquart entrer en lice. Barrès aurait pu tirer de l'exemple que donnait cet officier une raison de faire confiance à l'homme. Dans un mois Mathieu Dreyfus dénoncera le vrai coupable : Esterhazy. Barrès, « amateur d'âmes » comme il s'appelait lui-même, ne va-t-il pas flairer celle-là ? Mais non, il entre dans une bataille où l'ignominie est la règle et où l'intérêt de la nation doit décider de tout. Et qu'importe le sort d'un misérable ?

Bien sûr, cette inhumanité ne valait que pour la politique : tous ces Machiavels de la littérature, du journalisme et du monde se montraient pour la plupart, dans le privé, équitables et doux. Il n'empêche que ceci me frappe

dans la note de Barrès : l'appel à la politesse systématique. La politesse y devient un système, une cuirasse.
C'est l'arme d'un monde où l'on n'avance que masqué.

Déjà Barrès adolescent avait noté dans son premier
livre (je l'ai retenu, car j'avais copié moi-même la formule sur mes cahiers de cours) : « Opposer aux autres
une surface lisse, être absent. » Si je garde un faible
pour les manières du monde, si les contacts humains me
paraissent de moins en moins supportables depuis qu'elles
se perdent, et si le commerce des goujats est une épreuve
que je supporte mal, je ne nourris plus aucune illusion
touchant la politesse systématique à laquelle le Barrès
de trente-cinq ans a recours (il en usait fort mal, d'ailleurs,
le mépris des autres lui sortait de partout, si j'ose dire :
que de mots terribles ont recueillis mes jeunes oreilles !)
Quel que soit mon goût pour les bonnes manières, je
sais aujourd'hui ce qu'en vaut l'aune.

Les manières ! Qui en avait de plus charmantes que
Paul Bourget, qui témoignait de plus d'aménité que lui
et qui montrait autant de bonnes grâces dans l'accueil ?
Ce Bourget qui, le 29 mai 1899, fait une scène à Paléologue rencontré rue François-Ier : « Ce Delcassé est la
dernière des crapules, s'écrie-t-il. Je devine ce que vous
allez m'objecter : la justice ? Eh bien, je m'en moque de
la justice ! »

Pour se moquer de la justice il faut d'abord s'être persuadé que l'homme est abject et ne relève pas de la justice. Voilà pourquoi l'idée que nous nous faisons de la
créature humaine nous situe d'abord à droite ou à gauche.
Mais attention ! le mépris de l'individu va de pair, chez la
plupart des révolutionnaires, avec le culte de l'homme en
général. De sorte que la religion de l'humanité aura finalement fait autant de victimes que celle de l'ordre.

C'est ici, il me semble, que le chrétien peut faire la
lumière. Pour le Barrès de trente-cinq ans la religion est
encore une vieille histoire absurde et qui concerne les
nigauds. Mais il changera sur ce point et, en avançant,

l'idée qu'il se faisait de l'homme se nuancera aussi. Je relis ses *Cahiers*, et ceci me paraît évident : A partir d'une certaine heure (la mort de son neveu Charles Demange) Barrès n'a cessé de monter.

X

J'avais mis le nez dans l'autobiographie de Trotsky avec des idées de derrière la tête qui, je l'avoue, n'étaient point toutes innocentes. Les conjonctures actuelles en U. R. S. S. et le déboulonnage de Staline m'avaient incité à ouvrir ce gros livre. Or cet extraordinaire roman politique (car jamais l'histoire ne fut plus romanesque) m'a fait découvrir un grand écrivain et, je le crois, un chef-d'œuvre.

Un gros livre, certes : plus de six cents pages bien tassées. Voilà deux ans que je l'avais emporté à la campagne. Je le retrouvais à chaque retour ; il était là sur ma table, mais sa masse me décourageait.

J'arrive à Malagar dans un torrent de papier imprimé. Et tels y sont les loisirs que chaque livre a sa petite chance d'être lu. Non qu'on ait ici plus de temps qu'à la ville. Comme aucun jour ne s'y distingue des autres, cette conformité crée un télescopage des semaines : dans une maison des champs, les journées sont longues et le temps est court. L'écolier que nous fûmes et qui a joué dans ce jardin y joue encore, avec nos propres enfants, qui ne sont plus des enfants depuis des années, et c'est une de mes petites-filles qui en ce moment tourne autour de mon fauteuil. Comment faire une différence entre le séjour d'il y a vingt ans, celui d'il y a dix ans, ou de l'année dernière ? Rien n'a bougé depuis un demi-siècle sauf les morts, mais ce n'est pas vrai qu'ils vont vite. Ils n'ont pas à revenir. Chaque chambre ici est habitée par l'un d'eux. Nous n'avons pas conscience de la vitesse, faute de repère. Nous savons mais nous ne sentons pas que nous sommes précipités.

A la campagne, ce qui donne leur chance aux livres que nous avons amenés dans nos bagages, c'est qu'il n'en est aucun auquel nous n'ayons l'occasion d'avoir recours, comme un homme qui se noie s'accroche à la première bouée. Ma mère disait (je crois l'entendre) : « A la campagne, le chagrin vous prend... » Oui, il fonce sur nous, quand on ne l'attendait pas, il nous prend à la gorge et sans crier gare et sans nous laisser la force de chercher dans notre bibliothèque un consolateur, quelque moraliste qui nous donnerait des raisons irréfutables pour n'être pas plus triste aux champs qu'à la ville. Le premier livre venu fait mieux notre affaire parce qu'il nous désoriente et ne se rattache à rien de ce qui ressemble à notre tristesse, si nous sommes tristes.

Mais ce n'est pas le chagrin, Dieu merci, qui, dans la grisaille de ce printemps tardif, m'a fait recourir à l'épaisse biographie de Trotsky. Le déboulonnage de Staline a en quelque sorte démasqué la statue insultée de sa plus illustre victime. Trotsky abattu, le champ s'était trouvé libre devant la bureaucratie que Staline incarnait : la bureaucratie, c'est-à-dire la Russie éternelle.

Je demeure persuadé que, du point de vue de l'Europe libérale, ce fut une chance qu'à l'apôtre séduisant (pour les socialistes) de la révolution permanente ait été substitué l'épouvantail stalinien : la Russie est devenue puissante mais la Révolution (en Europe) a été frappée d'impuissance.

Car il y a dans Trotsky une évidente séduction. Et d'abord, le lecteur bourgeois s'étonne toujours qu'un révolutionnaire garde quelque ressemblance avec le commun des mortels. J'ai été pris, dès les premières pages, comme Tolstoï et Gorki m'avaient pris. Si Trotsky n'avait pas été ce militant de la révolution marxiste, il eût trouvé sa place auprès de ces maîtres. Les êtres vivent autour de lui, nous imposant leur physionomie singulière. Mais lui, surtout, cet enfant attentif et grave, ouvre les yeux sur le monde, avec quelle curieuse fixité ! Son univers est celui d'une petite exploitation rurale où l'injustice sociale apparaît peu, où la distance est courte du patron aux ouvriers.

Que se passe-t-il dans cet enfant juif élevé en dehors de toute religion ? Et n'est-ce pas précisément pour cela que la passion de justice accapare toutes ses puissances ? Littérateur né, à mesure qu'il grandit, l'adolescent ne devient pas le petit Rastignac que nous connaissons tous. Il ne souhaite même pas de faire carrière dans la révolution ou par la révolution. Il veut changer le monde, simplement.

Chez cet enfant comblé de dons, chez ce premier de la classe en toute matière, quelle mystérieuse main coupe une à une toutes les racines de l'intérêt personnel, le détache et finalement l'arrache à une destinée normale, pour le précipiter dans un destin presque continûment tragique où les prisons, les déportations, les évasions, servent d'intermèdes à un interminable exil ?

A mesure que le récit avance et que l'enfance s'éloigne, la vie personnelle se dilue en quelque sorte et se confond avec l'histoire de la révolution en marche, mais sans que le héros perde jamais le sentiment de l'homme qu'il est et de ce que Trotsky, avec Lénine, est seul capable d'accomplir. Il eût haussé les épaules en entendant aujourd'hui les gens de Moscou dénoncer le culte de la personnalité. Ce qui lui faisait horreur, dans Staline, ce n'était pas qu'il eût été une « personnalité » dominatrice, mais d'avoir été cette personne-là, si basse et si cruelle, et non une autre. Trotsky dénonce en 1918, durant la bataille autour de Kazan, « le pusillanime fatalisme historique qui, en toutes questions concrètes et privées, se réfère passivement à des lois générales, laissant de côté le ressort principal : l'individu vivant et agissant ».

Ce Trotsky vivant et agissant nous paraît moins inhumain que son sanglant adversaire. Mais c'est peut-être, après tout, parce que, grâce à son autobiographie, nous l'avons connu enfant, et que nous continuons de suivre cet enfant, de le reconnaître jusque dans l'homme implacable qui n'hésitera pas à abattre, quand il le jugera utile, les socialistes révolutionnaires.

Voici par où Trotsky se rattache à l'humanité commune : il pose la question, s'interroge devant le sang répandu, nous donne les raisons (dont certaines paraissent valables) de son implacabilité. « La révolution est la révolution, écrit-il, parce qu'elle ramène toutes les contradictions de son développement à une alternative : la vie ou la mort. » Oui, mais c'est de cette alternative que Staline est sorti en abattant Trotsky. C'est elle qui a servi d'excuse à toutes les hécatombes, et des innocents sacrifiés sont devenus ces pénitents qui s'accusaient eux-mêmes et donnaient raison à leurs bourreaux.

Trotsky d'avance récuse, il est vrai, nos indignations bourgeoises : à ses yeux, nous sommes beaucoup plus féroces qu'aucun terroriste. « Ces réflexions, écrit-il, n'ont aucunement pour objet de justifier la terreur révolutionnaire. Si l'on essayait de la justifier, c'est donc que l'on tiendrait compte de l'opinion des accusateurs. Mais qui sont-ils ? Les organisateurs et les exploitants de la grande boucherie mondiale ? Les nouveaux riches qui, en l'honneur du soldat inconnu, brûlent l'encens de leur cigare d'après dîner ? Les pacifistes, qui ont combattu la guerre tant qu'elle n'était pas déclarée ?... » Il faut lire toute la suite : pas un trait qui ne tremble dans la cible.

Homme dur, ce Trotsky, dont le durcissement volontaire ne détruit pas la secrète humanité. Dès le début de sa lutte contre Staline, il apparaît bien qu'il s'agit moins d'un conflit d'intérêts que d'une opposition, en quelque sorte charnelle, entre deux natures. Car, du vivant de Lénine, Staline a tourné autour de Trotsky, l'a recherché, a voulu entrer dans sa familiarité : « Mais il me répugnait, dit Trotsky, par les traits de caractère qui ont fait ensuite sa force : étroitesse des intérêts, empirisme, psychologie grossière, un singulier cynisme de provincial que le marxisme a émancipé de bien des préjugés sans les remplacer... »

Staline devait dévorer Trotsky. Le vrai requin, le requin authentique a eu raison de celui qui gardait quelque chose d'humain sous ses écailles. Comme Trotsky se trahit à certains tournants de sa vie ! Par exemple dans son attachement à Markine, un matelot de la Baltique qui s'était fait son garde du corps et celui de sa femme et de ses deux garçons. Les enfants Trotsky adoraient Markine. Quelle douleur lorsque leur père leur apprend que Markine a été tué ! « Sur la petite table des enfants, il y avait son portrait. Il portait le béret, avec les rubans flottants « Garçons, garçons, Markine a été tué... » Devant moi, deux faces pâles, tendues par la crispation d'une douleur soudaine. Avec nos enfants, Markine traitait d'égal à égal. Il leur confiait ses desseins et les secrets de sa vie. A notre Serioja, qui avait neuf ans, il avait raconté qu'une femme qu'il aimait depuis longtemps et profondément l'avait quitté. Serioja, avec des larmes, avait fait confidence de ce secret à sa mère... » Mais il faut lire toute cette histoire que le farouche révolutionnaire Trotsky termine ainsi : « Deux petits corps frissonnèrent longtemps sous leur couverture, dans le calme de la nuit, lorsque la sinistre nouvelle nous fut parvenue. La mère seule entendit leurs sanglots d'inconsolables. »

Plus j'y songe et plus il m'apparaît qu'un Trotsky triomphant eût agi sur les masses socialistes de l'Europe libé-

rale et attiré à lui tout ce que le stalinisme a rejeté dans
une opposition irréductible : Staline fut à la lettre
« repoussant ». Mais c'est par là aussi qu'il fut le plus
fort, et les traits qui nous rendent Trotsky presque frater-
nel sont les mêmes qui l'ont affaibli et perdu.

« Dis-moi ce que tu lis, je te dirai qui tu es... » Il est
vrai, mais je te connaîtrai mieux si tu me dis ce que tu
relis. J'ai pensé quelquefois que ces mémoires intérieurs
trouveraient peut-être un fil conducteur dans les lectures
jamais abandonnées au cours de ma vie, et toujours
reprises, fût-ce à de longs intervalles. Il m'arrive de
m'interroger sur la raison qui me pousse à reprendre tel
ouvrage entre tant d'autres, et presque toujours la réponse
m'éclaire sur ce qui m'intéresse ou me préoccupe le plus
au moment même, et bien que je n'en aie pas toujours
clairement conscience.

Pourquoi ai-je choisi, en ce dimanche des Rameaux,
à la veille de mon départ, l'*Apologia pro vita sua*, de
Newman ? Certes Newman m'est très cher (si je connais
son œuvre assez mal) et ma sensibilité religieuse s'accorde
à la sienne ; la Semaine Sainte suffirait d'ailleurs à me
détourner des auteurs profanes. Mais les auteurs sacrés ne
manquent pas chez nous : pourquoi cet Anglais ? Je le
vois clairement : l'*Apologia* s'est imposée à mon choix à
cause de son titre même et d'une idée que j'avais eue, à un
moment donné — ainsi j'imagine que beaucoup d'écrivains mêlés à des bagarres politiques, religieuses ou
autres, et qui, étant très belliqueux, sont aussi très combat-
tus — l'idée de défendre les positions que j'ai prises,
comme l'a fait Newman dans son *Apologia*, grâce à un
exposé minutieux et qui ne laisserait rien dans l'ombre.
Newman, devenu prêtre catholique et accusé de mensonge, répond par la description scrupuleuse des chemi-

nements qu'a suivis sa pensée, de l'Eglise anglicane à l'Eglise de Rome.

Que de tours et de détours ! A peine ai-je pénétré à sa suite dans cette histoire que déjà m'apparaît folle l'idée de l'imiter, tant il y a loin du combat spirituel qu'il a mené à la bataille politique au milieu de laquelle je me débats. Il pouvait sans orgueil comme sans fausse humilité écrire son apologie, ce Newman qui a dit sur lui-même la parole à la fois sublime et vraie, et où tient toute sa destinée, lorsque, atteint de la fièvre en Sicile (il avait trente-deux ans), il criait dans son délire : « Je ne mourrai pas, car *je n'ai pas péché contre la lumière.* » La nature même de son combat appelle l'apologie : il sacrifie tout à la recherche de la vérité — de la vérité absolue et non des positions douteuses et relatives de la politique, toujours condamnables par certains de leurs aspects, même si elles se confondent à nos yeux avec les exigences de la justice, même si nous sommes tenus, en tant que chrétiens, de les défendre.

Il n'empêche que le conflit qui déchire la conscience religieuse de ce jeune anglican d'Oxford, au début du dix-neuvième siècle, semblerait au contraire très peu digne d'intérêt, pour ne pas dire très digne de mépris, à un marxiste d'aujourd'hui. Je lis précisément en même temps que l'*Apologia,* un opuscule de M. Henri Lefebvre : *Problèmes actuels du marxisme.* Que peut signifier, pour un marxiste, l'attitude d'esprit de ce garçon privilégié d'une société pharisienne, la plus injuste, la plus dure et la moins consciente de sa dureté et de son injustice qu'était la société anglaise d'alors ? Cette attitude s'exprime et se résume dans un texte fameux de l'*Apologia.* C'est à propos de la doctrine de Calvin sur la persévérance finale : « Je crois, écrit Newman, qu'elle influa sur mes convictions dans le sens même où me dirigeait mon imagination quand j'étais enfant : elle m'isola des objets qui m'entouraient et elle me confirma dans la défiance que j'avais touchant la réalité des phénomènes matériels ; et

elle concentra toutes mes pensées sur les deux êtres —
et les deux êtres seulement — dont l'évidence était absolue
et lumineuse : moi-même et mon Créateur. »

Un texte comme celui-là marque la ligne de partage
entre deux familles d'esprits irréconciliables, mais ce n'est
pas assez dire, inconcevables l'une à l'autre. Pour M. Henri
Lefebvre, Newman passe d'un rite à un rite, retourne à un
fétichisme plus accentué — aliéné, coupé de tout le réel,
complice de l'exploitation des masses humaines au profit
d'une minorité jouisseuse, au sein de laquelle il joue les
anges. Il est un ange, fou de pureté, de perfection, de com-
préhension et, à son insu, d'orgueil. Peut-être... Mais
M. Henri Lefebvre doit bien en convenir, même s'il ne s'y
résigne pas : cette race angélique, pour ne pas se manifester souvent dans un esprit souverain comme celui de
Newman, n'en existe pas moins : elle est nombreuse, elle
est conquérante et la société marxiste l'extirpera de la
masse, mais n'en détruira pas le germe. Il est faux,
m'assurent des voyageurs, que les églises russes ne soient
fréquentées que par les vieillards et par les femmes. Ce
qui subsiste d'esprit mystique dans le monde est irréductible. Cette exigence, chez certains individus, n'est pas
fonction des données économiques, elle ne relève pas de
l'histoire ou elle n'en relève que dans la mesure où
l'histoire se conforme à la nature de l'homme, qui est
pénétrée de surnature. Le Royaume de Dieu est au-dedans
de nous.

Que cette exigence intérieure soit folie ou non, il reste
que pour un Newman il n'y a rien d'autre à faire en ce
monde que d'y obéir. Son drame n'est pas celui d'une
espèce humaine temporellement réprouvée, qui n'attend
son salut que de la révolution et dont la lutte des classes
assurera la délivrance. Il s'agit bien du prolétariat ! Ce
qui lui importe, c'est de savoir si l'Eglise anglicane, à mi-

chemin de l'hérésie protestante et de l'idolâtrie romaine, retrouvera la pureté de l'Eglise primitive. Et il découvre enfin que cette Eglise primitive existe toujours et que c'est celle qui se dit catholique, et que Simon Pierre est toujours à la barre depuis le commencement. La solitude dans laquelle chacun de nous vit et meurt, ce lieu commun de toutes les littératures, a un aspect moins connu mais non moins tragique : l'incommunicabilité entre les familles d'esprits. J'imagine Marx lisant l'*Apologia,* ou Newman lisant *Le Capital,* et chacun soupirant et s'étonnant de ce qu'un homme puisse être à ce degré aveugle ou absurde. Et moi, sais-je bien de quel esprit je suis ? de quelle famille je relève ? Oui, en vérité : je cherche une « via media » entre l'angélisme d'un Newman, qui sans doute n'a jamais péché contre la lumière, mais peut-être fut trop indifférent aux injustices d'un monde que le chrétien, lui aussi, a reçu mission de changer — et le matérialisme marxiste, qui se coupe de l'unique réalité ; il la nie, et elle existe pourtant : la race de Newman, la race des mystiques, est là qui l'atteste. Ce qu'ils ont connu, ils en témoignent : « ... Ce que nous avons entendu, ce que nous avons vu de nos yeux, ce que nous avons contemplé et que nos mains ont touché, concernant la parole de vie... » Si j'étais philosophe, je saurais peut-être montrer, à la source de la crise du marxisme, cette négation, ce refus du tête-à-tête secret, dont tout homme venant en ce monde a la possibilité et peut recevoir la grâce, et que Newman a fait tenir dans quatre mots : « Moi et mon Créateur. »

Que quelques progrès aient été amorcés sur cette « via media », je le crois. Dans ce sombre monde qu'est le nôtre, je ne vois d'un peu consolant que des ratages comme celui des prêtres-ouvriers — des ratages, mais qui du moins indiquent une direction, amorcent des possibilités pour des temps qui viendront peut-être : agir et contempler, changer le monde, mais en le sanctifiant... Telle est la couleur de mes songes, en ces jours de grâce où l'espérance humaine, torturée et crucifiée, ressuscite et nous regarde avec amour, car elle a un visage et un nom.

Ce qui longtemps m'a surtout frappé dans une vie, c'est le divertissement, tel que Pascal l'a défini : ce que nous inventons pour ne pas penser à nous-même et à l'horreur de notre condition, depuis la balle qui se pousse du pied jusqu'au lièvre que nous forçons, depuis les peuples qu'il faut asservir, si nous sommes César, jusqu'aux êtres qu'il faut posséder, si nous sommes Don Juan.

Aujourd'hui, ayant observé tant de destins, à travers les confidences et les livres, ou parce que j'y suis moi-même intervenu, je vois mieux que beaucoup parmi nous ne se divertissent que pour donner le change, qu'ils gardent au contraire les yeux sans cesse ouverts sur leur sort, celui de toute créature qui, même comblée, est menacée de partout à la fois : dans sa chair où la mort, bien longtemps avant de frapper, a planté ses petits drapeaux, dans son appartenance à une espèce très proche de celle des poissons et qui s'entre-dévore, « s'entre-torture » — et non pas seulement, comme dans les autres espèces, autour des femelles ou parce que l'animal est carnassier et a faim, mais parce qu'il est né assassin et bourreau de ses frères.

Non, pour la plupart, nous ne cherchons pas à nous divertir, nous nous interdisons de détourner notre regard, même quand nous feignons de jouer. Un seul moment d'inattention et la bête féroce peut d'un bond être sur nous.

Je connais mes défenses. Il m'arrive de m'interroger sur celles des autres — celles des vieillards surtout. La jeunesse trouve son refuge dans son propre tumulte. L'amour, l'ambition, ce qui s'appelle le plaisir, y entretiennent des remous qui se détruisent l'un l'autre. Non que l'angoisse ne soit là déjà. Elle était là dès l'enfance :

nos yeux grands ouverts dans la chambre sans lumière, lorsqu'il nous semblait entendre un pas furtif dans l'escalier, une respiration derrière la porte, exprimaient sans doute le même effroi que nous avons appris plus tard à dissimuler, que nous avons dominé mais non détruit. Ou plutôt ce qui n'était qu'instinct est devenu raison. Les pas dans l'escalier, c'est en nous-mêmes que nous avons appris à les entendre et non dans un seul escalier : combien débouchent de partout sur une seule vie ! Il en est qui montent des profondeurs de la race et de notre propre chair, et d'autres d'une créature aimée. *La condition humaine,* ce titre de Malraux, pose l'unique question et il y faut répondre, non par une nécessité logique, mais pour notre propre défense. Comment font les autres ? Qu'y a-t-il au secret de ces vies ?

Je n'ai jamais eu d'autre souci devant une destinée achevée que de relever ses circonvallations, ses retranchements, les itinéraires secrets de l'assiégé, les points d'eau connus de lui seul, tout ce qui l'a aidé à surmonter la redoutable aventure que c'est de vivre au plus épais des hommes, comme disait Barrès. Voilà ce qui m'a fait lire avec une étrange passion les *Reliquiæ* de Gérard Manley Hopkins, traduits par Pierre Leyris. Passion étrange, parce que ces poèmes, qui tiennent en Angleterre une place comparable à celle de l'œuvre d'un Stéphane Mallarmé chez nous, paraissent impénétrables même à la plupart des lecteurs anglo-saxons. Comment une traduction nous les livrerait-elle ? Ils ne sont que ténèbres, mais ténèbres sourdement peuplées. On ne voit rien, on entend tout. Et bien que le traducteur lui-même nous décourage d'avance de rien comprendre, il me semble pourtant que grâce au fil d'Ariane d'une même foi, d'un même amour (Gérard Hopkins s'était converti au catholicisme) j'y pénètre assez avant.

Cette vie étrange, mieux qu'aucune autre, nous permet de suivre les cheminements d'un esprit qui se sent menacé de partout, en dépit des délices de l'ère victo-

rienne, à cause même de ces délices — car les yeux
d'Hopkins adolescent, comme plus tard ceux de Simone
Weil, se sont ouverts très tôt sur la monstrueuse réprobation des pauvres sans nombre, sur cette damnation terrestre des quatre cinquièmes de l'espèce humaine. Anglican, par sa conversion à Rome (sous l'influence de
Newman), il ne lui suffit pas de se séparer de la société
qui est la sienne. Il renonce au monde, entre dans les
ordres. Mais ce n'est pas encore assez d'être prêtre. Il va
devenir cette créature entre toutes scandaleuse pour un
Anglais de ces années-là : un jésuite. Le plus grand poète
anglais contemporain est jésuite. Ainsi, d'impossibilité en
impossibilité, un être remonte vers sa source. Des trappes
se referment derrière lui l'une après l'autre, et ce jeune
Anglais, coupé de tout ce qui constitue en ce temps-là un
gentleman, pris entre les barbelés de la règle la plus
contraignante, atteint le Christ, confronte au Christ son
désespoir et sa joie et se délivre dans des poèmes qui
n'auront été lus de son vivant que par deux amis et par
Coventry Patmore. Quelle gloire fut plus posthume que
celle-là ?

Gérard Hopkins (je m'avise tout à coup que l'admirable
traducteur de mes œuvres complètes en anglais s'appelle
aussi Gérard Hopkins ; s'il appartient à la même famille,
me voici donc personnellement lié au poète...), Gérard
Manley Hopkins, par qui, par quoi, se sentait-il menacé ?
Des fragments de journal, quelques lettres nous montrent
un jeune être non certes fermé aux séductions du monde
et « toujours en proie à la fascination de quelque
visage... » Ce qui me fait souvenir du mot de quelqu'un,
dans un de mes romans : « Tous les visages me blessent. »
Converti, et déjà engagé dans les ordres, son journal se
ramène à une description de l'objet aussi scrupuleuse et
attentive que chez certains de nos jeunes contemporains.
Quelques dessins reproduits dans ces *Reliquiæ* paraissent

faits à la loupe — comme si entraîné, aspiré vers le haut, coupé de son peuple, déraciné de tout ce qui est britannique, il embrassait ce qui subsistait du réel d'un regard qui ne laissait rien échapper de végétal et de minéral — mais ce monde-là seulement. L'autre, celui des hommes, le terrifie. Le jugement que porte cet adolescent inspiré sur la puissante Angleterre de la fin du siècle exprime l'horreur. Il écrit, le 1er décembre 1881 : « Mon expérience de Liverpool et de Glasgow m'a convaincu, m'a convaincu de façon vraiment accablante du caractère misérable de la vie des villes pour les pauvres, plus encore, de l'état misérable du pauvre en général, de la dégradation même de notre race, du vide de la civilisation de ce siècle : au point que je ressens la vie comme un fardeau pour avoir vu les choses qui ont été imposées journellement à mon regard. »

Ce désespoir que le poète délivre dans des mots, c'est tout de même un jeune jésuite qui le ressent et qui l'assume. Et certes l'espérance n'est pas l'espoir. Chez le chrétien, un certain désespoir ne va pas contre l'espérance : c'est la plainte déchirante de sainte Thérèse qui pleure « parce que l'amour n'est pas aimé » ; c'est ce regard de Pascal sur le Christ « en agonie jusqu'à la fin du monde ». Il reste que Gérard Manley Hopkins demeure le champ clos de ce duel entre l'exigence créatrice du poète et une vocation d'anéantissement. Et certes il ne publie rien de son vivant. Sauf de deux amis qui d'ailleurs l'entendent mal, sa poésie demeure inconnue et il n'a eu aucune raison de douter jusqu'à sa mort qu'elle dût le demeurer toujours. Le drame s'est donc joué à des profondeurs qui échappent aux regards — du moins à ceux du lecteur ignorant que je suis, incapable de pénétrer réellement cette poésie. Non, bien sûr, je n'y pénètre pas... Mais à la surface je discerne des traînées de sang. Il y a des règlements de comptes dans les abîmes. Entre qui et qui ?

Mais ah ! terrible autre, sur moi, pourquoi brutal, appesantir
Ce pied droit briseur d'univers ?

Hopkins, c'est peu dire qu'il ne se divertit pas. Il ne se
défend pas non plus contre l'objet de son angoisse. Il le
contemple, il l'affronte et il l'étreint. Telle est notre vocation de chrétien : le contraire d'une fuite, d'une dérobade
— un corps à corps, ou plutôt un esprit à esprit. Se convertir, au sens où ce jeune Anglais l'entend, quel arrache-
ment ! Mais cela ne serait rien : Jacob tout nu se mesure
à l'ange. Les poèmes d'Hopkins, commentaire de ce combat, sont obscurs parce qu'il faut qu'ils le soient. Notre
regard ne doit pas pénétrer jusqu'à cette jointure très
secrète d'une âme et d'un esprit et jusqu'à ce repli de la
chair où se dissimule l'écharde.

Newman et Hopkins, je les ai replacés côte à côte dans
la bibliothèque. Ils parleront ensemble quand je ne serai
plus là. Adieu, Malagar !

Au Nord, ce matin, les volets n'ont pas été ouverts. La
maison a déjà les yeux à demi fermés : c'est l'heure de
mon départ et elle va se rendormir. Les orages de l'été
qui vient rôderont autour d'elle sans l'éveiller. Je serai
loin. Je suis là encore. Il me reste d'aller jusqu'à la terrasse, d'appuyer mes mains à la pierre, d'y chercher
comme les rides d'un visage maternel, de recueillir,
d'absorber une dernière fois (car il y aura une dernière
fois et c'est peut-être la dernière fois) les « longs pays
muets ».

Mais je n'en serai pas séparé d'un coup, comme si je
montais en wagon. Le retour par la route ne rompt pas
d'abord l'étreinte. Il n'est rien qui appartienne davantage à tout le monde que les routes, et pourtant celles qui
joignent à Paris notre maison des champs sont à nous

seuls, puisqu'elles composent un itinéraire qui ne vaut que pour nous. Dès la sortie de Saint-Cloud, l'autostrade est déjà le chemin de Malagar, et la route perdue de l'Entre-deux-Mers où la voiture va s'engager tout à l'heure, je suis seul ici sans doute à y reconnaître la montée vers Paris.

Car nous ne repasserons pas par Bordeaux. A travers le Benauge, et après avoir traversé la Dordogne et l'Isle, nous rejoindrons, un peu avant Barbezieux, un des grands chemins de la vieille France, celui qui porte aujourd'hui le numéro 10. L'étroite route de Benauge que nous suivons au départ, si inconnue qu'elle soit, dessert un domaine qui a sa place dans l'histoire de la peinture française. Ce château modeste, dont la tour très antique se devine entre des cadavres d'arbres, a nom Malromé. Là mourut un damné, si c'est une damnation pour le génie que d'être lié à un corps difforme : Henri de Toulouse-Lautrec. Derrière une de ces fenêtres, l'agonisant observa son père qui s'amusait à attraper des mouches sur le drap. La baronne, sa mère, lui survécut longtemps. Un de nos voisins lui demanda un jour si son fils n'avait pas laissé à Malromé des dessins et des peintures. La vieille dame assura qu'il y en avait partout, mais qu'elle les avait détruits parce qu'ils étaient inconvenants.

Je ne me souviens pas d'avoir entendu parler de Toulouse-Lautrec quand j'étais à Malagar. Mais l'été, il séjournait à Taussat, sur le bassin d'Arcachon, où fréquentaient aussi des membres de ma tribu. Je découvris plus tard que les histoires cocasses de ce peintre nabot et sans prestige qu'on racontait chez moi concernaient un des plus grands artistes de l'Ecole française moderne.

Malromé est loin déjà, et Sauveterre-de-Guyenne, au nom délicieux, mais qu'un clocher de ciment déshonore. La Dordogne est atteinte à Saint-Jean-de-Blignac, dont le pont détruit que j'aimais a été remplacé. Mais les vieux ponts sont irremplaçables. L'exode leur fut fatal et personne n'a pleuré sur eux. Les « anciens parapets » de France n'existent plus, où s'accoudèrent tant de poètes

ınconnus, d'amants et de désespérés. Nous contournons
Saint-Emilion ei son vignoble illustre. Nous passons l'Isle
à Guitres, dernière paroisse de la Gironde, et nous enfon-
çons dans une Charente sauvage où, quand j'étais enfant,
les loups hurlaient encore (le loup de *La Mort du loup* est
charentais).

La vraie séparation se consomme lorsque nous attei-
gnons, un peu avant Barbezieux, la grand-route de Paris.
Adieu, ma Guyenne. Ce n'est plus mon pays, maintenant,
c'est celui de Chardonne. Tout ici est fin et argenté comme
son style et comme celui de Fromentin. Mais déjà Chardonne s'efface. Barbezieux traversé, deux ombres surgissent au bord de la route, plus vivantes que si elles
avaient réellement vécu : approcher d'Angoulême, c'est
aller vers Lucien de Rubempré. Dépasser Angoulême, c'est
atteindre cet endroit de la route où Trompe-la-Mort,
devenu Carlos Herrera, aperçut tout à coup ce jeune
homme qui tenait à la main un bouquet de fleurs jaunes
appelées « sedum ».

Voici le plus haut lieu, en France, de la géographie
romanesque, car, à mon sens, dans l'œuvre de Balzac, le
massif culmine qui comprend *Le Père Goriot, Les Illusions
perdues, Splendeur et misère des courtisanes*. Cette montée, j'imagine, à la sortie d'Angoulême, vit la rencontre du
forçat, devenu ambassadeur secret du roi d'Espagne, et de
ce jeune être qui a choisi de mourir comme Ophélie et
qu'une main puissante va rendre à la vie et au crime.

L'auto file mais retrouve à chaque montée l'ombre
épaisse du faux prêtre qui chemine à jamais auprès du
dandy, tandis que les postillons ont mis les chevaux au
pas. J'écoute au-dedans de moi le dialogue horrible :
j'assiste à cette corruption d'un jeune cœur ; elle agit
sous mes yeux avec une virulence presque surnaturelle,
dans une atmosphère de passion trouble et de rêve que
la poésie perce de ces traits brûlants dont le roman seul
est capable : par exemple, lorsque, un peu avant Ruffec,
Lucien montre à son tentateur le château d'où Eugène de

Rastignac partit à la conquête de Paris : ce Rastignac que
le forçat, les lecteurs du *Père Goriot* s'en souviennent,
avait vainement essayé de séduire, et qui avait reculé
devant le pacte que Lucien de Rubempré est au moment
de signer avec le crime et avec la mort. « Le prêtre fit
arrêter sa calèche. Il voulut par curiosité parcourir la
petite avenue qui de la route conduisait à la maison... »

Deux thèmes du romanesque français s'entrelacent ici
puissamment : cette soif de l'adolescent provincial que
Paris seul, croit-il, étanchera, cette persuasion que Paris
seul le révélera aux autres et à lui-même — et chez
l'homme déclinant et qui ne peut plus être aimé, l'utilisation du désir des jeunes ambitieux pour dominer sur eux,
et à travers eux, pour presser une dernière fois la vie.
Possession non charnelle, bien que la chair soit intéressée
dans cette boueuse histoire. Possession spirituelle qui
usurpe le privilège du Créateur sur la créature et qui est le
crime des crimes.

Tous les Rubempré ne finissent pas pendus à un barreau
de leur prison, comme ce misérable Lucien. Il n'empêche
que cette montée ininterrompue des provinciaux adolescents vers Paris croise sur les routes de France le
cortège invisible de ceux qui redescendent vaincus. Ainsi
j'imagine que la calèche où le faux chanoine espagnol
fait asseoir Lucien à ses côtés en rencontre une autre,
celle qui, de relais en relais, ramène Maurice de Guérin
au Cayla pour y mourir. Maurice, héros de roman lui
aussi, mais d'un roman qui n'a été imaginé par personne.
Sa beauté n'était pas née d'un rêve comme celle de Lucien.
Le cerveau d'un homme ne l'avait pas conçue. La méditation et le songe faisaient sourdement resplendir cette
figure brune d'une lumière qui ne baigne pas les durs
visages balzaciens. Je cherche des témoins au bord de la
route : ce mur antique, ce portail de l'avant-dernier siècle,
ont vu passer Maurice de Guérin mourant.

Qu'il est étrange qu'une créature qui a vécu se confonde
pour moi avec des personnages inventés ! Après Ruffec,

nous disons adieu au couple monstrueux du petit Rubempré et de Trompe-la-Mort. Je me retourne, pour apercevoir une dernière fois le dandy si frêle dans l'ombre
énorme du bagnard habillé en prêtre. Une côte les dérobe
à mes yeux.

Nous ne les reverrons plus, mais nous parlons d'eux
encore. Ma femme, préposée aux cartes, s'étonne que
Lucien, résolu à se noyer dans la Charente, rencontre Carlos Herrera sur la route qui dès la sortie d'Angoulême
s'écarte de la rivière. Mais c'était dans l'eau profonde
d'un moulin que Lucien voulait finir : à Marsac. Où est
Marsac ? Nous cherchons sur la carte. Marsac est loin de
la grand-route. Ce mystère nous occupe encore un peu. La
Guyenne et l'Angoumois ont disparu derrière nous, dévorés moins par l'espace que par le temps. Tout devient
morne, et jusqu'à Paris nous ne ferons plus de rencontres
romanesques.

Pourtant la route contourne Ligugé, où Huysmans a
vécu. Mais son col dur, sa jaquette d'alpaga noir, ne sont
pas imaginables ici. Il n'était pas homme à venir traîner
dans la poussière des grands chemins ses bottines à bou-
tons. Après Châteaudun, Notre-Dame de Chartres surgira.
La merveille une fois dépassée, Péguy ne pourrait-il surgir
lui aussi ? Mais personne n'est d'accord sur l'itinéraire de
son pèlerinage. Et puis il y a beau temps que Péguy,
embaumé, pressé des bandelettes d'innombrables commentaires, gardé par des hagiographes sourcilleux (ils se
disputent autour de son message, que chacun tire à soi),
il y a beau temps que Péguy ne pèlerine plus sur les
routes.

Que la Guyenne est loin ! L'immense tige routière le
long de laquelle la voiture a grimpé comme une bête à
bon Dieu trempe encore dans le salon de Malagar rendu
à la nuit ; elle s'y confond avec les derniers lilas que j'ai
cueillis et qui derrière les volets clos finissent d'y mourir,
mais Paris se referme sur moi et je ne saurais plus feindre
d'être encore relié au vieux pays.

Paris ne me plaît plus que dans la pensée des jeunes provinciaux d'autrefois. L'immense et morne garage d'autos qu'il est devenu, comme il ressemble peu à ce qui fut leur désir et le mien ! Mais il ressemble au désir des garçons d'aujourd'hui. Je suis au milieu d'eux le personnage égaré d'une autre pièce dont les protagonistes ont depuis longtemps quitté la scène et dont le décor n'existe plus.

XI

Les Provinciales. — *Leur fort et leur faible aujourd'hui.* —
Les deux dernières. — *L'amorce d'une dix-neuvième* Provinciale *qui ne fut pas écrite.* — *Le poison de Voltaire déjà
contenu dans la dernière* Provinciale. — *Le double service
qu'elles ont rendu.* — *Le labyrinthe de Racine.* — *Saint-
Simon, le témoin.*

J'AVAIS rencontré Balzac sur la route d'Angoulême.
C'est Pascal que je retrouve à Paris : un anniversaire
m'y oblige. Mais comment le retrouverais-je, si je ne
le quitte jamais ? Surtout celui des *Provinciales*, mon
maître, depuis que je ferraille à l'*Express*.

Le 23 janvier 1656, les Jésuites recevaient en plein
cœur *la Lettre écrite à un provincial par un de ses amis
sur le sujet des disputes présentes de la Sorbonne.* Titre
trop long pour que la postérité le retînt. C'était en fait
la première des dix-huit *Provinciales,* de ces « petites
lettres » dont le monde retentit encore.

Que c'est étrange ! Rien ne paraît si mort que ce qui
en est le sujet. Rien de plus indifférent aux hommes
d'aujourd'hui que les disputes sur la Grâce, si ce n'est la
casuistique. Rien pourtant qui vive d'une vie plus brûlante que ces petites lettres, au point qu'il n'est guère
possible aujourd'hui à un écrivain, lorsque des Religieux
lui cherchent querelle, de leur répondre vertement, sans

qu'il se sente pousser des ailes. Il suffit de ce seul vocable
« mon Père » ou « mes Pères » pour que la verve des
Provinciales le porte tout à coup, et qu'il danse à la crête
de ses phrases, comme soulevé par cette moquerie éternelle.

Mais je n'ai jamais cru, comme cela se répète depuis
trois cents ans, que Pascal ait d'avance fourni de flèches
les ennemis de la religion ni que l'impiété du xviii° siècle
et l'incroyance du nôtre aient hérité de lui. Cette raillerie
n'est si terrible que parce que l'amour l'inspire, et il n'en
reste rien dans « le hideux sourire » de Voltaire.

Il ne faut pas s'étonner que ce janséniste, tremblant
devant Dieu, n'ait pas tremblé d'être l'auteur des *Provinciales*. Peu de temps avant sa mort, bien loin de s'en
repentir, il s'en est glorifié. « Si j'avais à les faire présen-
tement, je les ferais encore plus fortes. » Il savait pourtant, puisque c'est une de ses *Pensées*, que dans la Grâce
« la moindre action importe par ses suites à tout ». Il
voyait bien que la Mère Angélique et que M. Singlin ne
laissaient pas d'être troublés.

Mais lui, il avait ses raisons pour ne l'être pas, et celle-ci
d'abord : qu'il défendait tout seul, si débile et si fort tout
ensemble, la vérité. Quelle vérité ? Ici, il faut à la fois lui
donner raison et lui donner tort. Il avait en fait tort et
raison, cela me paraît aveuglant d'évidence : tort dans
l'immédiat et dans le contingent, et raison dans l'absolu
— et je l'entends, non du point de vue de la sagesse mon-
daine, mais dans l'ordre de l'apologétique et de la religion
qui lui importait uniquement.

Il avait tort dans le débat sur la Grâce qui est le sujet
des trois premières *Provinciales,* et il n'avait qu'à demi
raison contre les casuistes qu'il commença de rendre ridicules à partir de la quatrième, celle qui s'ouvre par le mot
fameux : « Il n'est rien tel que les Jésuites. »

Si saint Augustin, durci par Jansénius et par Saint-
Cyran, avait triomphé dans l'Eglise, elle eût succombé à
cette terreur spirituelle : la théologie eût enfanté le

désespoir. Ce qui subsista de jansénisme dans l'Eglise
gallicane (nos provinces en étaient imprégnées et mon
enfance aussi l'a été) entre pour beaucoup dans l'indifférence en matière de religion qui s'y est affirmée très tôt et
qui a commencé de triompher du vivant de Louis XIV.
Tartuffe et *Don Juan*, contemporains de M. Arnaud, sont
la protestation de l'esprit gaulois qui se débat sur ses
sommets de glace, entourés d'abîmes où le chrétien peut
rouler à chaque instant sans qu'il dépende de lui d'y
échapper. Les Jésuites avaient raison contre Pascal. C'est
une bénédiction qu'ils l'aient emporté sur lui.

Que les ridicules excès de leurs casuistes aient dépassé
l'imaginable et qu'ils aient été un gibier vraiment indigne
d'un aussi illustre railleur, cela ne doit pas nous dissimuler que même sur ce point il a la partie moins belle qu'il
ne paraît d'abord. La casuistique est née de l'examen de
conscience. Le ridicule ici tient à la prétention de prévoir
tous les cas et même les plus saugrenus, et de vouloir
s'égaler à l'omniscience divine. Si les casuistes sont odieux
lorsqu'ils rusent avec l'Etre infini, les Jansénistes le sont
plus encore lorsque de leur propre autorité ils assignent
des limites à l'amour de Dieu pour ses créatures et qu'ils
l'obligent à damner, au nom de saint Augustin, les quatre
cinquièmes de l'espèce humaine.

Pascal avait tort dans le débat qui lui avait inspiré les
Provinciales. Pourquoi ai-je donc écrit qu'il avait en même
temps raison, et j'ajouterai ici : beaucoup plus raison qu'il
n'avait tort ?

C'est que, par-delà les Jésuites, ce qu'il attaque, c'est le
christianisme politique, c'est le détournement de la vérité
religieuse et son utilisation pour dominer sur les âmes.
Les casuistes se rendaient maîtres des consciences : les
consciences des grands et celles des rois. Ils savaient pourquoi ils mettaient de si moelleux coussins sous les coudes
et sous les genoux de leurs pénitents, qui presque tous,
à des degrés divers, étaient maîtres du monde.

Pascal attaque le christianisme politique au nom d'une

rigueur spirituelle où il faut voir la marque du vrai chrétien. Je vénère dans Pascal le type même du croyant qui croit à la lettre, qui sait que ce qu'on lui a enseigné est vrai. Il ne faut pas s'imaginer que cela soit si courant dans l'Eglise. Ceux de la même race ont senti plus d'une fois qu'on les trouvait un peu nigauds... Ce combat dure encore aujourd'hui.

Mais une grande différence apparaît entre le temps de Pascal et le nôtre. Le janséniste appliquait sa rigueur à la pureté morale et à la perfection intérieure. Il mettait l'absolu dans cette recherche inhumaine qui le coupait d'un monde condamné à ses yeux et il se résignait à sa condamnation. Aujourd'hui, Pascal ne s'y résignerait plus. Son exigence irait dans le sens de la justice. Il serait frappé par le petit nombre des élus dès ce monde-ci, et découvrirait qu'il en est responsable, lui et toute sa caste, et qu'il lui en sera demandé compte. Il ne serait pas aussi assuré de ce qui perd un homme et de ce qui le sauve. Il ne consentirait plus à être sauvé tout seul. Il voudrait partager avec tous les hommes cette goutte de sang versé, croyait-il, pour lui seul.

Il n'empêche que c'est bien le même combat spirituel, inauguré par Port-Royal, que certains chrétiens mènent encore : le combat de ceux qui dans l'Eglise croient que « c'est vrai », contre ceux qui jugent que « c'est utile ».

J'ai toujours admiré le cardinal de Richelieu d'avoir compris que M. de Saint-Cyran, ce petit prêtre dénué de tout bien, était plus redoutable qu'une armée et de l'avoir mis à la Bastille, sans autre raison que la peur que lui inspirait un homme résolu à servir la vérité sans rien concéder aux puissances. Et Louis XIV, lui non plus, ne s'y est pas trompé, qui a redouté jusqu'aux reliques des saints de Port-Royal et qui ne se crut en repos que lorsqu'il eut violé leurs sépultures et livré leurs restes aux chiens.

« Eternel ennemi des suprêmes puissances », ce cri

d'Athalie à Joad, c'est le cri de César à tout homme, si
désarmé qu'il soit, mais qui croit que la vérité est vivante
et qu'il n'est rien qui ne doive lui être sacrifié, fût-ce le
roi, fût-ce la nation, fût-ce le parti.

César n'a pas eu de cesse qu'il n'ait découvert le secret
de la puissance qui, durant tant de siècles, l'a bravé. C'est
fait maintenant : il a trouvé le moyen d'atteindre l'âme,
de pénétrer jusqu'à ce dernier réduit d'où Saint-Cyran
tenait tête à Richelieu. En 1956, M. de Saint-Cyran lui-
même ferait, non plus son examen de conscience, mais
son autocritique, selon les méthodes que le Parti impose
à ses victimes.

Pour moi, je ne cesse d'apprendre des *Provinciales*
écrites sous une monarchie absolue, et par ce chrétien
exemplaire à qui le Christ avait parlé durant la nuit des
« pleurs de joie », ce qu'est la liberté des enfants de
Dieu et que contre elle rien ne prévaut. C'est elle qui
donne son prix à la destinée d'un homme. C'est elle que
nous devons préserver dans notre propre vie, dans la
nation, dans l'Eglise, si nous lui appartenons, elle enfin
qu'il faut restituer aux peuples qui l'ont perdue et qui en
ont oublié le goût. Essayons d'imaginer un homme qui, à
Moscou ou à Pékin, commencerait un jour à écrire sur
une page blanche : « Il n'est rien tel que les communistes... » et qui ne verrait pas surgir un policier à sa
droite et à sa gauche : le monde serait de nouveau sauvé.

Si nous nous gardons de tricher au jeu des anniver-
saires, les deux dernières *Provinciales* méritent seules cette
année d'être détachées des autres, puisque la dix-septième,
datée du 23 janvier 1657, parut le 18 février, et que la
dix-huitième, adressée elle aussi au père Annat, est du
24 mars. En outre, il y eut l'amorce d'une dix-neuvième
« petite lettre » dont ne subsiste qu'un fragment et où
le Pascal des *Provinciales* jette son dernier feu.

Ce tison dont la flamme n'a pas jailli m'a toujours touché davantage que les invectives les plus fameuses des
lettres achevées. J'ai toujours eu un goût particulier pour
ce cri de Pascal, non plus victorieux, mais blessé, au début
de cette *Provinciale* qu'il n'écrira pas : « Si je vous ai
donné quelque déplaisir par mes autres lettres, en mani-
festant l'innocence de ceux qu'il vous importait de noircir,
je vous donnerai de la joie par celle-ci, en vous faisant
paraître la douleur dont vous les avez remplis. Consolez-
vous, mon Père, ceux que vous haïssez sont affligés. »
Voici la langue parvenue à son point de perfection et qui
sort tout juste de sa gangue. Aucun mot n'a subi encore
d'altération. L'eau sourd à peine de la terre et rien n'a
eu le temps de la souiller. Relisant cette phrase de Pascal
à voix haute (comme telle autre de Bossuet ou de Molière)
je me dis que la « musique » de Racine n'est peut-être
pas d'essence poétique, qu'elle n'est pas due à une
recherche délibérée, mais qu'elle tient au langage lui-
même à ce moment exquis de sa maturation.

Pascal ravala donc sa dix-neuvième *Provinciale*. Les
deux dernières, la dix-septième et la dix-huitième, qui
furent écrites il y a trois cents ans ces semaines-ci,
marquent une retombée, il me semble, si nous les compa-
rons à celle qui immédiatement les précède, où Pascal,
renonçant d'un coup à la raillerie, montrait à nu une haine
triomphante. C'est que le ciel lui avait parlé à lui, Blaise
Pascal, c'est que le miracle de la Sainte Epine ne lui laissait plus aucun doute sur ce que l'Etre Infini pensait de
Port-Royal et de son chevalier. Le grondement que Pascal
fait retentir, dans cette seizième lettre, au-dessus des
persécuteurs cruels et lâches « qui calomnient celles qui
n'ont pas d'oreilles pour les ouïr ni de bouches pour leur
répondre » m'a toujours rappelé ce moment de l'orchestre
où Mozart fige le rire sur les lèvres de don Juan : « On
l'entend aujourd'hui cette voix sainte et terrible... »

Brève joie : il apparut très vite que c'était pour le
compte des Jésuites qu'allait surgir le Commandeur, sur

Port-Royal qu'allait tomber la foudre. Pascal, dans sa dix-septième lettre, a ses raisons pour parler moins haut : le 23 décembre, une ordonnance du Châtelet, dirigée contre l'auteur inconnu qu'il était, interdit désormais d'imprimer sans signer de son nom et sans privilège. Les dernières *Provinciales* seront donc illicites. Entre les deux, les Jésuites atteignent Port-Royal d'un premier coup qui, avec le temps, s'avérera mortel. Pendant un demi-siècle ils ne s'arrêteront guère plus de frapper, en dépit de courtes trêves, jusqu'à ce que les morts eux-mêmes aient été arrachés de la terre, leurs cendres dispersées, leurs ossements livrés aux chiens. Mais dès le lendemain de la dix-septième *Provinciale*, leur ennemi est touché. Déjà son agonie commence et ils le savent. Une bulle de condamnation est promulguée à Rome : tous les clercs, toutes les moniales devront signer un formulaire. L'avant-dernière *Provinciale* piétinera donc autour du distinguo qui eût permis aux jansénistes d'échapper, s'ils avaient eu affaire à un autre adversaire que celui-là qui parlait à la fois à l'oreille du pape à Rome et à celle du roi de France à Paris.

Même sous la plume de Pascal, on se lasserait d'entendre répéter que c'est une chose de croire que les cinq Propositions sont hérétiques, à quoi les jansénistes souscrivent de tout leur esprit et de tout leur cœur, mais que c'en est une autre, et qui n'est pas matière de foi, que de jurer qu'elles se trouvent effectivement dans Jansénius alors que, selon eux, elles n'y sont pas. Oui, me disais-je, cela m'assomme. Mais cette *Provinciale* que je ne relis jamais, il est impossible qu'elle ne recèle pas, ne fût-ce que quelques lignes qui, tout à coup, m'ouvriront un jour sur cet esprit en réalité si peu secret, qui se livre presque malgré lui et dont le moindre fragment de pensée irradie.

Et me voici comblé : non que je prétende rien découvrir et ce texte est imprimé partout. Mais comme la dix-

septième *Provinciale* ne se relit guère, il y a profit, me
semble-t-il, à considérer avec attention ce que j'isole ici,
car Pascal lui-même s'y manifeste dans un trait qui lui est
particulier : l'orgueil de l'esprit, la volonté de puissance
en lui se fortifie de ce que la vie sacramentelle y accu-
mule de force cachée. Mais citons d'abord l'essentiel :
« Vous vous sentez frappé par une main invisible qui rend
vos égarements visibles à toute la terre et vous essayez en
vain de m'attaquer en la personne de ceux auxquels vous
me croyez uni. [...] Tout le crédit que vous pouvez avoir
est inutile à mon égard. Je n'espère rien du monde. Je
n'en appréhende rien, je n'en veux rien ; je n'ai besoin
par la grâce de Dieu ni du bien, ni de l'autorité de personne. Ainsi, mon Père, j'échappe à toutes vos prises. [...]
Peut-être n'eûtes-vous jamais affaire à une personne qui
fut si hors de vos atteintes, et si propre à combattre vos
erreurs, étant libre, sans engagement, sans attachement,
sans liaison, sans relation, sans affaires ; assez instruit de
vos maximes et bien résolu de les pousser autant que je
croirai que Dieu m'y engagera, sans qu'aucune considération humaine puisse arrêter ni ralentir mes poursuites. »

A première vue, cela recoupe un endroit des *Pensées* où
Pascal écrit qu'il ne peut plus recevoir de mal ni de bien
de la part des hommes — mais l'esprit qui l'anime dans la
dix-septième *Provinciale* est différent. Nous n'avons pas
affaire ici au renoncement d'un saint détaché de tout ce
qui en ce monde le séparerait de Dieu, mais à un combat-
tant débarrassé de ce qui l'eût encombré et alourdi, et
qui fonce sur un ennemi armé pesamment. Libre de toute
attache, il jouit du privilège quasi divin de l'invisibilité.
Ariel harcèle un Caliban ivre de rage et qui ne sait d'où
jaillissent ces flèches inévitables.

Et il triomphe, mais non comme triompherait un saint.
Le mouvement de sa propre phrase l'enivre. Ce pouvoir
des esprits supérieurs qu'il avait célébré dans la dédicace
de la machine arithmétique à la reine de Suède, qu'il
éclate ici ! — mais avec un accent si peu chrétien qu'il

11

eût suffi à dénoncer ce que Richelieu avait déjà subodoré dans Saint-Cyran : l'éternel ennemi des suprêmes puissances. Pascal triomphe d'être invisible et invulnérable : il oublie seulement que ceux pour lesquels il se bat demeurent, eux, livrés sans défense à leurs ennemis. Chaque coup que Pascal portait aux Jésuites, les amis de Pascal le paieraient de leur honneur — puisque finalement ils signeraient le Formulaire, et quelques-uns de leur vie, puisque Jacqueline, la sœur de Blaise, mourrait de l'avoir signé. Et Port-Royal n'en serait pas moins détruit.

Ce n'est rien d'avoir renoncé à tout si nous n'avons pas d'abord renoncé à nous-même, et c'est un étrange pouvoir du chrétien qu'il puisse se servir, dans un combat tout humain, du surcroît de force qu'il doit à sa vie purifiée lorsque, comme Pascal, il n'a plus de goût à rien d'autre au monde qu'à l'opinion qu'il se fait des rapports de la nature et de la Grâce, et qu'une seule passion le possède encore : la haine, qu'il croit vertueuse, que les casuistes lui inspirent. Dès que nous avons commencé d'observer Pascal dans cette lumière, nous touchons en lui, qui a tant fait pour la défense de la foi, qui pour une grande part a préservé presque seul ce qui en a subsisté chez nous après l'offensive encyclopédiste, nous touchons le germe de la moquerie dont Voltaire héritera.

Le curare voltairien est là déjà, dans cette dernière *Provinciale,* si Pascal n'y trempe qu'une flèche encore respectueuse ; car il ne s'agit plus des seuls Jésuites. Un certain ton sourdement irrévérencieux dont il use à l'égard du pape m'y choque pour la première fois. Et d'abord quelle insigne maladresse ! Et qu'on comprend que la mère Angélique, près de mourir, et que Monsieur Singlin aient été accablés et scandalisés par ce défenseur infiniment moins redoutable à ses ennemis qu'il ne le fut à ses amis !

La dix-huitième lettre roule, pour une part, sur les étroites limites entre lesquelles joue l'infaillibilité pontificale, et elle ne rappelle rien à ce sujet qui ne soit véritable. Mais il s'agissait du salut de Port-Royal, et Pascal eût dû se souvenir que sa démonstration était précisément ce qui pouvait le plus sûrement le desservir à Rome. Le pire est qu'il ne put retenir cette malice d'une allusion à Galilée. Il feignit de ne pas être très sûr que la terre tourne, ajoutant qu'au cas où elle tournerait vraiment, ce ne serait point un décret de Rome qui l'en empêcherait. Là-dessus notre railleur ne se retient plus. Il redouble : « Ne vous imaginez pas que les lettres du pape Zacharie pour l'excommunication de saint Virgile, sur ce qu'il tenait qu'il y avait des antipodes, aient anéanti ce Nouveau-Monde ; et qu'encore qu'il eût déclaré que cette opinion était une erreur bien dangereuse, le roi d'Espagne ne se soit pas bien trouvé d'en avoir plutôt cru Christophe Colomb qui en venait, que le jugement de ce pape qui n'y avait pas été. »

Cette irrévérence n'eût peut-être pas suffi à perdre sans remède Port-Royal. Mais qu'à Rome on y ait discerné très tôt un péril mortel pour la religion, c'est l'évidence, et quel catholique, issu d'un étroit milieu provincial, n'a éprouvé ce poison dans sa chair ? Quant à ce qui touche au pouvoir civil, les deux dernières *Provinciales,* mieux encore peut-être que les plus fameuses où Pascal s'était bien davantage déchaîné, nous font toucher la vraie raison du dessein médité et poursuivi par Louis XIV d'abattre une hérésie qui menaçait à la fois le roi du ciel et le plus grand roi de la terre.

En 1657, Mazarin vit encore et Louis ne s'occupe que d'aimer. N'empêche qu'il sort à peine de la Fronde dont l'esprit anime toujours ces robins dévots et orgueilleux de leur science et qui, par elle, se glorifient d'échapper à

toute contrainte, fût-ce à celle de l'Etat. Sans Pascal et
sans les *Provinciales,* les Jésuites eussent été moins furieux
et le prince moins prévenu. En somme, du point de vue de
l'orthodoxie catholique, Blaise Pascal aura servi deux fois
la vérité : par les *Provinciales* qui attirèrent la foudre
sur l'hérésie janséniste et furent une des causes détermi-
nantes de sa destruction, et par les *Pensées* qui, à elles
seules, ont peut-être fait plus pour le Christ, en ce pays de
France, que les quarante volumes des œuvres complètes
de Bossuet.

Nous nous disputons encore sur Pascal. Nous nous
disputons encore sur Racine : c'est l'honneur de la France
et le signe que son génie demeure.

J'ai suivi dans *Le Figaro Littéraire* ce débat réveillé
à propos de Racine. Mais que j'y demeure étranger !
Aucun argument, d'où qu'il vienne, ami ou adversaire, ne
me touche. A cette boutade, par exemple, qu'il se trouve
vingt-sept beaux vers dans Racine, et pas un de plus,
je serais tenté de répondre qu'il ne se trouve pas de beaux
vers dans Racine, je veux dire : aucun qui puisse être
détaché du contexte. Il laisse à d'autres les vers « frappés
comme une médaille ». Au jeu des vingt-sept beaux vers
de Racine, la plupart des gens ne sauraient rien citer et
nous qui aimons Racine, nous ne choisirions pas les
mêmes. « *La fille de Minos et de Pasiphaé* » me laisse
froid, et que répondre à qui m'objecterait que le « *J'aimais, Seigneur, j'aimais, je voulais être aimée* » de Bérénice, qui m'est si cher, est une platitude ?

Ce qui appartient à Racine, c'est la continuité rigou-
reuse non d'un discours comme dans Corneille — mais
d'une passion pensée, exprimée, clarifiée, mise au net, par
un petit nombre de mots très ordinaires, qui composent
une musique. Musique sans dissonance ni accord appuyé
— suggestive certes, mais qui interdit le rêve, liée qu'elle
est à une réalité d'ailleurs atroce. Aucune échappée, comme

dans Shakespeare, aucun regard à l'étoile, jamais le moindre répit pour se détourner de l'horreur présente et pour méditer calmement sur le destin des autres hommes. Nous sommes enfermés dans la cage, entre les barreaux de vers tous pareils, face à des passions nues qui se regardent et qui se décrivent, et qui se racontent avec une lucidité que leur fureur ne limite ni n'altère.

Rien qui plaise moins aux Français : je nie que Racine soit leur poète et qu'ils s'y reconnaissent. Les moqueries de Montherlant appartiennent à une tradition jamais interrompue. Racine a assommé des générations d'écoliers que vengent les *A la manière de...* d'un Paul Reboux. La Reine morte a toujours eu en exécration la Reine vivante. Un certain romantisme, qui est la chose du monde la plus commune, a toujours blasphémé et blasphémera toujours cette beauté simple et vraie qu'un seul homme chez nous, élève à la fois d'Euripide et de Saint-Cyran, a atteinte, et puis ce fut fini : le silence de Racine après *Phèdre* n'est pas le silence d'un auteur : c'est la mort d'un genre. Racine vit encore, mais la tragédie qu'il a inventée est morte. Voilà son crime : d'avoir suscité des générations de copistes impuissants. Son crime, c'est Campistron qui pendant un siècle va pulluler sur un cadavre.

Il demeure mais il encombre parce qu'il n'existe plus pour lui d'interprètes ni de public. Le dernier tragédien est mort comme le dernier aurochs avec Mounet-Sully. Le Conservatoire n'enfante plus cette espèce de monstres (ou c'est le cinéma qui les détruit à mesure qu'ils naissent ?). J'aime que Racine reste ainsi solitaire et abandonné, lui, le plus grand peintre, à mon sens, de la solitude humaine : non celle de l'amour, mais celle du désir. Quand il décrit l'amour, cela ne va pas loin. Bérénice et Titus, Britannicus et Junie, Monime, c'est la part du tendre Racine des manuels, du courtisan que passionnent les amours des princes qu'il sert. Le Désir, voilà son Royaume. Phèdre n'aime pas plus Hippolyte que Roxane Bajazet ou qu'Hermione Pyrrhus : c'est l'exigence d'une faim qui tend à l'assouvissement et qui cherche l'issue par le crime. Mais que peut le crime contre la créature désirée qui n'est pas consentante ? D'où le recours aux envoûtements et aux maléfices en ce siècle de Racine qui est celui de la Brinvilliers. « Il y a du fauve en lui », dit Nietzsche du dix-septième siècle et il y discerne la raison de son recours à Dieu.

Il est certain que la tragédie racinienne appelle l'Incarnation : son horreur exige un Rédempteur. J'ignore si le chrétien Racine a été troublé par le destin d'un monde — celui qu'il décrit — d'avant l'Incarnation, et où ce qui était perdu ne pouvait pas être sauvé. C'est le mystère des rapports du Christ et du Temps, dont m'entretient ces jours-ci Jean Guitton dans un petit livre très dense : *Actualité de saint Augustin*. La conversion de Racine n'est certes pas un phénomène étranger à la tragédie de Racine, celle qu'il a écrite, celle qu'il a vécue...

Chaque Français entend Racine à sa manière et la querelle de *Phèdre* ne finira jamais. A en croire un de mes amis (je ne prends pas son jugement à mon compte) l'histoire du Théâtre dira que, durant les premiers jours de 1958, Jean Racine fut la victime d'une conjuration. Sur les tréteaux les plus illustres les attentats se multiplièrent. Mon ami assure que des Marseillais montèrent même tout exprès à Paris pour se joindre au massacre.

Je n'y étais point et me garderai d'accabler des comédiens qui ont dû faire de leur mieux. L'avouerai-je pourtant ? Il m'arrive de rêver d'un bon tyran qui interdirait qu'on touchât à l'auteur de *Bérénice* et qui défendrait par une sévère loi que son nom même fût prononcé devant lui. Phèdre et Roxane, Andromaque et Hermione, Athalie et Agrippine seraient pareilles à de grandes divinités endormies au secret d'une œuvre oubliée, jusqu'à ce que le baiser de la fée les réveillât — une fée qui serait une autre

Rachel, une autre Sarah Bernhardt, ou plus humblement une Bartet, enfin quelqu'un qui sût ce que c'est que de suivre une longue pensée dramatique atroce, à travers un chant strict et suave — et il ne faut rompre ce double fil à aucun moment. Peut-être ne l'attendrons-nous pas cent années, cette Rachel, cette Sarah, ce monstre sacré inconnu... Mais quelle exigence ! De quel droit me montrer si sévère à l'égard des interprètes vivants de Racine, et peut-être si injuste ? Pourquoi ne puis-je souffrir le ton de certains commentaires ? Comme si j'étais seul à savoir qui est cet être, dans le théâtre, dont le nom change, mais c'est le même cœur de chair, et qui erre d'une tragédie à l'autre, du palais de Buthrote, en Epire, où Pyrrhus règne, à celui de Thésée, à Trézène, ouvert sur la mer et sur un ciel qui ne pardonne pas.

Lorsque les disputes à propos de l'interprétation d'une œuvre nous tiennent tellement à cœur, c'est le signe qu'elle se trouve mêlée à notre propre histoire, de sorte qu'on ne peut l'atteindre sans nous blesser. Nous croyons savoir, d'une science infuse, comment tel vers doit être dit, avec quel regard sur soi-même, qui se lève tout à coup vers le Père inexorable, juge des pâles humains, selon la loi que saint Augustin et Jansénius ont enseignée à M de Saint-Cyran

Au spectacle d'une tragédie de Racine, je suis comme un musicien qui entendrait la symphonie d'un maître aimé entre tous jouée un ton trop haut ou un ton trop bas. Il ne souffrirait pas plus que je n'eusse souffert si j'avais accompagné mon ami à ces exécutions — oui, selon lui, des exécutions à la lettre — et où Roxane, Atalide et Phèdre ne lui parurent guère mieux traitées, assure-t-il, que ne le furent en leur temps la Voisin et la Brinvilliers.

Comment un interprète étudie-t-il le personnage qu'il incarnera ? J'ignore tout de ce travail mystérieux — sorte d'attentat contre soi-même au profit d'un autre qui doit nous posséder, se substituer à nous. Je me persuade en tout cas que, pour Racine, il est nécessaire que la possession ait précédé l'étude directe du rôle et que nous retrouvions profondément au-dedans de nous ces grandes figures convulsées, et qu'elles nous parlent familièrement depuis le collège. Pour moi, elles m'ont habité bien avant que j'eusse la moindre expérience de ce qui fait leur tourment. Elles ont régné sur moi dès l'enfance : nous apprenions *Esther* par cœur en cinquième, *Athalie* en quatrième, les autres grandes tragédies dès la seconde, c'est-à-dire à quinze ans.

Ainsi a pénétré en moi, à l'âge d'Eliacin, alors que j'étais nourri comme lui dans le temple, « In hymnis et canticis », aussi préservé qu'il l'était, et non moins ignorant que lui de ce qui touche au sexe et que les enfants d'aujourd'hui apprennent très tôt (et on leur fait des dessins pour qu'ils comprennent mieux) — ainsi a pénétré chez cet innocent que j'étais une créature terrible — oui, une seule créature dont le nom change d'une tragédie à l'autre. Quand elle s'appelle Phèdre, c'est Hermione qui passe sous le regard de l'Etre infini : elle est prise dans ce faisceau très étroit, mais dont la source est la Lumière en soi, qui nous juge en même temps qu'elle nous éclaire, et qui ne nous éclaire que pour pouvoir plus sûrement nous condamner.

Le poison janséniste, caché dans les veines de Phèdre, j'admire que cet enfant auquel je songe y ait résisté, malgré le prestige de Port-Royal où déjà Pascal l'avait introduit. Sagesse de l'Eglise, vertu de la vie sacramentelle entretenue en nous dans ce collège, comme je leur suis reconnaissant de m'avoir, dès cet âge-là, dispensé l'antidote ! Non que j'aie échappé tout à fait. Du moins mon œil savait-il déjà circonscrire l'hérésie incarnée dans Phèdre : elle est l'héroïne racinienne dans le temps de sa totale culpabilité et pourtant de sa totale innocence.

Ni Hermione ni Roxane n'avaient attenté à la nature. Elles se perdaient selon les règles reçues. Elles ne croyaient pas qu'elles fussent des monstres. C'est dans *Phèdre* que cette créature prend conscience de son étrangeté inguérissable et du péché qu'elle ne peut pas ne pas commettre et qu'elle commet sans le vouloir, « malgré soi perfide, incestueuse » — fille de Minos et de Pasiphaé, et du taureau, du cygne et de Léda...

Peut-être est-ce étendre abusivement la postérité de Phèdre ? Hermione et Roxane, elles, ne sont en tout cas pas des monstres et pourtant elles sont, jusqu'à la fureur, « animales ». Voilà ce qu'il faut oser dire du « tendre Racine » : il a mis l'accent mieux que personne avant lui et après lui sur ce mystère qui lie l'âme fille de Dieu, et dont les meilleures, comme Jacqueline Pascal, prétendent ne pas mettre de limite à la pureté et à la perfection, — qui lie cette âme, qui la confond avec une chair soumise à l'instinct de toutes les autres bêtes.

Et c'est trop peu dire : l'âme dans Hermione, dans Roxane, dans Phèdre, loin de freiner cet instinct, prête à sa fureur ce qu'il faut d'intelligence et de puissance pour le rendre criminel et pour donner raison à la grâce de leur avoir manqué. Quoi qu'aient prétendu certains critiques, Roxane n'est pas moins une princesse que Phèdre, qu'Atalide et qu'Hermione, et celles-ci ne sont pas moins sauvages que la féroce petite sultane. Les unes et les autres illustrent le même mystère défini par Bossuet quand il s'étonne « de cette profonde plaie de la nature », de cette convoitise « qui lie l'âme au corps par des liens si tendres et si violents ». Et sans doute le Rédempteur n'est pas encore venu : aucune goutte de sang n'a été versée pour Phèdre... Que nous sommes loin, aujourd'hui de cette implacabilité qui, au XVIIᵉ siècle, pèse sur l'Eglise gallicane, en dépit de saint François de Sales ! Comme les âmes se sont ouvertes à la connaissance de ce que Bernanos appelait « la douce pitié de Dieu » !

Le théâtre de Racine est sans miséricorde. Il comporte, certes, d'autres princesses que ces furies dévoratrices de petits mâles. Il nous propose aussi, bien sûr, la vertueuse jeune mère qui a brûlé pour son seul époux, cette Andromaque demeurée fidèle à Hector, et il ne lui en coûte guère : une froideur innée assure à la fois sa fortune et sa gloire. Pour la reine Bérénice, aussi brûlante que les plus brûlantes, elle ne renonce qu'à ce qui se dérobe à elle sans recours. Titus perdu, il reste à Bérénice de régner : elle régnera.

Versailles devait être peuplé de ces amoureuses-là. Bérénice ? Une future Agrippine peut-être. S'il advient qu'Hermione, que Roxane, Atalide ou Phèdre échappent à Vénus, si elles traversent l'enfer de leur amour sans en mourir, c'est sur une autre passion qu'elles débouchent : « Libido dominandi », la fureur de régner. « C'est une belle vie que celle qui commence par l'amour et qui finit par l'ambition. » Agrippine, Athalie ont dû désirer des êtres avant de désirer l'empire. Mais comme Phèdre d'Hermione, Athalie diffère d'Agrippine en ce qu'elle se débat, prise dans le faisceau de la Lumière incréée qui est Jahvé. Athalie et Phèdre sont livrées à celui qui les tient, qui consent à les laisser aller un peu de temps — et ce n'est pas leur Père, « notre Père », mais quelqu'un qui cherche à les perdre.

Dans cette extrémité où la fille de Minos et de Pasiphaé tombe à genoux, demande grâce, la fille d'Akab et de Jézabel se redresse, fait front, brave le Dieu des Juifs, sous le couteau même qui l'égorge — et gagne, puisqu'elle sait d'avance qu'Eliacin, devenu Joas, choisira d'être criminel et qu'elle sera vengée, qu'elle l'est déjà, par l'homme immonde qui existe en puissance dans cet enfant : « Qu'il règne donc, ce fils, ton soin et ton ouvrage ! »

Quelle chance subsiste-t-il qu'une interprétation coïncide jamais avec une idée aussi singulière des héroïnes raciniennes ! Et comment ne serais-je pas déçu à chaque représentation, et c'est trop peu dire, irrité, exaspéré ? J'avais dix-huit ans lorsque je vis, à Bordeaux, sur la scène du Grand Théâtre, Sarah Bernhardt, qui n'était pas une Phèdre échappée de la Salpêtrière, un sujet pour Charcot, mais la créature sur laquelle pèse la griffe du Dieu de Jansénius, cette griffe que Baudelaire dit effroyable —

écrasée, certes, et pourtant redressée par de folles reprises d'espoir. Que la vie refluait en cette moribonde à certains moments ! Depuis, une seule Phèdre (Marie Bell mise à part, qui est surtout, à mon gré, une Bérénice, qui fut une inoubliable Atalide), une seule ne m'a pas paru indigne de ce grand souvenir : c'est Marguerite Jamois, comme Gaston Baty fut le seul metteur en scène qui ait compris qu'il fallait crever le mur du palais de Trézène, et que l'azur apparût, « cet azur immobile et dormant » contre lequel le désir de Phèdre jette son inutile écume.

Mais quoi ! Ce que Racine a voulu dire, voilà ce qui seul devrait compter. Ce n'est pas à des statues immergées en moi depuis l'enfance, et recouvertes des sédiments de mon propre destin, que les metteurs en scène et que les interprètes doivent insuffler la vie. Qu'ils ne prennent donc point en mauvaise part ce songe que j'achève ici — ce songe pareil à ceux d'un peu avant le sommeil, où l'œil intérieur ne distingue plus ce qui est de ce qu'il imagine, et où nous-mêmes, et nos propres créatures, et celles des maîtres, où tout se confond déjà avant d'être enseveli dans la nuit qui approche, et de s'y perdre.

Ce monde qui survit dans l'héroïne racinienne, Saint-Simon en fut le témoin.

Saint-Simon est le témoin de ce drame dont Versailles dresse toujours au milieu de nous le décor italien ; et nous disposons encore de tous les personnages, gardés intacts après deux siècles, comme dans des tiroirs, grâce à ces onze portefeuilles de veau écaillé, timbrés aux armes du duc de Saint-Simon.

Tel est le pouvoir d'un style qui s'impose si souverainement : il est difficile de pasticher les autres auteurs, mais la difficulté ici est de ne pas céder à la pente de l'imitation. La plus grande œuvre romanesque de ce temps, celle de Marcel Proust, a pris le ton de Saint-Simon pour tout ce qui touche à l'univers des Guermantes, et il serait curieux d'étudier comment Proust a « intériorisé » ce style et, par là, découvert le sien. Il faudrait rappeler que Proust tient de Saint-Simon non seulement son style mais une part de sa méthode. Comme le duc, il interrogeait sans arrêt, menait une incessante enquête, recevant de toutes mains, et des valets autant que des maîtres. Mais d'autres que Proust doivent beaucoup aux *Mémoires :* l'œuvre romanesque d'Henri de Régnier, si injustement oubliée, une partie de celle d'Abel Hermant en sont sorties, pour ne parler que des morts.

Mais qui de nous n'a subi cette obsession ? Saint-Simon est un témoin qui n'attend pas que nous sollicitions son témoignage. Il parle, et ce n'est pas assez dire, il crie à tue-tête et il nous faut bien l'écouter. Louis XIV ne prêtait guère d'attention à ce petit duc, l'un des plus récents, bien loin qu'il ait été des plus huppés. Les raisons de sa demi-disgrâce ? Il avait quitté le service et il parlait trop. Le roi n'a jamais soupçonné que le duc de Saint-Simon était le personnage le plus redoutable de sa cour, celui qu'il ne tenait pas et qui le tenait et que, par ce petit duc, il devenait à son tour sujet, lui, le grand Roi, et non pas pour le temps de son règne, mais de tout temps à jamais.

Témoin à charge ? Oui et non. Tout compte fait, le roi peut lui rendre grâce. On ne saurait être plus passionné et en apparence plus prévenu que Saint-Simon, mais, pour ce qui touche au roi, l'admiration balance l'antipathie. Le duc voit son maître tel qu'il est, aussi horrible qu'il est, mais il n'en demeure pas moins sous le charme. Cela est sans exemple. L'atroce du personnage, il ne nous en épargne rien, mais le total, c'est la grandeur que Saint-Simon reconnaît et salue comme les autres contemporains et qui éclate d'autant plus sous cette furieuse plume qu'elle ne dissimule rien des ridicules, ni des hontes, ni de ce qu'il faut bien appeler des crimes.

C'est surtout à propos de ce qui a rendu Louis XIV le plus odieux et qui a le plus souillé sa mémoire et qui a

porté à la religion un coup dont elle est demeurée atteinte
à jamais : la révocation de l'édit de Nantes et la persécution contre Port-Royal, que Saint-Simon apparaît tour à
tour comme un accusateur virulent et comme un témoin
à décharge. Il a dénoncé mieux que personne et l'un des
premiers l'abomination et l'incroyable sottise de cette politique. Chacun a dans l'esprit cette admirable période où
Saint-Simon nous montre « ce complot affreux, qui dépeu-
pla un quart du royaume, qui ruina le commerce, qui
l'affaiblit dans toutes ses parties, qui le mit si longtemps
au pillage public et avoué des dragons, qui autorisa les
tourments et les supplices dans lesquels ils firent réellement mourir tant d'innocents de tout sexe par milliers... »
Et cela se prolonge d'une seule haleine jusqu'à l'évocation
de ce comble de toutes les horreurs qui « remplit toutes
les provinces du royaume de parjures et de sacrilèges,
d'abjurations simulées d'où sans intervalle on les traînait
à adorer ce qu'ils ne croyaient point. » Mais il faudrait
ne rien couper de ce qui est d'une coulée et qui n'a d'égal,
au xviie siècle, que l'interminable et implacable phrase
de Bossuet contre Molière mourant.

Saint-Simon invoque pourtant en faveur du roi son
ignorance des choses de la religion, dont il n'était pas
responsable et qu'il avait lui-même mesurée, et le pli qu'il
avait pris de se décharger sur ceux à qui il avait remis la
direction de sa conscience. Ici nous touchons à cette plaie
des monarchies catholiques qui, à mon sens, n'ont pas été
de grands moments de l'histoire religieuse, qui au
contraire ont marqué son point le plus bas comme chaque
fois que triomphe le christianisme politique, c'est-à-dire
l'utilisation de la vérité révélée à des fins humaines.

Le pouvoir du confesseur sur un roi dévot et maître
absolu de son royaume, nous voyons quel usage en a été
fait et ce qu'il en a coûté à la religion et à la patrie.
Louis XIV est mort tranquille : il s'est cru un défenseur
de la foi, comme l'en assuraient le Père Tellier et Mme de
Maintenon.

Il est mort plus que tranquille au sujet de Port-Royal et de la Révocation. Il ne doutait pas que ce ne fussent ses meilleurs titres devant Dieu et qu'il rachetait, par des abjurations forcées et par des tombes violées, le scandale de ses adultères et de ses guerres, et le Palatinat nettoyé selon des méthodes dont la recette n'est pas perdue.

Le vrai christianisme est bien innocent de ces impostures. Voilà ce que les hommes ont fait de la vérité dont ils ont reçu le dépôt et ce qu'ils continuent d'en faire par d'autres voies. Mais la vérité demeure, et Port-Royal dont il ne reste pas pierre sur pierre crie à jamais contre Versailles. La politique religieuse de Louis XIV est le fruit d'un double manquement à la vérité révélée : chez le pénitent ignare qui se décharge sur un autre dans des matières qui concernent son devoir d'Etat et dont il est seul responsable devant Dieu, et chez le Religieux qui trafique du pouvoir spirituel en faveur d'un Parti et qui met la Grâce au service de ses maîtres et de leur volonté de puissance.

Le petit duc a bien vu cela, comme tout le reste : cet abîme d'ignorance au fond duquel le Roi Très Chrétien s'est trouvé garrotté durant son règne interminable. Tout passionné qu'il est, ce témoin, entre les détracteurs et les panégyristes, donne à la fois tort et raison à Michelet et à Bainville. Et cette contradiction demeure le signe de sa véracité.

XII

Une âme sur les confins : Madeleine André-Gide. — Sa biographie spirituelle. — Aimer et admirer un être qui inspire de l'horreur. — André Gide et la mort.

Ⅰ L n'y a pas de hasard dans les lectures. Toutes mes sources se touchent : Pascal, Racine, Gide. Les siècles n'y font rien. C'est la même nappe souterraine. Je reviens à Gide. C'est Madeleine, sa femme qui m'y ramène puisqu'on s'occupe d'elle, qu'on écrit sur elle, — qui en aurait tant souffert !

La femme d'André Gide eut la passion de l'effacement. Disparaître, c'était là son dernier désir — ne pas survivre aux yeux des hommes, échapper à cette histoire triste, où le pur et l'immonde si étrangement sont confondus — où l'ange ne s'interrompt jamais de faire la bête, et la bête l'ange : l'histoire d'André Gide.

Et Gide mort a commis la seule action devant laquelle notre amitié pour lui pouvait le céder un instant au dégoût : il a traîné cette grande âme secrète au jour de la publicité qui lui faisait horreur. Il a profité de ce que les morts sont sans défense et de ce qu'ils nous sont livrés pour arracher à sa nuit cette fille de Dieu qui ne demandait plus que d'être oubliée.

Mais enfin, puisque cette action a été commise, il reste que nous en sommes les bénéficiaires. Jean Schlumberger, qui a connu et aimé Madeleine Gide, a compris que la seule réparation d'un tort si cruel était dans la lumière totale : il fallait que plus rien ne fût caché et que Madeleine Gide — puisque Gide nous l'a livrée — nous apparaisse telle qu'elle fut, et non telle qu'il plaisait à Gide que nous la jugions.

Ce livre, *Madeleine et André Gide,* chef-d'œuvre de biographie spirituelle, est l'histoire d'une âme enchaînée à une créature luciférienne : Eloa a répondu à l'amour de l'ange sombre, mais elle n'a pas été perdue par lui. Si elle l'a sauvé ou si elle a souffert en vain, c'est le secret de Dieu. Elle, du moins, demeure intacte, incorruptible. Ce beau diamant éclaire de ses feux la ténèbre d'un destin qui, dans l'ordre spirituel, est à faire peur.

Mais ce n'est plus à cause de Gide qu'elle nous retient. C'est pour elle-même désormais que nous relirons les textes trop rares que Jean Schlumberger nous livre. Nous n'avons plus rien à apprendre du Narcisse vieilli qui, durant tant d'années, nous a décrit ce que la source lui révélait de sa figure. Mais d'elle, si secrète, nous attendons, nous espérons... Qu'attendons-nous ? Qu'espérons-nous ?

Je ne l'ai pas connue, mais j'ai rencontré des âmes de sa race. Rien n'est si vain que le débat sur les mérites comparés de la femme et de l'homme. Je crois pourtant qu'il existe un point de perfection où une grande âme féminine ne peut être rejointe par aucun de nous. Mon expérience personnelle m'incline à penser que ces âmes-là se rencontrent souvent sur les confins du protestantisme et du catholicisme : c'est le cas pour Madeleine Gide, ou du stoïcisme et du catholicisme : il faut nommer ici Simone Weil, ou du catholicisme et d'une vie toute donnée aux passions du cœur — et je ne puis cette fois nommer personne ; mais plus d'un visage surgit de ma mémoire, de ces amantes qui s'attachaient enfin, non plus à un être, mais à l'Amour incarné.

La sincérité de l'esprit, c'est ce que Madeleine Gide doit

à son éducation protestante. Bien qu'elle fût demeurée longtemps ignorante des singularités gidiennes, que sa pureté n'aurait pu même concevoir, elle sut appliquer, dès sa jeunesse, cette vertu d'un jugement lucide et inflexible à la connaissance de l'être qu'elle aimait, le plus subtil, le plus ondoyant, le plus trouble, le plus habile à cacher ses voies.

Déjà, bien des années avant qu'elle l'eût épousé, son diagnostic est formulé en termes si nets que tout semble dit sur Gide. « A un moment, écrit-elle, j'ai eu le sentiment très vif et très triste que nous aurions dorénavant chacun des sentiers séparés quand il s'agit du *but*. Dieu veuille qu'il n'en soit jamais rien... J'ai été attristée, effrayée de sentir combien — plus que jamais — tu étais à toi-même ton seul but — ton seul souci — ton seul amour — qui t'envahit, André ! »

Ceci est extrait d'un cahier secret rédigé par Madeleine en 1891 et 1892 ; et lorsque vingt-six ans plus tard, dans une heure de désespoir lucide, elle brûle les lettres de Gide et qu'elle assiste, glacée, à la rage de l'homme de lettres qui brame « après la plus belle correspondance qui ait jamais été écrite », la douleur de l'écrivain la confirme dans son jugement de jeune fille : ses lettres s'adressaient, à travers elle, au public futur et achevaient le portrait dont la composition fut le seul but, le seul souci, le seul intérêt d'André Gide (et peut-être de chacun de nous dont le métier est d'écrire et de nous livrer).

Le lieu commun que l'amour a besoin d'estime est vrai pour Madeleine. Elle ne peut pas ne pas aimer cet être étrange qui lui fut cher dès l'enfance et d'ailleurs si digne d'admiration et d'amour à tant de titres — et elle ne peut pas ne pas avoir horreur, non de ce qu'il *est* — cela, c'est encore le secret de Dieu — mais de ce qu'il *fait* et de ce qu'il inspire à d'autres de faire. Par-delà toute frustration, là réside le mal qui ronge lentement cette âme retranchée du monde et je ne puis partager le point de vue optimiste de Schlumberger qui veut que ce couple ait eu en somme une histoire heureuse et qui reproche à Gide d'avoir en quelque sorte calomnié leur bonheur.

Qu'il ait cédé au penchant de dramatiser et d'appuyer sur le trait noir, qu'il ait arrangé les faits en vue de cette dramatisation ne change rien aux données de ce destin d'une âme angélique livrée dès l'enfance au mal incarné dans les êtres qui lui étaient le plus proches, puisqu'elle passe des mains de sa mère, épouse coupable et scandaleuse, à celles de l'adolescent qui s'appelait André Gide.

Et comme je ne l'ai pas connue je ne puis que m'incliner devant ce que rapporte un témoin de la qualité de Jean Schlumberger ; mais n'a-t-il pas minimisé ce que signifie la volonté de retrait, d'effacement d'une femme qui ne vit plus guère auprès de son mari qu'à Cuverville — mais cela ne serait rien : elle qui comme écrivain n'a jamais cessé de le mettre au premier rang (et jusqu'à croire qu'il est notre Gœthe !) se refuse désormais à plus rien lire de Gide (sinon par fragment, dans un numéro de revue, où paraissent *Les Faux Monnayeurs*).

Rien ne montre mieux quelle horreur, mais aussi quelle honte et peut-être quelle terreur d'un scandale public enténébrèrent sa vie de femme. Il me semble qu'ici Schlumberger s'aveugle sur ce qu'il faut bien appeler un martyre, d'autant plus cruel qu'il n'a ni commencement ni fin, qu'il se confond avec tous les instants d'une vie.

La nostalgie, chez Madeleine, de la messe catholique dut être en réalité l'aspiration à ce que lui refusait le protestantisme : la foi dans le pouvoir rédempteur de la souffrance. Que les actes ne servent de rien, qu'André ne pût recevoir aucun bénéfice spirituel de ce qu'elle endurait, et qu'il lui fût interdit de racheter cette âme si engagée dans le mal, le refus de la communion des Saints en un mot, c'était sa foi de protestante, mais tout une part d'elle-même savait qu'elle ne souffrait pas en vain.

Ce qui m'incline à le croire, c'est cet apaisement, à la fin de sa vie, où Schlumberger voit la preuve que les époux avaient retrouvé l'harmonie d'autrefois. Mais pouvait-elle ignorer ce dont tant de revues et de livres se faisaient l'écho et quel vieillard Gide était et se glorifiait d'être ? Comment donc eût-elle pu retrouver la paix ?

Cette paix, est-il téméraire de croire qu'elle l'a recueillie sur ces confins dont je parlais en commençant — où, protestante fidèle à sa confession, elle a tout de même composé le miel qui lui était nécessaire, en ramenant, d'au-delà une frontière indécise, les principes d'une vérité qui ne lui avait pas été enseignée et qu'elle avait découverte ?

Il entre aussi, peut-être, dans cette indulgence qu'elle témoigne finalement au pécheur, une vue moins simple du péché que celle qui est enseignée par les Eglises. Les livres qu'elle a lus, l'atmosphère intellectuelle de Cuverville, tout la préparait à concevoir que le crime qui relève à ce degré de la pathologie n'apparaît pas à l'éternelle Justice sous l'aspect qui le rend si horrible aux théologiens. Son mari lui a semblé un jour avoir le visage d'un criminel et d'un fou, selon ce que rapporte Gide lui-même. Mais il y a là déjà un premier jugement qui appelle, qui exige la circonstance atténuante.

J'imagine assez comment devait apparaître à une créature aussi orientée vers Dieu que notre héroïne le milieu étrange dont son époux était l' « enchanteur ». Je le sais, parce que je n'ai cessé d'y être moi-même attentif et que j'ai tenu à l'occasion un bout de rôle dans ce combat spirituel, dans cette guerre de religion qu'avaient déclenchée les retours à l'Eglise catholique de Dupouey, de Jammes, de Ghéon, de Copeau, de Du Bos, et dont, pour les croyants, le salut d'André Gide était en quelque sorte l'enjeu.

Cette guerre se manifesta avec le plus de violence autour du lit de mort de Jacques Rivière et lorsque Du Bos lança contre Gide la bombe de son *Labyrinthe à claire-voie.*

Nul doute que dans ce combat les catholiques n'aient plus d'une fois choqué, irrité et peut-être détourné Madeleine Gide, si proche de retrouver le chemin de Rome. Une lettre d'elle à Claudel en témoigne, admirable de dignité et de fierté.

Gide, lui, fut trop heureux de pouvoir accuser ses amis ; leur pharisaïsme, « leur apologétique à coup d'ostensoir », l'avait, disait-il, heureusement dégoûté de l'Eglise. Au vrai, il n'eût cédé à rien ni à personne, et il le savait. Je crois au respect infini de Dieu pour la liberté d'une âme : le *non* de Gide avait été dit — ce *non* sur lequel il faudrait un miracle pour que l'âme qui l'a proféré revienne jamais, si ce n'est à la dernière seconde et dans un dernier souffle, parce que « tout est possible à Dieu ».

Peut-être Madeleine Gide fut-elle en revanche écartée par ces catholiques vaticinateurs et qui damnaient si allégrement leur frère. Mais si elle demeurait aux côtés de son mari, chaque fois qu'il était attaqué, elle n'en devait pas moins abhorrer le milieu gidien et les drames qui s'y nouaient. Le plus étrange de ces histoires, c'est l'imbrication des deux amours : on dirait une trouble comédie de Shakespeare où il se découvre à la fin que la princesse était un prince.

Quand deux êtres sont aussi liés que ces deux-là, gardons-nous pourtant d'accabler l'un sous la vertu de l'autre. Madeleine, qui était l'aînée, qui n'avait consenti au mariage qu'à vingt-cinq ans, et après de longs refus, ignorait peut-être à ce moment-là le nom de l'écharde que Gide portait dans sa chair, mais elle savait qu'il existait une écharde et d'avance l'avait acceptée. Elle n'eût pas voulu d'un autre destin ou, pour mieux dire, d'une autre vocation, elle qui jamais n'a dû douter que « la femme fidèle sanctifie l'époux infidèle ». Retranchée dans sa foi, comme Gide dans la sienne, aussi inentamable que lui, aussi obstinée, elle demeurait sur la rive d'où le prodigue s'était éloigné, moins désespérée que pensive : « Toujours je la connus pensive et sérieuse... » J'aime que Jean Delay, dans son livre sur la jeunesse de Gide, cite à propos de Madeleine ce vers de Sainte-Beuve.

Si désarmée, si frêle dans ces remous de passion, dans cet enchevêtrement d'intrigues nouées et dénouées par l'ange du bizarre, elle a été en apparence vaincue et le livre que l'époux survivant lui consacra ressemble à une vengeance non de lui sur elle, mais de l'esprit dont il était possédé, sur la grâce qui régnait dans cette âme sainte. Pourtant je me rappelle ce dernier mot de Gide mourant où je croirai toujours entendre le cri d'une âme qui, à l'extrême bord des ténèbres, s'entend appelée par son nom ; c'est tout ensemble une voix de femme et une voix d'enfant : la voix d'Emmanuèle, d'Alissa, de Madeleine...

. . . .

Je me souviens de ce marais maléfique dans la lande, que nous appelions « le grand marais », au temps de nos vacances d'autrefois. Nous aimions y cueillir des gentianes, de la couleur du ciel d'été. C'est à leur calice pur, balancé au-dessus des eaux fiévreuses, que me fait songer la femme d'André Gide. Je dépose en esprit sur sa tombe un de ces bouquets bleus que je tenais serré dans ma main d'enfant.

Après avoir vécu quelques jours dans la compagnie spirituelle de Madeleine André-Gide, j'ai eu la curiosité de rechercher ce que j'avais écrit au moment de la mort d'André Gide. Voici ces textes, un peu prêcheurs, il me semble — un peu apprêtés, mais je n'ai jamais pu être tout à fait naturel avec lui... Je les donne tels quels.

Si comme l'enseignait M. Singlin à Pascal : « La plus

grande charité envers les morts est de faire ce qu'ils souhaiteraient que nous fissions s'ils étaient encore au monde », nous devons épargner au grand écrivain qui vient de passer à la vie éternelle les flagorneries funèbres. C'est sa gloire que de ne s'être jamais relâché — durant toute une vie — dans son effort pour demeurer sincère envers lui-même. Nous ne maquillerons pas cette dépouille. Et si mauvais chrétien que nous soyons nous-même, c'est en chrétien, comme il l'aurait souhaité et attendu, que nous allons méditer devant son cercueil. Nous ne feindrons pas d'avoir mal compris l'enseignement redoutable de *l'Immoraliste* — redoutable pour lui, mais pour nous aussi dans la mesure où nous l'aurons écouté. Si ce que les chrétiens croient est vrai, Gide sait aujourd'hui ce que chacun de nous saura bientôt. Que sait-il ? Que voit-il ? Quand Lamennais fut mort, son frère erra autour de La Chesnaie en gémissant : « Féli, Féli, où es-tu ? »

Car Gide fut très différent de l'image que beaucoup se faisaient de lui : il fut le contraire d'un esthète, l'écrivain le plus éloigné de « l'art pour l'art », un homme engagé à fond dans une certaine lutte, dans un certain combat, il n'a pas écrit une ligne qui n'ait prétendu servir la cause à laquelle il s'était donné.

Quelle cause ? Elle s'établissait sur deux plans : le plus apparent, le plus scandaleux aux yeux du monde, tendait non pas seulement à excuser, mais à légitimer, et même à recommander un certain amour. Ce ne fut pas le pire : Gide n'a convaincu que ceux qui l'étaient déjà. Je ne crois pas qu'il ait jamais existé de bossu par persuasion. Mais cet enseignement n'était que l'application à son cas particulier d'un parti infiniment plus grave qu'il avait pris, dès sa jeunesse, de rompre avec la loi morale sous son aspect chrétien, telle que les Eglises l'ont enseignée.

L'extrême importance qu'a prise Gide dans notre vie personnelle vient de ce choix en pleine lumière qu'il fit à un moment de sa vie, choix aussi spectaculaire, si j'ose dire, que le pari de Pascal. On ne saurait avoir parié

contre le christianisme avec plus de sang-froid et de rai-
sonnement que Gide, en dépit de ses prudences, de ses
repentirs, de ses brèves reprises. Ce cas est plus rare
qu'on ne pourrait croire. La plupart des hommes choisis-
sent de ne pas choisir. Très peu osent décider que le mal
est le bien et que le bien est le mal. Très peu osent, pour
parler comme Bossuet : « renverser ce tribunal de la
conscience qui condamnait tous les crimes. » Ce qu'a
accompli Gide avec une tranquillité, une sérénité, une joie
à faire peur.

D'où l'aspect luciférien qu'il avait pris aux yeux de ses
amis catholiques. Est-ce un hasard s'il a vécu au centre
d'un furieux combat spirituel ? La conversion de Jammes,
celle de Dupouey qui entraîna le retour à Dieu d'Henri
Ghéon suivi par Jean de Menasce, par Jacques Copeau,
par Charles Du Bos, la correspondance avec Claudel...
Oui, Gide aura vécu dans un remous de grâces acceptées
ou repoussées, et lui-même semblait céder parfois, écrivait les pages de *Numquid et tu* si brûlantes ; mais il avait
tôt fait de se reprendre ; il poursuivait sa route enve-
loppé dans sa grande cape, avec cet air terriblement heureux, préférant sa joie à tout : cette joie qu'il ne distin-
guait presque plus de son plaisir.

Un souci constant de culture et de tenue, un perpétuel
effort, merveilleusement récompensé, pour ennoblir son
type, l'allure noble, aisée, d'un seigneur de grande race le
préservèrent du rôle de l'ilote qu'il a laissé à d'autres
auteurs plus minces, venus après lui. Il faut que nous
vivions à une époque bien inattentive et qui ne saisit plus
la portée des événements, pour que le prix Nobel accordé
à André Gide n'ait pas suscité dans le monde un mouvement de stupeur ou même de terreur.

Oui, le destin de Gide m'a toujours paru tout pénétré de
surnaturel,... comme celui des autres hommes, direz-vous.
Non, pour la plupart, ils sont des pécheurs, de « pauvres
pécheurs ». Gide n'était pas un pauvre pécheur, mais un
étrange pilote, dressé au-dessus d'une génération vouée

« aux erreurs étranges et tristes », et tenant la barre d'une main puissante.

Il se peut que je dramatise ce destin. Peut-être le purgatoire de Gide sera-t-il de découvrir qu'aux yeux de l'Etre infini ce qu'il a écrit n'a que très peu d'importance, beaucoup moins que le plus petit sacrifice consenti par une des nombreuses âmes qui n'ont cessé d'intercéder pour lui, infiniment moins que cette larme qui tremble à jamais sur la joue amaigrie d'Alissa.

Son œuvre littéraire ? Elle demeure une des plus significatives de ce temps. Il faudra étudier à part l'influence de l'esprit critique gidien, incarné dans la *Nouvelle Revue Française*, et la mise en place des vraies valeurs qu'il suscita. Pour moi, *Les Nourritures terrestres, L'Immoraliste, Amyntas* demeureront toujours pénétrés du charme dont les a revêtus la ferveur de ma vingtième année. Mais Gide avec Jean-Jacques, avec Chateaubriand, appartient à cette race d'écrivains dont la vie l'emporte en intérêt sur l'œuvre. A l'opposé, Shakespeare, Racine disparaissent dans le rayonnement des personnages qu'ils ont inventés. Comme *Les Confessions*, comme *Les Mémoires d'outre-tombe*, et pour les mêmes raisons. Il me semble que *Si le grain ne meurt* et que le *Journal* d'André Gide entretiendront longtemps dans la pâte humaine le ferment qu'il avait reçu mission d'y jeter... Pour le mal ? pour le bien ? je n'en déciderai pas : « Tout est grâce. »

Nous ne sommes pas juges de ce que Dieu attend d'une vie et d'un être. Comment croire qu'un Nietzsche, qu'un Gide n'ont pas été voulus tels qu'ils étaient ? Et que se passe-t-il dans ce crépuscule où l'âme, près de se détacher du corps, n'entend ni ne voit plus rien de ce monde ? Durant sa lucide agonie, Gide a peut-être retrouvé les mots qu'il avait écrits autrefois, il n'y a pas si longtemps, dans ce petit livre dédié à Charles Du Bos, *Numquid et tu :* « Seigneur, je viens à vous comme un enfant : comme l'enfant que vous voulez que je devienne, comme l'enfant que devient celui qui s'abandonne à vous. Je résigne tout ce qui faisait mon orgueil et qui près de vous ferait ma honte. J'écoute et vous soumets mon cœur. » L'homme qui reçut un jour l'inspiration de cette prière, peut-être s'en est-il souvenu dans le silence de la dernière heure...

« Les plus avisés de ses admirateurs littéraires se plaisent à oublier que sur cinq ou six points les plus importants de la pensée humaine il est affirmatif et net autant qu'aucun esprit réputé vigoureux et brutal. » Ce mot de Barrès sur Renan, comme il nous éclaire sur André Gide !

Cet esprit qui se voulait « non prévenu » et qui s'y efforça, et qui crut l'être, ne fut, sur l'essentiel, qu'affirmation. Son charme venait de ce contraste : qu'il cédait aisément à vos raisons ! Avec quel feint détachement il vous laissait le dernier mot ! Mais rendu à lui-même, devant la page de son carnet, il réoccupait avec force tous les points sur lesquels il avait paru céder, passait à l'attaque, s'armait de toutes les concessions qu'on avait cru habile de lui faire, les retournait avec une verve feutrée contre vous, ce qui n'eût rien été, mais surtout contre la vérité dont vous vous imaginiez l'avoir convaincu. Le *Journal* n'est fait que de ces solitaires et cruelles représailles aux dépens de l'interlocuteur assez stupide pour avoir cru un seul instant qu'on peut avoir raison contre André Gide.

Charmant, souple, ondoyant, « bénin et gracieux », prompt à s'attendrir, capable d'effusion, pour un rien au bord des larmes, d'un commerce exquis, on ne saurait trop le dire parce que chez aucun autre homme une intelligence si aiguë ne s'allia à ce je ne sais quoi de frémissant, d'ouvert, de livré — oui, mais sous tant de grâce et de charme, une volonté tendue, une dure mâchoire serrée, un état de constante alerte contre toute puissance extérieure menaçante pour son autonomie. Un état d'alerte ? Ce n'est pas assez dire : sous chaque mot qu'il a écrit se poursuit un travail de sape contre la cité ennemie : celle où la nature est combattue, où l'assouvissement des passions s'appelle le mal, où une malédiction particulière pèse sur le plaisir, sur ce qui pour Gide est le plaisir.

Mais cette cité ennemie, c'est tout de même la sienne, celle où le calviniste André Gide est né dans la servitude, celle où, dès sa jeunesse, il a souffert, lui et les millions d'êtres humains sur qui les lois de la cité chrétienne font peser le même interdit.

Il y a un Spartacus dans Gide. Il a été le chef des esclaves révoltés au centre même de l'ordre romain. Mais l'héroïque Spartacus a été abattu, n'ayant résisté que deux années ; André Gide, lui, après un demi-siècle de constantes victoires, jette *Corydon* à la figure des bourgeois, des pasteurs et des prêtres, se glorifie dans son *Journal* de plus d'exploits qu'il n'en a fallu à Oscar Wilde pour connaître la sombre gloire du *hard labour* — et, en échange de tant de provocations, obtient le prix Nobel.

Il n'est pas sûr qu'André Gide n'ait au secret de son cœur subi ce constant bonheur comme une malédiction. La grandeur de Wilde, celle de Verlaine, il savait bien que c'est d'avoir payé dès ici-bas jusqu'à la dernière obole. Je crois qu'à certains moments Gide s'est voulu martyr. Un soir, il y a bien des années, il m'a parlé avec nostalgie de la prison où Gustave Hervé expiait ses opinions antimilitaristes. Et voilà où Gide m'apparaît grand : ce n'est pas un penchant à l'exhibitionnisme sénile qui lui dicte, dans ses derniers « journaux », de dégoûtants aveux ; mais il tenait à témoigner devant le monde qu'il avait commis ces mêmes actes pour lesquels d'autres hommes sont encore condamnés et déshonorés. Jamais la relativité de la morale n'éclate comme dans les conjonctures de cette sorte, lorsque l'étalage d'une action mauvaise ou même horrible répond à une exigence de justice.

Par-delà le bien et le mal, vers la terre promise d'une moralité neuve, Spartacus a entraîné ses troupes d'esclaves qui se croyaient délivrés. En réalité, Gide seul s'est rendu libre ; il a réussi pour lui seul ce prodigieux renversement, mais la race infortunée n'en a eu aucun bénéfice. Tous les dons de l'artiste, la plus haute culture entretenue, enrichie jusqu'à son dernier jour, un art de vivre délicieusement en désaccord avec une société dont il a rejeté toutes les exigences, tous les devoirs, mais dont il ne sut négliger aucune des commodités qu'elle dispense à ses privilégiés, cet art suprême, Gide ne l'a légué à aucun de ses disciples : les épigones de ce prodigieux baladin du monde occidental, observez-les lorsqu'ils étendent sur la place publique la descente de lit râpée de leur alcôve et qu'ils recommencent indéfiniment leur hideux et morne numéro conjugal.

Inimitable Gide ! Avec quelle feintise il sut toujours se débarrasser de ses adversaires pesamment armés ! Comme il eut tôt fait de les abattre les uns après les autres, et ils s'écroulaient dans le fracas de leur cuirasse maurrassienne et de leur armure thomiste, et lui, si leste, dans le pourpoint et sous la cape de Méphistophélès (mais n'était-il pas plutôt Faust déguisé avec les défroques du diable ?) il enjambait leurs corps et courait à ses plaisirs ou à ses lectures.

Virtuose du tirage limité, de l'édition introuvable, de l'insuccès apparent et secrètement cultivé en vue d'une gloire solide, il a su dès le départ jouer sur le petit nombre des lecteurs. C'est qu'en France, pays de la paysannerie et de la boutique, trois mille délicats dispensent la gloire littéraire. Il n'existe plus chez nous de littérature nationale. La *Nouvelle Revue Française,* émanation de Gide, a été le journal officiel de cette élite dispensatrice de la gloire. Gide, par elle, a réglé l'opinion des jeunes hommes que nous étions entre 1910 et 1914. De Théophile Gautier à Bourget et à Henri de Régnier, le nombre des auteurs de toutes les époques qu'il nous faisait jeter par-dessus bord,

cela me paraît incroyable quand j'y songe. Mais comment
n'eussions-nous pas été séduits ? Il est très rare que la
culture et le goût culminent à ce degré dans un même
esprit, d'ailleurs libéré de toute entrave idéologique. J'ai
écrit que Gide comme Jean-Jacques, et comme Chateaubriand, ne survivra que par ceux de ses livres qui traitent
directement de sa propre histoire : *Si le grain ne meurt,
Journal,* parce que c'est lui qui nous intéresse et non ce
qu'il invente. C'était oublier qu'il demeure l'unique sujet
de ses ouvrages d'imagination : *L'Immoraliste,* c'est lui ;
La Porte étroite décrit l'amour de tête sur lequel il a édifié
l'équivoque douloureuse de sa vie. A travers les *Faux
Monnayeurs,* ce ratage, court la veine gorgée de sang du
journal d'Edouard. La présence de Gide dans tout ce
qu'il a écrit assure la pérennité de son œuvre.

Gide virtuose du dialogue : avec ses amis, avec ses
adversaires, avec lui-même, avec le Christ. Le seul de
nos aînés qui ait possédé ce don admirable. Barrès était
retranché : un monstre d'indifférence et d'inattention à
ce qui n'était pas lui-même. Claudel ? le Cervin que l'on
contemple avec amour depuis sa fenêtre ; on ne cause
pas avec le Cervin. Jammes, pétillant d'esprit et merveille
de poésie jaillissante... mais il ne comprenait rien aux
autres. Avec Gide, comme on causait ! ou plutôt comme
on aurait causé ! Malheureusement n'importe quel jeune
homme l'intéressait plus que vous. Je n'ai réellement
joui de son commerce que durant les quelques jours où je
l'ai tenu sous clef à Malagar, et durant deux décades à
Pontigny. Là où il était attaché, il fallait bien qu'il broutât,
mais le diable, c'était précisément de l'attacher.

Le vieil Ariel a été rendu aux éléments et son départ
est une dernière grâce qu'il nous accorde ; elle secoue un
peu notre république assoupie dans les salles de rédaction
de la presse hebdomadaire. « Ah ! que la mort de M. Renan
sera intéressante ! » s'écriait le jeune Barrès, à l'âge de
Roger Nimier. Impertinence qui recouvre le plus bel éloge
qu'un vieil écrivain puisse mériter de ses cadets. La mort

de Gide ne le sépare pas de nous. Ce n'est pas de lui que
l'on pourra écrire, comme de Barrès précisément : « Gide
s'éloigne... »

André Gide s'irritait parfois de sentir autour de lui
tous ces chrétiens à l'affût. Il s'en irritait, en dépit du
plaisir qu'il avait à entrer dans le jeu et à leur donner la
réplique. Mais il attribuait leur acharnement à ce trait de
leur nature : il n'ont de cesse, croyait-il, qu'ils n'aient fait
tomber le plus de gens possible dans leurs filets.

Certains peut-être lui ont-ils, en effet, donné quelques
raisons de se persuader qu'il s'agissait surtout à leurs yeux
d'avoir le dernier mot. J'ai moi-même connu de ces spécialistes de la conversion qui tenaient un carnet de chasse, et
l'on eût dit qu'ils portaient, suspendues autour de leurs
reins, les chevelures des pénitents qu'ils avaient conquis
sur le monde.

Mais si les chrétiens qui couraient sur la piste de Gide
n'avaient obéi qu'à cette manie irritante, ils eussent dû
aussi poursuivre et forcer d'autre gibier. Or nous n'avons
jamais entendu dire que Giraudoux ou que Jules Romains
ou que tout autre libertin de lettres ait été importuné par
les convertisseurs.

Il faut bien admettre que le cas de Gide était particulier : et d'abord c'est lui qui avait commencé — je
veux dire qui avait commencé, étant lui-même né chrétien et fervent, par instaurer un débat où nous le sentions
partagé ; dépris de tout dogme, mais non de l'Ecriture,
détaché du calvinisme natal, mais atteint par l'affirmation
catholique et hésitant à passer outre — conscient de ce
remous de grâce qu'entretenaient autour de lui les
conversions successives de Claudel, de Jammes, de
Dupouey, de Ghéon, de Copeau, de Du Bos, de plusieurs
autres...

Ce mystère de la conversion d'un homme si souvent

renouvelé tout près de lui le concernait, qu'il le voulût ou
non. Il ne le niait pas. *Numquid et tu* témoigne d'un état
passager de ferveur chez ce héros de notre drame spirituel et qui, avant son dernier souffle, n'a pas un instant
quitté la scène.

Cédant et se dérobant tour à tour pour mieux attaquer,
Gide, presque jusqu'à la fin, aura très subtilement tenu
tête à ses amis chrétiens. Il a écrit lui-même, dans *Si le
grain ne meurt,* lorsqu'il évoque son premier embarque-
ment pour l'Afrique : « Je ne dis pas adieu au Christ sans
une sorte de déchirement, de sorte que je doute aujour-
d'hui si je l'ai vraiment quitté. »

Ce déchirement a causé, du point de vue chrétien, sa
faute essentielle. Incapable de renoncer au Christ comme
il l'était de renoncer à lui-même, il lui restait de tirer à lui
chaque parole du Seigneur : ce fut un jeu où il excella.
Son *Retour de l'Enfant prodigue* est, de ce point de vue,
un chef-d'œuvre de gauchissement.

La première lettre que j'aie reçue de lui en avril 1912,
et datée de Florence, est pour protester presque violem-
ment contre cette constatation que j'avais faite, dans je
ne sais quelle revue, que le *Retour de l'Enfant prodigue*
détourne de son sens la parabole évangélique — ce qui
est tellement évident que je me souviens de ma stupeur
lorsque je l'en sentis peiné et blessé : « Si je vous écris,
me mandait-il, c'est pour protester de toutes mes forces
contre ce mot de *sacrilège* que vous employez à propos de
mon *Enfant prodigue* et contre cette accusation d'avoir
dépouillé de son sens divin la parabole de l'Evangile. C'est
avec piété et respect que j'ai écrit ces pages (se peut-il
vraiment que vous les ayez lues ou que les ayant lues vous
n'ayez pas senti la gravité de l'émotion qui me les a
dictées ?). »

On voit ici l'équivoque : comme si la gravité de l'émotion n'aidait pas dans l'*Enfant prodigue* gidien, au gauchissement !

Mais cette protestation même était le signe que le chré-

tien Gide mesurait la gravité de l'accusation portée contre
sa fausse parabole. Du point de vue de la foi, il n'est rien
qui ressemble autant à ce que signifie « péché contre
l'esprit ». Et c'est la vraie raison de l'acharnement que
montrèrent certains de ses amis et d'abord Claudel qui
avait, le premier, foncé sur lui, armé du casque empana-
ché de l'espérance, du tomawhak de la foi et de la hache
à double tranchant de la charité.

Le cas de Gide ne ressemblait à aucun autre : la plupart des chrétiens n'ont jamais dépassé la lettre du caté-
chisme, ils n'ont pas connu Dieu. C'est un mot qui n'a
jamais rien recouvert pour eux. Ils nient, mais ne renient
pas. Le Christ n'a jamais été dans leur vie, comme il le fut
dans celle de Gide, cet ami dont parle Lacordaire : que nous
avons rencontré un jour de notre jeunesse à un tournant
de la route et qui nous a aimés et que nous avons aimé. Ils
ne se sont pas appliqués à lui faire dire ce qu'il n'avait
pas dit avant de se détourner ouvertement de lui. Si l'on
admet que ceux-là seuls seront perdus qui ont délibérément renoncé à Dieu en toute connaissance de cause
et par un choix longuement pesé, je ne crois pas en
avoir jamais rencontré un cas plus saisissant que celui
de Gide.

Il va de soi que dans la perspective chrétienne Dieu
seul est juge des raisons qui ont décidé de l'attitude
gidienne et dont quelques-unes sont sans conteste très
hautes.

Oui, sans doute, mais parlons net : la convoitise de
Gide fut le centre même de son drame. Le combat de Gide
a été celui-là et non un autre : il s'agissait de légitimer une
certaine convoitise. Ce qui non plus n'était pas d'un esprit
vil : Gide exigeait l'accord total avec lui-même et de ne
rien refuser et de ne rien renier des aspirations contra-
dictoires de sa nature profonde. Mais rien ne peut faire
que cette exigence n'aboutisse au renversement in-
expiable : à prétendre que le mal est le bien. C'était là que
tendait cette entreprise où Gide s'était engagé avec le

Retour de l'Enfant prodigue : l'adultération de la Parabole « qui est esprit et vie » l'amenait à une essentielle subversion.

Ici il faudrait insister sur le caractère particulier de Gide. Le Christ dans son enseignement paraît ne s'être jamais inquiété de nos goûts singuliers. Il ne lui importe aucunement de connaître les bizarreries des inclinations. Son exigence, et qui est la même pour tous, c'est que nous soyons purs, que nous renoncions à notre convoitise, *quel qu'en soit l'objet.* La réprobation du monde à l'égard de l'homosexualité est d'ordre social, et n'offre aucun caractère commun avec la condamnation que le Christ porte contre *toutes* les souillures, ni avec la bénédiction dont il recouvre les cœurs qui se sont gardés purs : *Beati mundo corde quoniam ipsi Deum videbunt.* Combien parmi les cœurs purs ont jugulé en eux la tendance que Gide, non content d'excuser, approuve et glorifie ! Au vrai, Gide réclamait une prérogative à l'égard d'un vice particulier.

Me rappelant le mot que Pascal met dans la bouche du Christ : « Je t'aime plus ardemment que tu n'as aimé tes souillures », je songe que Gide a préféré à tout sa souillure, mais en niant d'abord qu'elle fût souillure. Et ici intervient pour le croyant un autre aspect de la destinée gidienne : son aspect angélique.

Pour faire comprendre aux agnostiques l'intérêt pénétré d'angoisse que le cas de Gide inspirait à ses amis chrétiens, je citerai, sans les commenter, trois textes (mais j'en aurais trouvé bien d'autres du même ordre). Les deux premiers sont de Gide lui-même. L'un se trouve au début de la deuxième partie de *Si le grain ne meurt :* « Enfin s'il m'est récemment apparu qu'un acteur important, le Diable, avait bien pu prendre part au drame, je raconterai néanmoins ce drame sans faire intervenir d'abord celui que je n'identifiai que longtemps plus tard. » Et voici l'autre qui est extrait du *Journal des Faux Monnayeurs :* « Et je sens en moi, certains jours, un tel envahissement du mal qu'il me semble déjà que le mauvais prince y procède à un établissement de l'enfer. »

J'emprunte le dernier texte à Julien Green, dans une page toute récente où il décrit le comportement de Gide à son égard : « Depuis mon retour en France, en 1945, je n'eus jamais l'occasion de voir Gide qu'il n'essayât d'une façon ou d'une autre de porter atteinte à ma foi. »

Qu'on me comprenne bien : dans la perspective catholique, il n'est rien là qui doive nous faire désespérer du salut de notre ami dont les raisons ne furent jamais basses et relevaient souvent d'un souci moral sur les points les plus troubles et où l'on s'y fût le moins attendu. C'est ainsi que certains aveux de son dernier *Journal* ne sont là que pour témoigner qu'il a commis les mêmes actes qui déshonorent les autres hommes et qu'il a eu le privilège de n'en être pas atteint : il réclame sa part d'opprobre. Il n'est aucun cas où nous ayons plus de raisons de nous rappeler le précepte : « Ne jugez pas ! » et l'enseignement de saint Jean : que le Seigneur lui-même n'est pas venu pour juger les hommes mais pour les sauver.

Je n'ai cherché ici qu'à éclairer les raisons de cette espèce d'agitation maladroite des amis catholiques d'André Gide, aussi longtemps qu'il a vécu. Non que nous nous sentions moins pécheurs que lui. Mais justement ! Gide ne fut jamais un « pauvre pécheur » : il fut une créature redressée et triomphante, un être de défi.

XIII

Le style et l'homme, à propos des Carnets *d'Henry de Montherlant, témoin à charge contre lui-même. — Le secret de
Montherlant. — Bernanos mobilisé contre lui et contre Massis
par André Rousseaux. — Mes rapports avec Bernanos. —
Bernanos ou la souffrance d'écrire.*

L ES critiques sont quelquefois bien légers. Ces derniers
jours, le hasard et les loisirs de la campagne m'ont
permis de lire certains de leurs propos sur les
Carnets de M. de Montherlant. « Hé quoi ! un écrivain de
cette classe, livrer ainsi ses fonds de tiroir ! » Voilà le
thème de tous ces commentaires. Mais ce qu'ils appellent
« fonds de tiroir » ne serait négligeable que si l'écrivain
l'était aussi. Fussent-ils dénués d'intérêt, ces *Carnets* nous
paraîtraient importants pour cela même. Et que l'auteur
les publie de son vivant, à l'époque de sa carrière la plus
brillante, la plus féconde, est non moins significatif, ou
devrait l'être pour le critique. Le comportement d'un écrivain à l'égard de son œuvre, le soin qu'il a de l'administrer,
d'en tirer à ciel ouvert et sans vergogne tous les profits
dans tous les ordres, mais surtout l'espèce d'image qu'il
prétend laisser de lui en livrant ses carnets intimes à un
monde contre lequel il ne se lasse pas de déchaîner une
puissance inégalable de mépris, nous pourrions partir de

là pour nous efforcer de découvrir l'homme à travers cette œuvre qui n'est qu'un masque mal attaché.

Ce n'est pas mon dessein. Passé un certain cap, les auteurs ne se mangent plus entre eux, pas plus d'ailleurs qu'ils ne se font de grâces. Chacun occupe déjà ou croit occuper son chapitre. On ne s'interpelle pas d'un chapitre à l'autre. Si l'un d'eux aboyait tout à coup, toute la meute donnerait de la voix. Quel hourvari ! Il n'empêche qu'un auteur en sait sur un autre infiniment plus que le critique le plus délié. Rien n'égale ce jugement qui passe par nous-même et qui débouche chez le voisin : c'est la critique des créateurs — mais la loi de la jungle en interdit l'usage.

De ce confrère-ci, moins que d'aucun autre, je ne saurais parler calmement. Je confesse ne pas avoir lu sans une amère émotion, dans ces *Carnets* qu'il publie, la lettre que j'adressais au jeune auteur de *La Relève du matin.* Ce petit livre m'avait bouleversé. Montherlant, Malraux, que j'aurai aimé les premiers feux de vos aurores ! D'une autre aurore aussi : quand vous n'étiez encore que des enfants, je me revois lisant cette préface à *Sésame et les lys,* d'un certain Proust dont je ne savais rien. Et dès lors, j'allai interrogeant avidement ceux qui le connaissaient. Une dame, je m'en souviens, me parla du « petit Proust ».

Pour en revenir aux *Carnets* de M. de Montherlant, je me doutais bien de ce que j'y trouverais, en mettant tout au pire, à quoi aucun critique ne faisait allusion (ils s'en moquent bien !) — ce que j'y ai trouvé en effet : un style qui, s'il est « l'homme même », nous place d'emblée au centre du problème que nous posent cette œuvre et cette vie. Car une contradiction apparaît au premier regard entre le personnage, qui occupe le devant de la scène littéraire depuis trente-cinq ans, et cette écriture jaillie, à travers trois siècles, de la profonde nappe classique, sans qu'il y ait jamais pastiche, l'écriture la plus aisée, la plus négligée, la plus libre, aux antipodes d'un style étudié et concerté, comme ceux de Gide ou de Valéry, ou d'un instrument approprié à un usage très singulier, comme est le style de Proust — une écriture qui, pour le naturel, ne saurait être rapprochée que de celle de Colette, avec la différence que Colette, le nez collé à la terre, c'est peu de dire qu'elle ne quitte jamais la nature d'un pas ; Montherlant, lui, n'a jamais quitté ses livres de classe ; il ne s'est jamais interrompu de jouer au Romain : ce qui, à chaque instant, le met en péril d'enflure, mais pas dans ses *Carnets,* précisément !

Voici l'homme dont je me garderai de qualifier certaines attitudes, tel qu'il se livre au jour le jour depuis des années, et voici le style admirable qui est lui et qui n'est pas lui. Jamais il ne fut plus vrai que « je est un autre ». Dans ce procès que nous ne cessons d'instaurer contre Montherlant (et moi, je dois le dire, à l'occasion au moins de deux de ses œuvres : *Les Jeunes Filles* et *Le Solstice de juin,* avec indignation et fureur), dans ce procès, Montherlant, lorsqu'il se manifeste sans l'intermédiaire d'aucun personnage, comme dans ses *Carnets,* devient le témoin à charge contre lui-même, le plus implacable — il faudrait dire : le plus insinuant, le plus venimeux (ceci, par exemple : « Le secret que gardent sur nous des êtres nous maintient à la surface d'un abîme. Nous vivons à la merci des silences. »)

Mais devant cet accusateur se dresse un témoin à décharge qui tient tête au Manfred, dont on s'efforce de nous imposer l'image. Quel témoin ? Le style — et qui n'a pas changé depuis le premier jour : un certain ton familier et noble, une voix tantôt adolescente et tantôt mâle. Je l'entends retentir encore dans les *Carnets,* et même quand ce qu'elle proclame est horrible à mes oreilles, je la reconnais pour l'une des deux voix alternées du *Dialogue avec Gérard.* Je n'ai jamais relu ce dernier chapitre de *La Relève du matin,* mais je ne l'ai non plus jamais oublié. « Je crois au sérieux de la vie. » C'était la dernière réplique. Elle court encore à travers les éclats de ce don Juan qui n'a pas fini de tuer le Commandeur, car le

Commandeur, c'est lui-même. J'ai souvent dit de Montherlant, dans mes colères : « Rien n'est authentique en lui que le style. » C'était m'inscrire en faux contre la condamnation que je portais, car le style authentifie une œuvre et, à travers l'œuvre, une destinée.

Qu'y a-t-il eu ? Que s'est-il passé ? tant d'heur et tant de gloire impliquent un obscur naufrage, non pas au sens où toute vie, même triomphante, est une partie d'avance perdue. Comment définir ce que je ressens devant cette œuvre ? Un grand artiste, et qui ne peut rien dire que dans un style inimitable, débite autre chose que ce qu'il était venu pour nous dire et qui se manifestait dans ses livres d'avant *Les Jeunes Filles*. Certes, il a été lui-même dès le commencement ; il avait choisi dès le départ de ne jamais dire non à aucun désir. Mais il discernait dans chaque désir une exigence infinie. « Notre désir est sans remède », il a inscrit cette sentence de sainte Thérèse en exergue d'un de ses livres. Je retrouve dans mes notes des mots de lui — les récrirait-il aujourd'hui ? Par exemple : « C'est l'âme, plus que le corps, qui désire les corps. » Et ceci : « S'éveiller une nuit contre cette poitrine et entre ces bras et apprendre, l'ayant oublié dans le sommeil, que cet être qui est digne de notre jouissance n'est pas digne de notre tendresse, et l'étreindre avec des gémissements. »

J'ai longtemps pensé que Gide et Montherlant (qui, je crois bien, ne pouvaient se souffrir) détenaient en commun ce trait redoutable, pour qui juge du point de vue chrétien, d'avoir délibérément parié contre Dieu, à un moment de leur vie — ce qui n'est pas si courant qu'on imagine : la plupart des hommes n'ont jamais connu ce Dieu auquel ils croient renoncer. Mais je me trompais : Gide, petit huguenot fervent, a été réellement du Christ et, pour contenter sa passion, il aura dû s'arracher de lui. Autant que nous en puissions juger du dehors, il ne semble pas que Montherlant ait jamais été le jeune homme que le Seigneur regarde de ce Regard qui oblige l'évangéliste à ajouter : « Et il l'aima. » Il protesterait peut-être et je m'excuse si je me trompe. Je m'en rapporte à ce qu'il écrivait du temps qu'il jouait encore au football, dans la cour d'un collège catholique. Il parle quelque part de son « catholicisme à l'italienne ». Je doute qu'il soit jamais allé au-delà. Quand il dit : Rome, le Vatican se confond pour lui avec le Palatin. Je me souviens, je crois que c'est au début du *Songe*, de propos, pour moi scandaleux, que lui inspirait un crucifix qui dominait sa table de travail. Au vrai, ce garçon épris de la beauté des corps, comment eût-il aimé ce Dieu dont Pascal disait qu'il aime tant les corps qui souffrent qu'il a choisi pour lui le corps le plus accablé de souffrance qui ait jamais été au monde ?

Le choix de Montherlant s'est fait à l'intérieur du paganisme. L'alternance qui règle sa vie ne joua jamais pour lui qu'entre deux pôles que la croix ne domine pas : il a entendu la leçon des grands Anciens, mais d'autres, qui n'étaient pas grands, ont trouvé le chemin de son cœur. Il y a du stoïque en lui à ses heures les plus hautes, mais on dirait que ce qui l'attire ce sont les bas-fonds humains où nous entraîne Suétone, et ce que Tacite rapporte avec une horreur froide. C'est trop peu de dire que Néron même ne lui paraît pas repoussant. Il se défend mal de chérir l'homme qui, ayant détenu le pouvoir d'atteindre l'extrémité de son désir, y court et expire dans des latrines avec, auprès de lui, un dernier petit esclave demeuré fidèle.

Le risque de l'alternance est de n'être plus, pour finir, qu'un balancement entre la satiété et la faim, jusqu'à ce que mort s'ensuive, fût-ce une mort ignominieuse.

Cet écrivain, chez qui le mépris ressemble à une passion qu'il ne se fatigue pas d'assouvir, est plein de révérence pour ce qui dépasse le mépris. Et que jamais, à aucun moment, il ne retourne contre lui le don qu'il a de mépriser avec magnificence, montre assez qu'il ne fut jamais chrétien autrement qu'à « l'italienne » (je lui laisse la responsabilité de cette expression). « Il faut aller jusqu'à l'horreur quand on se connaît », ce mot de Bossuet au maréchal de Bellefonds ne concerne pas M. de Montherlant, qui ne va jusqu'à l'horreur que parce qu'il connaît les autres.

Peut-être à un moment de sa vie sut-il s'établir dans cette Rome idéale, où c'est toujours César que la tiare couronne. Peut-être réussit-il à maintenir un équilibre entre l'exigence de frugalité d'un être noble et l'assouvissement de la convoitise. Pour s'en assurer, il suffirait de relire *Les Olympiques, Le Paradis à l'ombre des épées.* Mais ce ne fut qu'un instant. Que vaut une morale, comme celle du stade, qui ne concerne que l'adolescence ? Montherlant commence à découvrir ce que j'ai des raisons de mieux savoir que lui : la vie n'est pas courte ; et si elle existe, cette vérité à laquelle Platon veut que nous allions avec toute notre âme, elle ne saurait être celle d'un moment de la vie : nous devons la retrouver fidèle auprès de nous, lorsque tous nous ont quittés.

Nous sommes ce que nous faisons, nos actes seuls nous définissent : c'est ce qui s'enseigne aujourd'hui. Mais nous sommes aussi ce que nous aurions pu être, nous sommes ce que nous pourrions devenir. Cette assurance qu'a le chrétien l'aide à mieux comprendre, il me semble, le personnage qui s'appelle Henry de Montherlant, dont le jeu fut toujours à la fois d'exaspérer le monde et de s'imposer au monde. Il y a un certain nombre de choses qu'un écrivain est venu pour dire et qu'il est obligé de dire, même s'il a choisi de tout sacrifier à ce qu'il désire. Quelque parti qu'il prenne, s'il a reçu mission de dire des choses nobles, il s'en délivrera, coûte que coûte, avec la voix qui lui a été donnée pour cela et pour rien d'autre ; mais il y a une fêlure dans le métal...

Je m'interromps, ne voulant point entrer dans des jugements d'ordre littéraire. J'étais parti pour dire que les *Carnets* de M. de Montherlant méritent plus de considération que la critique, en général, ne leur en a accordée ; et voici que, malgré moi, j'aurai livré quelques-unes de mes

pensées sur cet écrivain, applaudi et décrié, à la fois si
triomphant et si méconnu, et qui touche au déclin, et qui
a écrit un jour ce demi-blasphème (s'en souvient-il ?) :
« Si peu qu'il représente d'espérance, ne gâchons pas
Dieu. »

En marge des *Carnets* de Montherlant, André Rousseaux
dans sa dernière chronique, inscrit deux jugements très
durs de Bernanos, l'un sur Montherlant, qui nous retien-
dra peu : comment ces deux hommes se fussent-ils compris ? — l'autre sur Henri Massis ; et ici le doigt du critique appuie sur une de ces blessures qui ne se cicatrisent
pas ; car Massis fut l'un des premiers compagnons de
Bernanos écrivain et, avec Robert Vallery-Radot, il a aidé
à la révélation de *Sous le soleil de Satan*. Ce qui plus
tard a séparé les deux amis, ce qui a entraîné Bernanos a
tenir les propos cruels rapportés par André Rousseaux, il
appartient à Massis lui-même de nous le dire, s'il le croit
nécessaire, et s'il ne l'a déjà fait.

Mais cette mobilisation de Bernanos, maintenant qu'il
n'est plus là, nous concerne tous, nous surtout qui demeurons dans la confuse mêlée où, sans le remplacer, nous
lui survivons. Il n'en est guère, parmi ses maîtres et ses
camarades, contre lesquels, à certaines heures, Bernanos ne
se soit retourné avec une sorte de fureur inspirée. Qui
n'a-t-il tour à tour adoré et brûlé ? Maurras, Daudet,
Claudel, Maritain, tant d'autres ! Et moi-même... Et Dieu
sait de quels sarcasmes il accablait de plus obscurs !

Que nous importe ce qu'il a dit de nous, qui avançons
vers la mort et vers son silence dans une rumeur ininterrompue de louanges et d'insultes ? N'y sommes-nous donc
pas encore devenus indifférents ? Non, nous ne le sommes
pas à ce qui vient de Bernanos. Après sa mort, l'auteur
des *Dialogues des carmélites* n'est pas *resté*, comme on
dit que sont *restés* Valéry ou Proust. De cette vie souffrante, de cette œuvre trouble et qui fulgure, vient un

appel adressé à chacun de nous, ses frères dans la foi — appel qui ne relève ni de la littérature ni de la politique, et monte d'infiniment plus profond que toutes les querelles d'une génération déjà aux trois quarts engloutie.

Aucun de ceux que Bernanos a outragés (du moins parmi les chrétiens) ne lui en a, à ma connaissance, gardé rancune, comme si chacun était seul à connaître les liens très secrets qui l'unissent à lui. Et je ne crois pas qu'un seul s'inscrive en faux contre la raison que j'en ose livrer ici : c'est que nos rapports avec Bernanos sont de l'ordre de l'intercession.

Si donc nous nous croyons en droit d'invoquer son jugement contre l'un de ses frères (et c'est un acte spirituellement grave), il conviendrait d'abord de nous assurer qu'il s'agit bien d'une pensée critique, sereinement exprimée, et non d'un accès de cette rage amère qui le saisit parfois. Et notre méfiance devrait redoubler dès que nous nous penchons sur le ressac de la pensée bernanosienne, autour de Maurras et de l'Action française — ressac d'une passion divisée contre elle-même.

Or ce propos contre Massis, qui apparaît à André Rousseaux comme « une page de critique souveraine », je n'y vois rien quant à moi qui convienne à l'auteur de *La Défense de l'Occident*, que je connais bien, comme nous connaissons un adversaire de toute la vie — un adversaire, non un ennemi — avec lequel, durant trente années, nous nous sommes trouvé face à face. Henri Massis, selon Bernanos, se serait épousé lui-même au sortir de l'enfance « sous les espèces de Pascal, ou tout au moins de quelque bourgeois notable de Port-Royal, comme M. de Montherlant s'est collé, au même âge, avec un grand seigneur anarchisant et misogyne qui peut-être empruntait le visage et les manières de son premier confesseur jésuite. C'est moi qui suis fou de penser à ces couples bizarres comme à des êtres uniques, fou de crier à l'imposture en face de malheureux qui, nés plus ou moins dépourvus de sincérité profonde, se sont travaillés vingt ans pour s'en faire une, par le truchement d'un personnage imaginaire ».

S'il est vrai (d'une vérité d'ailleurs superficielle et qui ne suffit certes pas à nous introduire dans le secret de l'homme et de l'écrivain) que Montherlant s'est appliqué à ennoblir son type, à le modeler sur des figures romaines ou espagnoles, Henri Massis, en revanche, écrivain d'idées, n'a jamais manifesté des préoccupations de cet ordre ; ou s'il en a eu, ce ne fut pas le trait dominant de ce maurrassien catholique, engagé dans un débat intellectuel qui était devenu un conflit d'amitiés.

Maurras, Maritain, Bernanos prêtaient leurs visages à des doctrines. Par un mouvement inverse de celui qui entraînait Bernanos à dépasser le réalisme politique de l'Action française, ce catholique s'est battu, lui, toute sa vie, au cœur même du maurrassisme, pour y intégrer sa foi et pour l'y maintenir, même quand Rome fulminait.

Aussi longtemps qu'aura duré la lutte, je me serai tenu dans le camp opposé à celui de Massis, Dieu le sait ! Mais enfin, après toutes ces sombres années, le combat s'est déplacé et Massis, je le vois immobile à la même place du champ de bataille maintenant presque désert, dans les ténèbres commençantes, debout près de la tombe de son maître vaincu.

Fidélité, c'est le mot qu'aujourd'hui je choisirais si j'étais condamné à n'en retenir qu'un seul. Et certes, on peut l'entendre dans des sens différents. C'est par fidélité au Christ que Bernanos se dressa contre le catholicisme sans le Christ de son premier maître. Et pourtant, si elle est authentique, la parole de Maurras mourant que rapportait le duc de Lévis Mirepoix dans son discours de réception à l'Académie française, s'il a vraiment prononcé ce mot, le plus beau que l'approche de l'éternité ait jamais inspiré à un homme aux oreilles fermées depuis l'enfance (je cite de mémoire) : « Pour la première fois j'entends venir quelqu'un... », si c'est là vraiment l'une des dernières paroles du maître de l'Action française, Henri Massis, qui aura monté jusqu'au bout sa garde fidèle, s'en trouve lui aussi justifié.

Les invectives les plus sanglantes de Bernanos demeurent liées à une nappe souterraine de charité qui a baigné et embrasé toute sa vie. Aussi faut-il nous garder de les isoler, de les séparer de ce secret contexte ; lui-même d'ailleurs ne l'a jamais fait. Sur ce point, il ne s'est embarrassé d'aucune contradiction. En ce qui me concerne, je ne sais plus de laquelle des années 30 date une page assez atroce sur mon œuvre, comparée à une cave aux murs suintant d'angoisse. Durant toute cette période, pourtant, je recevais de beaux exemplaires de ses livres, avec des dédicaces dont certaines survolent la simple camaraderie littéraire, comme celle-ci, sur la page de garde des *Grands Cimetières sous la lune :* « Ce livre ne peut passer que par la brèche que vous avez ouverte si courageusement et si noblement. Puissiez-vous ne pas le trouver trop indigne de vous ! De toute mon admiration et de tout mon cœur. »

Les coups qu'il a pu me porter, il m'en a consolé à son retour du Brésil par ce témoignage que je veux fixer ici et où s'exprime, j'en ai la certitude, sa dernière pensée sur moi, s'il est vrai, comme un témoin me l'a écrit, que durant ses derniers jours il a, dans le même esprit, prononcé mon nom : « ... Il me semble que beaucoup de choses s'éclairciraient entre nous si nous nous connaissions mieux. Mais il me semble aussi qu'en dépit de tout ce qui nous rapproche, nos jeunesses se sont, il y a bien longtemps, orientées vers la vie de manières trop différentes pour que nous nous comprenions jamais entièrement, même quand nous sommes d'accord sur le fond. Je sais pourtant par expérience combien de fois votre grand nom est prononcé avec le mien par beaucoup d'amis d'outre-mer qui savent peut-être mieux que nous ce que nous sommes l'un à l'autre. C'est dans leurs cœurs que nous nous trouvons donc unis, en attendant de l'être un jour dans la douce pitié de Dieu comme dans un éternel matin. »

Je nie que la vanité entre pour si peu que ce soit dans

la citation que je fais de ce texte. Mais si la liberté de
la critique ne doit en aucun cas être mise en cause, les
écrivains, quand leur journée touche au déclin, ont le
devoir de rendre manifeste cette fraternité qui les unit
« dans la douce pitié de Dieu », quoi qu'ils aient pu dire et
écrire les uns des autres.

La comédie littéraire, dont les figurants font pitié à
André Rousseaux, cette comédie a un envers qui n'est pas
comique. De Gide mourant et qui s'éloigne avec son secret,
à Maurras qui entend retentir tout à coup les pas de Dieu
— de la couche où Bernanos entre dans le mystère de la
sainte agonie, à celle où Claudel, qu'il a chargé de tant
de louanges et d'outrages, supplie qu'on le laisse mourir
en paix, l'invisible grâce circule sans fin, nous unissant
tous, nous qui, selon nos pauvres forces, aurons tout de
même dressé notre œuvre à la face du ciel, et non pas seulement avec des mots. On peut se moquer, mais nous
savons, nous, qu'il s'agit bien d'un holocauste. Bernanos le
savait aussi, lui dont la plainte souvent s'élève lorsqu'il
s'épuise sur l'histoire qu'il doit arracher de son cœur. Je
doute qu'il eût jamais parlé avec mépris des vingt-huit
volumes de Montherlant, même si, comme André Rousseaux, qui a l'oreille fine, il avait entendu venir de ce
côté-là « un bruit d'éboulis », car rien ne s'écroule qui
d'abord n'existe, et le néant seul est à l'abri de la destruction.

Toute œuvre humaine est menacée, aucune ne subsis-
tera intacte et toutes finalement périront. Mais j'ai vu à
Olympie de grandes colonnes couchées dans l'herbe, et
elles chantaient encore la gloire de l'inconnu qui, il y a
vingt-sept siècles, les avait dressées vers les dieux.

Non, Georges Bernanos n'aurait jamais parlé à la légère
d'une œuvre, lui qui ne ménageait guère les personnes :

c'est qu'il savait ce qu'il en coûte d'en écrire une. Entendons-nous : un livre, beaucoup de livres ne font pas une œuvre, et le talent tout seul n'en décide pas. A quel signe la reconnaître ? Quelle est la marque de son authenticité ? Peut-être cet effort, le même chez les auteurs les plus différents, pour démêler, à travers la fiction, un écheveau très secret en eux, dont la plupart des hommes n'ont en ce qui les concerne aucun souci, ni même aucune conscience. « Mon étrange cœur... », disait Maurice de Guérin. Mais quel cœur n'est étrange ? Et que celui de Bernanos l'était ! Ce prêtre en lui, qui ne ressemblait à aucun prêtre de la vie réelle, et plus vivant qu'aucun d'eux, ce sacerdoce qu'il n'a pu manifester que fictivement et qu'à la lettre il a rêvé...

Ce qu'il en coûte d'être un écrivain ? On peut sourire. Et il est vrai que les romantiques ont rendu ridicule cette prétention du poète-pélican qui se frappe le cœur de l'aile et qui donne à de petits ingrats ses entrailles en pâture. Le romantisme mettait à ce propos la société en accusation. Nous ne croyons plus aujourd'hui qu'elle ait à se soucier du poète en tant que tel (ou du romancier : je les ai toujours confondus). Le sort du poète le concerne seul et le secours ne lui peut venir de nulle part.

Le romancier n'œuvre pas, comme le critique, à partir de ce qu'ont fait les autres. Cette tapisserie qu'il tisse, le fil en est tiré du plus secret de son être, même si aucune des figures qui y surgissent ne lui ressemble. A ce travail en lui, à cette obscure métamorphose correspond un tourment, qui diffère d'un auteur à l'autre, mais qui, chez Bernanos, aura atteint une virulence singulière. Qu'il a souffert ! Je veux dire : qu'il a souffert en tant qu'écrivain ! Que l'acte d'écrire lui aura été cruel !

Nous le savons mieux aujourd'hui, grâce à Albert Béguin, qui vient de nous quitter. Il avait publié, naguère, en marge de la seule édition correcte qui existe de *Monsieur Ouine*, le dernier livre paru de Bernanos (*Club des Libraires de France*), la très curieuse histoire de ce roman.

Histoire exemplaire : le sinistre M. Ouine a appelé, sur le manuscrit auquel il doit d'exister, une sorte de malédiction continue. Mais l'angoisse dans laquelle il aura été créé ne nous paraît pas étrange, à nous qui écrivons. Albert Béguin nous montre Bernanos soumis à une épreuve de l'ordre le plus physique et qui nous est familière. Ah ! certes, nous le reconnaissons, ce cri d'une de ses lettres : « Mon vieux, j'ai essayé depuis quinze jours de rattraper le temps perdu, de travailler à mon nouveau livre du matin au soir. Mais j'écris dans un noir opaque ; moins que jamais je suis capable de juger ce que je fais, avec tant de peine ! » Et une autre fois : « Je mijote des heures au fond de cafés ténébreux, choisis comme tels et où il est absolument impossible de rester cinq minutes sans rien faire, sous peine de crever d'ennui. Mais quand j'ai raturé, déchiré, recopié, puis gratté chaque phrase au papier de verre, je compte que ma moyenne est d'une page et demie par jour... »

Chacun de nous se retrouve ici. Certes les habitudes, les manies diffèrent selon les races d'esprits. Un écrivain, bête en gésine, a son lieu propice pour mettre bas : à Bernanos convenait une salle d'estaminet, un café plein de chiures. Comment peut-on écrire dans un café ? Pour m'y résoudre, il faudrait que je fusse chassé de partout. C'était là pourtant que Bernanos parvenait à couvrir le nombre de pages qu'attendait l'éditeur, car il était payé à la page : donnant, donnant.

Mais où que la parturition s'accomplisse, l'art d'écrire comporte une difficulté, une peine singulière qu'un demi-siècle de pratique pour moi n'a pas réduite. J'en suis venu à ne plus m'asseoir devant ma table de travail, sinon pour faire plaisir à un photographe. C'est sur mes genoux que j'accomplis cette besogne qui ne comporte pas, comme celle du sculpteur et du peintre, une matière à triturer, qui, de l'ouvrier originel, ne laisse rien subsister dans l'homme. Rien ne le défend contre ce songe qu'il tire de lui-même, contre ces monstres qui n'existeront hors de lui que si un lecteur les accueille, consent par son attention à leur donner la vie.

Quel lecteur ? Etre lu et jugé est une épreuve, certes, mais non l'espèce d'épreuve que le public imagine. Ecoutez cet autre cri de Bernanos. Celui-là aussi nous le reconnaissons : « Je ne crois plus en moi, j'ai perdu la foi en moi comme on perd la foi tout court. Voilà. Je suis de raison et de cœur avec n'importe quel imbécile, pourvu qu'il pense ou qu'il écrive du mal de moi. » Nos critiques, même s'ils sont nos ennemis, n'ont pas de meilleur public, ni plus aisément convaincu, que nous-mêmes. Ils ne se doutent pas du mal qu'ils nous font — ni du bien, il est vrai, lorsque leur admiration fuse malgré eux, à travers l'injure.

Il n'empêche que la souffrance d'écrire, chez Georges Bernanos, prend sa source à d'autres profondeurs ; elle ne se confond pas avec la difficulté d'écrire. Le mal tient sans doute aux dures conditions de sa vie, à ce travail qu'il lui fallait mener à contre-courant d'une destinée qui fut à la ressemblance de son caractère : un Bernanos appelle la foudre. Mais il faut aller plus profond. Son tourment essentiel naît de ce qu'il découvre, de ce dont son œuvre l'aide à prendre conscience. Cet homme, qui déborde d'une espérance infinie, semble, à la fin de sa vie, avoir perdu l'espoir, car l'espérance n'est pas l'espoir. Cela éclate dans *Monsieur Ouine*.

Je suis de ceux qu'une première lecture de ce roman, par la faute d'une version incorrecte, avait rebutés. Aujourd'hui que j'ai pu entrer dans cette grande œuvre trouble, elle n'est pas à mes yeux ce qu'elle fut pour Albert Béguin : le chef-d'œuvre de son auteur ; mais elle illustre sombrement, mieux qu'aucun autre roman de Bernanos, quelle aventure spirituelle constituait pour lui l'acte d'écrire. C'était à cet acte que précisément il songeait, lorsqu'il disait : « Toutes les aventures spirituelles sont des calvaires. » La fin risque d'en être sanglante. Georges Bernanos n'est pas sorti vivant de la sienne.

Le romancier, il le définit dans une lettre « un homme qui vit ses rêves, ou qui les revit sans le savoir ». Selon Albert Béguin, Balzac lui-même fut ce rêveur. Je le veux bien ; mais le roman ne s'accomplit et ne se fait chef-d'œuvre que si la fiction se transmue en réalité, au point de nous faire oublier le songe qui l'alimente. Dans *Monsieur Ouine*, nous nous débattons jusqu'à la fin en plein cauchemar, sans y étreindre jamais (moi du moins) des créatures de chair. Il reste qu'avec une accablante puissance l'insoutenable vision s'y manifeste que le chrétien Bernanos avait du monde, au moment où il ne lui restait plus que de passer à la vie éternelle.

Monsieur Ouine s'est d'abord appelé *La Paroisse morte*. A ses heures les plus noires, Georges Bernanos a-t-il vu la France comme un agglomérat de paroisses mortes ? Je me suis demandé parfois comment Péguy, qui a donné sa vie en pleine remontée française, eût réagi à ce dont Bernanos fut le témoin, à la décadence précipitée de l'entre-deux-guerres et à cette descente lugubre qui, depuis la Libération, ne s'est plus un seul jour interrompue.

En fait, *Monsieur Ouine* est l'expression d'une douleur qui dépasse le drame français. Dans un monde où le discernement du mal et du bien semble presque perdu, Georges Bernanos s'est avancé plus loin qu'aucun de nous dans la connaissance de ce qu'est le mal — non pas le péché, mais le mal. « Le Fils de l'homme est venu chercher et sauver ce qui était perdu... » Mais si ce qui était perdu devait le demeurer à jamais ? Si la créature libre de se perdre l'emportait à la fin sur l'éternel amour ? Bernanos, dans *Monsieur Ouine*, se risque à cette pointe extrême que le désespoir bat de sa vague sombre. Il a pu le faire sans défaillir, porté par l'espérance de tous les saints. Mais c'est peut-être d'avoir vu face à face M. Ouine, qu'il est mort.

XIV

Pendant l'occupation, Jean Paulhan m'avait persuadé d'admirer un poème en prose (de M. Francis Ponge, je crois) intitulé *Le Cageot.* Je n'aurais jamais imaginé qu'un objet, le moins caractérisé qui fût, grâce à des mots, parvînt à exister aussi intensément que ce cageot dans sa réalité brute. Je me demande si ce n'est pas de ce cageot que M. Robbe-Grillet, ennemi juré du roman psychologique, a tiré l'idée qu'il se fait du roman futur, où les objets seront là, avant d'être quelque chose, où les choses perdront « leur cœur romantique » et l'univers sa fausse profondeur, où il n'existera plus pour le romancier qu'en surface, où l'adjectif optique, descriptif, remplacera toutes les fausses beautés du vieux style.

Je le veux bien. Je serais prêt à tout accorder. Je regimbe pourtant. C'est que tout cela concerne les écrivains de ma génération. Non que mon jeune confrère veuille leur mort, mais il veut celle du roman dit psychologique et de ce qui en procède.

Il n'est pas méchant, il n'a jamais essayé de régler le compte de personne, ainsi que fit pour moi, à la veille de la guerre, Jean-Paul Sartre, avec une violence dont je ne lui ai jamais su mauvais gré. Car j'appartiens à cette espèce de moribonds que l'extrême-onction ressuscite. Je dus à cette agression juvénile d'avoir donné plus de soin à mon ouvrage d'alors, et *La Pharisienne* est de tous mes livres celui où la hâte se sent le moins. Et comme il fut aussi le mieux compris des protestants et singulièrement en Suède, je suis peut-être, pour une petite part, rede- vable de mon prix Nobel à l'auteur de *La Putain respectueuse*.

J'essaie donc d'oublier que je suis peu ou prou engagé dans cette bagarre. Je cherche ce qui en moi résiste aux raisons que M. Robbe-Grillet me donne et qui ne soit pas inspiré par l'instinct de conservation. Je dresse l'oreille, mais sans hostilité, quand ce jeune confrère recommence son cours de technique romanesque, comme il le fait encore dans la dernière *N. R. F.*

Cette fois, avant même d'en avoir déchiffré le premier mot, j'ai pourtant senti mon poil se hérisser. M. Robbe- Grillet a froidement épinglé en tête de son étude cette épigraphe signée Nathalie Sarraute : « Le roman que seul l'attachement obstiné à des techniques périmées fait pas- ser pour un art mineur... » Grands dieux ! existe-t-il au monde un idiot pour croire que le genre littéraire illustré par Cervantès et par Tolstoï, par Dostoïevski et par Dickens, par Balzac et par Proust, est un art mineur ? Un doute me vient : le mépris que mon jeune confrère voue aux anciennes techniques s'étendrait-il aux fictions que l'Occident leur doit ? Se pourrait-il qu'il se trouvât un romancier pour n'accorder aucune réalité à Natacha Rostov, à Lucien de Rubempré ou à David Copperfield sous le prétexte qu'ils sont nés d'une pensée et d'un cœur de chair, créés à l'image de leur créateur, et qu'ils vivent tels qu'ils ont été pensés et rêvés par lui, au milieu de paysages qui sont des « états de l'âme » ?

Mais le cageot est aussi un état d'âme, comme le sont les pommes de Cézanne ou cette chaise de cuisine peinte

par Van Gogh dans sa chambre misérable et cette paire
de « croquenots ». A travers les sons, les couleurs, les
mots, l'œuvre, c'est toujours quelqu'un qui parle à quelqu'un — c'est toujours quelqu'un qui parle de lui-même à
un autre.

Je ne défends pas une technique. D'une certaine
manière, je suis l'ennemi de toutes. Dans les arts non plas-
tiques, toutes les techniques, dès qu'elles sont décelées,
définies, imitées consciemment ou non, deviennent fausses.
Tel est le mystère de la technique romanesque : elle doit
rester le secret de celui qui l'invente et elle ne peut servir
qu'une fois. Je doute qu'aucun des maîtres venus avant
nous ait eu conscience d'avoir une manière, des procédés ; ceux dont il use et que dans le passé d'autres ont pu
utiliser deviennent les siens parce qu'ils entrent dans la
création d'un style qui, dès qu'il existe, est unique et
irremplaçable.

M. Robbe-Grillet imagine-t-il l'équivalent d' *A la
recherche du temps perdu*, qu'écrirait un théoricien du
roman, entouré de tous les « verboten », de tous les
interdits psychologiques et métaphysiques promulgués par
la technique du cageot ? Le génie romanesque se manifeste dans la découverte d'un monde dont le romancier
détient la clef, mais lui seul a le droit de s'en servir.
L'imitateur, le disciple qui croit dérober à son maître ses
secrets, ou qui les a reçus de lui (M. Robbe-Grillet a-t-il
des disciples ?), aura beau plaire au public, peu de temps
suffit pour qu'il apparaisse que son or est du doublé.

La réaction de M. Robbe-Grillet contre ces mornes
devoirs qui pullulent sur le cadavre du roman psychologique est donc légitime et elle est saine. Mais sa technique
de la surface et sa haine de la profondeur, j'ai grand-peine
à y déceler un enrichissement : les vrais romanciers ne
creusent pas, comme il l'imagine, pour atteindre une
vérité cachée, c'est au contraire la part la plus secrète
de leur être qui remonte à la surface et qui s'incarne dans
leurs créatures. Je doute qu'un bon roman s'obtienne par

la soumission à des règles définies. Le Proust inconnu, s'il existe, en train d'écrire son œuvre, invente en ce moment un langage, crée un style, use souverainement de toutes les libertés, en largeur, hauteur et profondeur, dont ne s'est jamais privé et ne se privera jamais aucun des maîtres de la fiction.

Alphonse Daudet, en écrivant *Jack* et *Le Petit Chose,* croyait être le Dickens français. *Jack* et *Le Petit Chose* ne prouvent pas que la manière de Dickens soit mauvaise ; ils montrent qu'elle ne valait que pour Dickens. Ses procédés ne deviennent procédés que lorsque ce sont les autres qui en usent.

Un auteur vieillissant, s'il s'imite lui-même, tombe au niveau de ses imitateurs, tout grand qu'il a été. Mais je doute si la vraie grandeur a jamais connu cette déchéance et si, chez un romancier, elle n'est pas le signe qu'il n'appartenait pas à la race des dieux.

Ce n'est pas aux idées de M. Robbe-Grillet que j'en ai ; ou du moins, avant même que je songe à les examiner et à les discuter, sa démarche me paraît critiquable qui va de la définition d'une technique à sa stricte application, alors que toute la haute littérature romanesque nous montre des œuvres dont aucune n'a le visage de l'autre parce qu'elles ne sont pas nées de procédés identiques. Si M. Robbe-Grillet écrit un jour de grands livres, ce ne sera pas grâce aux lois qu'il a édictées, mais dans la mesure où il les aura oubliées.

« Poésie et vérité », ces deux termes du titre que Gœthe donne à ses Mémoires, gardons-nous de les opposer ; ils se confondent. Non que la Poésie soit la Vérité au sens

absolu. « Qu'est-ce que la Vérité ? » La question de Pilate
au Christ ici ne comporte pas de réponse. L'œuvre n'existe
que dans la mesure où elle atteint à travers les apparences — ne disons pas : le Vrai, mais du vrai. Quel
truisme ! Oui, bien sûr, et son unique excuse serait d'être
un point de départ pour la pensée. Mais je piétine et ne
sais que répéter : rien ne dure de ce que l'artiste a fixé
par l'écriture, ou sur la toile, si ce qui réellement *est* ne s'y
trouve atteint. Au fond du creuset, tout le reste s'étant
consumé et anéanti, il subsiste cette pierre dure, l'œuvre
vraie, le chef-d'œuvre.

Poète ou romancier, musicien ou peintre, chacun des
grands fore à l'endroit de son destin particulier. Ce qui
jaillit, c'est ce qui ne périra plus, ou plutôt — car tout
périra de ce qui a été écrit et peint — ce qui garde une
chance de durée, parce que « c'est vrai ». *Phèdre* est vraie.
Cette chaise, cette paire de godillots de Van Gogh sont
vrais. Trois mesures de Mozart le sont au-delà de ce que le
cœur peut souffrir. Et c'est bien de la même vérité qu'il
s'agit : de celle dont notre époque a perdu le secret. Du
moins, c'est ainsi que je la vois, cette époque : non
certes une basse époque, mais elle a l'ostentation du rien,
elle est une espèce de parvenue du néant.

« Le beau aujourd'hui en littérature, c'est le vrai »,
écrivait récemment Claude Mauriac dans *Le Figaro*, à
propos du *Traître* d'André Gorz. « Aujourd'hui »
m'étonne, je l'avoue. Que le beau ait toujours été le vrai,
qu'il soit d'une certaine manière « la splendeur du vrai »,
c'est du passé lointain ou proche que nous en recevons
des témoignages nombreux, éclatants, non d'aujourd'hui.
Certes, il faut se garder sur nos jeunes contemporains de
tout jugement que ce soir, que demain l'apparition d'une
grande œuvre pourrait infirmer. Ce que déjà ils ont donné,
peut-être l'évaluons-nous mal. Il ne me plaît nullement
d'être le laudateur aveugle du passé ; mais ce passé est
tout ce qui nous reste, à nous qui en vivons : je nie qu'à
aucun moment de notre histoire l'art ait été mensonge ; il

ne pouvait pas l'être, puisqu'il est authentique ou qu'il
n'est pas. A moins que nous ne décidions que les moyens
de l'art, les procédés d'une technique, les règles reçues à
une époque donnée, sont menteurs par eux-mêmes, qu'ils
suffisent à constituer le mensonge. A mes yeux, ils ont été,
au contraire, la condition d'une avance en profondeur
jamais dépassée ni même égalée.

Pourtant je ne rejette pas tout ce que signifie : « le
beau en littérature aujourd'hui, c'est le vrai... » Il faut
accorder à cette génération qu'elle a opposé un refus
décisif aux mensonges de l'art médiocre, de l'art à
mi-côte qui triomphait naguère. Des auteurs de ma jeunesse qui firent fort honorablement carrière n'iraient pas
loin en 1958. Parfois même les meilleurs... J'ai relu ces
vacances *L'Ennemi des lois* de Barrès (mis en goût par
Un Homme libre qui, l'an dernier, m'avait donné la joie
de le redécouvrir). Cette fois, que cela m'a paru léger !
Qui oserait aujourd'hui toucher à Fourier ou à Saint-
Simon avec si peu de sérieux ! Quel ton suffisant ! Et
que c'est insuffisant ! Que reste-t-il de ce qui nous impres-
sionnait ? Il en faut davantage maintenant, j'en conviens.
On ne peut plus désormais être écrivain et ne rien
comprendre à rien comme c'était courant sur le Boule-
vard au début du siècle. Le règne des philosophes nous
oblige, même nous, les vieux écrivains, à faire un effort
de réflexion. Je me suis accordé à moi-même des louanges
pour l'aisance avec laquelle je viens précisément d'entrer
dans ce *Traître* d'André Gorz qui peut-être me fût tombé
des mains autrefois. Et que j'aurais eu tort ! Nous devenons sérieux sur le tard.

Il n'empêche que l'horreur de l'inauthentique, le parti
pris de se méfier du style et de ses fausses fenêtres, de
s'en tenir au constat de ce qui se sent, se touche, de ce qui
est immédiatement vécu, cette rigueur ne saurait leur
suffire pour atteindre le vrai d'où tout chef-d'œuvre procède, et en fait elle ne leur a pas suffi. C'est ce que
reconnaît Claude Mauriac : il loue chez André Gorz « le

besoin d'aller plus avant dans l'investigation de ce qu'il a ressenti et pensé, d'être toujours plus précis, plus exact, plus vrai, *poussant sa recherche si loin qu'elle se défait en son accomplissement même* ». Notons-le : cette esthétique de l'échec ne s'applique pas, il me semble à ce *Traître,* qui est un journal, l'histoire d'une pensée affrontée aux conditions de vie atroce d'un jeune existentialiste à demi juif, apatride et traqué : un Kafka réincarné, resurgi dans le monde qu'il avait annoncé et décrit. Comme Isaïe a vu, à travers les siècles, la passion du Fils de l'homme, Kafka a vu celle du jeune Gorz qui n'était pas né encore. Mais gardons-nous de juger *Le Traître* ainsi qu'une œuvre détachée de celui qui l'a conçue. Quelqu'un est là « tuant », à force d'intelligence, et nous l'écoutons (il faut bien !) et tant qu'il parle, il ne se défait pas. Et tant qu'il sera vivant, nous l'écouterons parler — lui et les autres qui se racontent, qui se décrivent comme s'ils se voyaient avec des yeux infiniment plus perçants que les nôtres ou plutôt autrement constitués, adaptés à une autre vision.

Il n'existe pas de recours contre eux (du moins pour nous liseurs d'habitude et de profession). Mais au théâtre, dans le roman, et plus encore en poésie, quelles œuvres cette génération, qui croit être la première à confondre le beau avec le vrai, oppose-t-elle aux œuvres du passé ? Qu'est-ce donc qui légitime son complexe de supériorité ? Le fait de « se défaire » témoigne qu'elle échoue là où les grands ont triomphé.

Mais ici je pose la question : peut-être l'œuvre ne se défait-elle finalement que parce que l'homme lui-même s'est défait. Peut-être aucune autre littérature n'est-elle possible désormais que cette analyse anéantissante, telle que la pratiquent un Michel Leiris ou un André Gorz. S'il en est ainsi, rien de solide ne subsiste plus, en dehors des

confessions de cet ordre, que le monde opaque des objets,
et en fait de romans, nous ne devons plus compter que
sur des « robbegrillades ».

Au vrai, je n'en crois rien. L'homme s'affirmera encore
dans l'art et s'y retrouvera. Il est trop tôt pour redevenir
poussière tant que nous sommes vivants. Un jour viendra
— et peut-être est-il déjà venu — où la personne humaine
se recréera dans des œuvres concertées, où l'œuvre trou-
vera de nouveau son accomplissement dans une figure,
dans un regard, dans ce que ce regard et cette figure
expriment et qui est vrai d'une vérité que nous ne retrouvons que si nous partons d'elle et que si nous la possédons
déjà.

« Aboutissant au silence chez Rimbaud, à la page
blanche chez Mallarmé, au cri inarticulé chez Artaud,
l'alittérature en allitérations finit par se fondre chez
Joyce (...). Pour Beckett au contraire, les mots disent tous
la même chose. A la limite c'est en écrivant n'importe
quoi que cet auteur exprime le mieux ce qui lui tient à
cœur (...). Michaux en arrive à voir, comme Beckett, l'irrécusable réalité dans la *paralysie* (...). S'ils ne sont pas
fous comme Artaud, en un certain sens, comme Kafka,
la plupart de nos auteurs miment la folie à l'instar de
Beckett et de Bataille, ou en cherchant, comme Michaux,
des succédanés dans la drogue... »

A tous ces traits fixés par Claude Mauriac dans *L'Alittérature contemporaine*, il faut ajouter cette manifesta-
tion de l'impuissance qu'est l'érotisme : ce chemin mort,
le plus mort de tous les chemins morts où presque tous se
rejoignent.

Que ce soit cela, la vraie littérature, je le veux bien. Ce
n'est pas à moi d'en juger. Je n'ai pas envie de faire rire ;
au reste, des alittérateurs ont toujours régné parmi mes
dieux. Mais je voudrais timidement poser une question :
la drogue, le gâtisme, la folie vraie ou feinte, l'érotisme,

l'impuissance finale, tout cela naît-il du hasard, chez ces bienheureux maudits ? Et si pourtant il existait une cause ? Si avant même de commencer d'écrire ils avaient commis une erreur sur la personne ?

Là-dessus on m'interrompt : « Vous êtes chrétien. D'avance nous savons ce que vous allez dire et qui, pour un agnostique, est sans valeur, n'a pas même de signification. » Que l'âme corresponde pour moi à une réalité, qu'elle soit la réalité essentielle, il est vrai ; mais justement parce que je le crois, je me garde avec soin de cette prévention, pour ne m'en tenir qu'à mon expérience de vieil écrivain accoutumé, depuis l'éveil de sa raison, à interroger les autres et soi-même, et non seulement ses contemporains : les livres nous transmettent des confidences qui ne sont faites qu'à nous, quand l'auteur est de ceux que nous aimons ; ce que Benjamin Constant me dit, tel critique qui le hait ne l'entendra jamais.

Ce n'est pas parce que je suis chrétien que je dénonce chez les alittérateurs une erreur essentielle sur l'homme. Leur haine du psychologique, qu'elle est significative ! Ce n'est pas à une science qu'ils en ont, ni à une méthode, c'est à son objet : leur parti de ne s'en tenir dans l'homme qu'au plus élémentaire et au plus enfoui est une récusation de la personne humaine, telle qu'elle relève de l'expérience, de mon expérience.

Pour s'en tenir à cette part élémentaire et stagnante de l'être, à ce magma, ils ont dû faire violence à la nature telle qu'elle nous est donnée — et que le christianisme éclaire sans doute de la lumière qui lui est propre. Mais hors du cercle de cette lumière, l'homme demeure ce qu'il est. Comment appelez-vous cette force, chez l'athée Sartre, qui le rend indifférent à la carrière dramatique où il aurait pu, comme ailleurs, occuper la première place, et qui le jette dans ce combat douteux qu'il mène solitaire, en marge du parti auquel il ne peut appartenir et dont il ne consent pas à être l'ennemi ? C'est l'éternel : « Je ne puis vivre ni avec toi ni sans toi... », qui n'intéresse pas seulement les passions du cœur — mais qui règle aussi nos rapports avec Dieu et, dans le combat politique, avec les hommes.

Je ne suis pas philosophe. Je souffre de l'être si peu dans le temps où la bataille se livre, plus qu'à toute autre époque, sur un terrain choisi et circonscrit par les philosophes. Mais si peu « penseur » que nous soyons, certaines évidences à la fin de notre vie émergent et s'imposent. Et d'abord, en ce qui me concerne, celle-ci : c'est que ce qui marque les temps forts et les temps faibles d'une destinée, c'est l'accord ou le désaccord avec soi-même. Est-ce à dire qu'il y aurait dans l'homme à l'égard de l'homme une exigence ? Oui, certes, et en dehors de tout christianisme : cette exigence qui, par exemple, oriente l'action d'un Sartre. Partout où respire une créature humaine, fût-elle étrangère à toute métaphysique, il y a aussi une vocation. Ceci me répugne, chez les alittérateurs, même s'ils m'attirent et me séduisent : leur parti pris de ne pas savoir ce qu'en réalité ils veulent, de ne pas vouloir le savoir, ce refus de le chercher, cet acharnement à s'éloigner de ce qu'ils désirent (que c'est frappant chez un Bataille !) ou plutôt à nier cette volonté et ce désir. Et quelle peine ils se donnent pour ne pas en prendre, ou pour en perdre conscience ! Tout ce qui témoignerait qu'ils sont quelqu'un, ils l'écartent, car ce quelqu'un ils l'ont rejeté en même temps que la littérature qui en était l'expression.

Que l'objet de la littérature ne soit pas ce quelqu'un, considéré par vous comme une projection arbitraire de l'esprit sans racines avec le réel, que son domaine propre se confonde avec cette région indéterminée, obscure et fourmillante, où l'être, pris à sa source, n'a subi encore aucune altération, j'y consens et c'est affaire de choix. Mais que nous devions ne plus tenir compte de ce que Pascal (et tant d'autres avant lui et après lui) a baigné d'une admirable lumière, et qu'il faisait tenir dans les cinq mots inscrits sur le papier dont il ne se sépara jamais : *Gran-*

deur de l'âme humaine, que nous devions avoir honte de cet héritage et le jeter par-dessus bord, alors il ne nous reste plus, dans l'excès de notre indignation, que d'appeler à notre secours *Ubu*, cet alittérateur illustre, et que de lui emprunter le maître mot qu'il a eu, le premier, l'inspiration d'écrire en six lettres.

Mais si l'homme en train de se faire, de devenir, ne pouvait être *sans mensonge* immobilisé dans son grouillement originel ? C'est toute la question, et vous l'esquivez. Sans doute, ce que l'homme devient, c'est à vos yeux ce qu'il n'est pas. Le chrétien surtout, le pénitent, qui cherche à se recréer selon un modèle adorable, n'y atteint que par la sainteté : ce qui revient pour vous à se détruire. Je vous laisse le dernier mot : à quoi sert d'opposer une affirmation à une autre ? Mais répondez-moi : n'existe-t-il pas, à la source de ce que vous appelez alittérature, une loi violée, un péché contre l'esprit, non au sens très mystérieux de ce terme dans l'Evangile — je désigne ici un péché contre l'esprit de l'homme tel qu'il est, et tel que vous ne voulez pas qu'il soit, péché sanctionné dès maintenant par l'impuissance et par la folie ?

A cette question, c'est déjà répondre et dans une certaine mesure vous donner raison que de convenir avec l'auteur de *L'Alittérature contemporaine* qu'il n'existe aucune œuvre digne de ce nom qui, peu ou prou, ne soit folle. Notre folie particulière alimente sourdement ce qui naît de nous. C'est ce que signifie le « Madame Bovary, c'est moi » de Flaubert, comme l'affirmation d'André Gide qu'aucune œuvre d'art ne s'accomplit sans la collaboration du démon — de notre démon. Il n'y a pas moins de folie dans *Bajazet* ou dans *Phèdre* que dans *Hamlet* ou dans *Macbeth*. L'armature d'une poétique, si rigide qu'elle soit, n'y change rien. Les vrais grands sont des alittérateurs chez qui l'alittérature a été dominée et vaincue. Un alittérateur insigne comme Marcel Proust tenait par-dessus tout à la gloire d'avoir édifié une œuvre concertée ; il me l'a écrit à moi-même : comme Francis Jammes lui avait suggéré d'enlever je ne sais plus quel mot dans *Swann,* dont s'était offensée l'oreille du vieux faune devenu dévot, Proust me suppliait de lui faire entendre qu'une seule pierre enlevée à sa Cathédrale la détruirait, que sur ce mot de *Swann* qui offensait Jammes s'appuyait un arc-boutant nécessaire à l'équilibre de la flèche du *Temps retrouvé.*

Les alittérateurs qui n'ont pas dominé leur folie, qui n'ont pas dompté la bête, ont finalement été dévorés par elle. Beaucoup ont fait semblant de l'avoir été grâce à un choix délibéré, ou ils s'en sont persuadés eux-mêmes. Le certain, c'est qu'ils ont été crus, et que leur défaite dont ils se sont glorifiés, comme si elle avait été volontaire, est devenue une victoire aux yeux de cette génération — la plus conformiste de toutes celles qu'il m'a été donné d'observer depuis cinquante ans que je regarde couler le fleuve d'encre, et que j'y ajoute.

Leur haine du style, c'est la haine de l'homme qu'ils refusent d'être. Non qu'il n'existe une manière de bien écrire qui est la pire de toutes ; et que le bon style ne soit celui qui ne se voit pas. N'empêche que lorsque tel de nos nouveaux réformateurs décrète, comme je l'ai entendu un jour de mes oreilles, que Claudel est un imbécile et que Colette écrit mal, je rouvre mon La Fontaine en rentrant chez moi et relis *Le Renard ayant la queue coupée :*

> Que faisons-nous, dit-il, de ce poids inutile
> Et qui va balayant tous les sentiers fangeux ?
> Que nous sert cette queue ? Il faut qu'on se la coupe.
> Si l'on me croit, chacun s'y résoudra.

La Fontaine est un auteur à conseiller, en ces temps d'alittérature, plus fou et plus libre qu'aucun de vous, brisant le vers et en jouant avec tant de grâce dans sa folie qu'il n'y paraît pas. Ah ! je ne lutte plus. Je ne me forcerai plus à aimer ce monde d'aujourd'hui, moi qui suis plus mêlé à son histoire sinistre que la plupart de mes cadets. Rien ne peut faire que je n'aie mon âge et que depuis vingt-six ans je ne survive ; selon la nature, j'aurais dû mourir en 1932. Rien ne me plaît plus de cette époque gâteuse et sanglante avec ses techniques ubuesques, ses chambres à torture et ses adultes tellement abrutis par le cinéma qu'ils préfèrent *Tintin* à tout, et que leur journal, sous peine de crever, doit leur raconter l'histoire et la littérature avec des dessins d'enfants, cette époque qui ne fait aucune différence entre le silence de Rimbaud, de Mallarmé, de M. Teste et les cris inarticulés des déments. (C'est sur ce dernier point qu'il aurait fallu, à mon sens, que l'auteur de *L'Alittérature contemporaine* insistât, et qu'il marquât mieux qu'il existe deux alittératures et ce qui les sépare.)

Tout ceci a été annoncé en 1873 par un enfant : « Le malheur a été mon dieu. Je me suis allongé dans la boue. Je me suis séché à l'air du crime et j'ai joué de bons tours à la folie. Et le Printemps m'a apporté l'affreux rire de l'idiot. » Lui, Rimbaud, il savait que ce rire de l'idiot est affreux. Il ne le supportait plus. Il était au moment de ne plus rire, de ne plus parler. Cette pensée lui avait été donnée : « J'ai songé à rechercher la clef du festin ancien. » Et tout à coup ce cri jaillit de lui (oh ! le temps d'un éclair et les ténèbres de nouveau refluèrent) : « *La charité est cette clef.* » Oui, et depuis que ces mots ont été écrits et que Rimbaud a choisi de se taire, sa postérité misérable recherche à tâtons la clef perdue.

XV

Mondor ressuscite Valéry. — La Modification *de Michel Butor.*
— Rigueur de Valéry : son honneur et sa limite. — Son sor-
dide ami Paul Léautaud. — L'homme de lettres voué au
néant. — Léautaud : cynisme apparent, tendresse cachée. —
Le dégoût de la littérature. — N'en plus parler. — Suffit pour
la sexualité de Gide !

REVOICI, grâce aux *propos familiers* retenus et recueillis par Mondor, notre Valéry, et ce bredouillis à la
fin des phrases où se perd quelque merveille, je
l'entends ; et je vois les doigts prestes occupés à ce tour
de force, le plus inutile du monde, puisqu'il se trouve des
débits à tous les coins de rues : rouler une de ces ciga-
rettes où il y a toujours trop de papier et pas assez de
tabac et qui se décollent — et qui l'ont tué. Valéry qui
nous supprimait (ne lisant rien de nous), mais c'était sans
importance parce qu'il supprimait aussi les autres, et Gide
seul en souffrait ; — Valéry qui s'arrête là où pour moi
l'histoire vraie commence. Une de ses dernières paroles
fut : « Je ne regarde que le mur. » Mondor rappelle qu'il
avait écrit ailleurs : « Je ne suis pas tourné du côté du
monde. J'ai le visage vers le mur. Pas un rien de la surface du *mur* qui me soit inconnu. »

Mais il n'aurait pas écrit *La Jeune Parque* si ce mur
n'était qu'un mur. Ce que nous devons accorder à son

refus de ne pas céder à Pascal et de ne pas parier, touchant ce que le mur dissimule, c'est que ce refus procède moins d'un défaut ou d'un vice : l'orgueil dénoncé par tous les sermonnaires, que d'une vertu, du scrupule d'une intelligence éprise de sa propre rigueur.

Comme il se trouve que, non par choix, mais parce qu'une même marée les a jetés sur ma table, je lis, en même temps que les deux livres de Mondor sur Valéry, le roman de Michel Butor, *La Modification,* je songe que cette rigueur de Valéry — elle-même procédant de Mallarmé — a nourri cet art sourcilleux (si j'ose dire) de nos sévères cadets. Et même si Butor ne fait pas grand cas de *La Jeune Parque* (ce que j'ignore), il n'en demeure pas moins que le parti pris de ne rien voir que le mur — et non le mur de la caverne platonicienne, mais celui qui nous est donné *tel quel* — se manifeste également dans les romans de la nouvelle école. Sans doute n'auraient-ils guère séduit Valéry (quel roman l'a jamais séduit ?). Il n'empêche que son exigence essentielle se trouve ici pratiquée dans un genre d'écrit qu'il estimait peu, mais cela ne fait rien à l'affaire. A vingt ans, Valéry écrivait superbement : « Je n'admets rien que ce que je vois. »

Il est vrai pourtant que Valéry avait en horreur les naturalistes et sur ce point rejoignait Claudel : sans doute ne se serait-il guère intéressé aux objets montrés par nos nouveaux auteurs avec une sorte de minutie implacable (j'ouvre au hasard *La Modification* et je lis : « Sur le tapis de fer chauffant, oscille une miette de biscuit au centre de l'un des losanges entre les souliers de la dame en noir », etc.). Au vrai cet art est à l'opposé du naturalisme, avatar du romantisme : Zola cherche des effets : il déforme et noircit. Il truque le réel. Les romanciers d'aujourd'hui ne voient que ce qu'ils voient. Si le réel a une signification elle se dégagera — c'est la part imprévisible de l'art —

celle sans doute que Valéry rejette, lui qui n'admet rien en poésie que de concerté ; et c'est trop peu dire qu'il se méfie de l'inspiration. Mais nos techniciens du nouveau roman, et justement parce qu'ils sont férus de technique, on ne saurait être plus concerté qu'eux ; le parti pris de ne pas dépasser l'objet et de l'exprimer tel qu'il est postule chez eux un vocabulaire rigoureux, un style sans bavure : ce jansénisme de l'expression qui faisait dire à leur chef de file (et c'était à moi, s'il vous plaît, que ce discours s'adressait !) : « Colette écrit mal. »

Et il faudrait ici étudier de près l'étonnant entrelacs des divers voyages Paris-Rome et Rome-Paris qu'a faits le héros de Michel Butor et qui ne se confondent pas : perfection de l'art du contrepoint appliqué au roman. Oui... mais osons tout dire : ce n'est pas toujours drôle.

Il ne faut pas « bien écrire » sous prétexte de suggérer, il faut montrer ce qui est : voilà leur leçon. Ne pas suggérer, mais faire voir ce qui occupe le champ du regard à une heure et à un endroit donnés. Il reste que dans *La Modification* les pensées et les passions du héros, qui ne relèvent pas de ce qui se voit et de ce qui se touche, se déroulent aussi arbitrairement et parfois avec autant de lourdeur que dans un roman de Bourget. Je signale à Michel Butor que Bourget aimait Rome lui aussi et que la Ville éternelle tient dans *Cosmopolis* autant de place que dans *La Modification*. Je lui conseille de l'acheter lors de son prochain voyage pour le lire dans le Paris-Syracuse de 8 h. 10 (abaissons la superbe de ces jeunes gens !). Il reste que ce beau livre marque le passage du laboratoire au public — le produit Robbe-Grillet devient comestible : ce qui aux yeux des purs implique, j'imagine, une déchéance.

Mais revenons à Valéry, à ce que je discerne de commun à ce poète endormi déjà depuis des années et à ces jeunes prosateurs bien vivants : la rigueur de l'esprit. Oui, une vertu ; et c'est à cette lumière que nous comprenons ce dont la pieuse femme du poète tirait quelque réconfort, devant cette mort d'un sage qui se tourne du côté du mur et qui ne prie pas : « Il a tant travaillé ! » Certes ! mais en se refusant toute facilité, en ne cherchant que la perfection. « Soyez parfait comme votre Père céleste est parfait ! » il n'est pas blasphématoire d'étendre la portée de cette exigence du Christ à l'œuvre de l'art humain lorsqu'il s'agit d'un Valéry.

Il n'empêche que cette rigueur fut sa limite et que je préfère l'être qui se jette à l'eau, comme Simon Pierre, pour rejoindre son Dieu, le téméraire qui accepte de risquer, de croire sur une parole et de ne mettre l'infini dans cette parole que parce qu'elle a été prononcée par quelqu'un qu'on aime et non par quelqu'un qui apporte des preuves et montre qu'il a raison. Et je préfère aussi ceux qui se jettent dans l'écriture à tout risque. Et sans doute ceux-là ne rapportent jamais de leurs plongées cette merveille d'une substance dure, incorruptible : *La Jeune Parque* ou *Le Cimetière marin*. Ils font d'autres découvertes. Ah ! on peut rêver indéfiniment sur cette différence essentielle entre les esprits. Comprendre ou aimer ? Il n'y a certes pas contradiction : mais l'amour relaie la connaissance à partir du point où Valéry s'arrête. Il passe à travers les murs comme le Seigneur ressuscité — à travers ce mur contre lequel est venu buter Valéry : et il n'a rien voulu connaître d'autre et il y a appuyé sa face, pour mourir — ce visage noble et spirituel au sens absolu, que Mondor nous a rendu, et qui ne sourit pas, dans ma bibliothèque, sur cette photographie déjà jaunie où Paul Valéry écrivit « à son ami F. M. » :

> Que si j'étais placé devant cette effigie
> Inconnu de moi-même, ignorant de mes traits,
> A tant de plis affreux d'angoisse et d'énergie,
> Je lirais mes tourments et me reconnaîtrais !

15

Nous vivons dans un temps où pour tout connaître d'un homme il n'est pas nécessaire de l'avoir fréquenté. A peine aurai-je en ce monde échangé dix phrases avec Paul Léautaud, mais son *Journal,* ses confessions publiques à la Radio et le personnage que j'apercevais de loin au théâtre me l'ont livré mieux que n'eussent pu le faire les bavardages de la camaraderie ou les confidences de l'amitié. Un homme simple, au fond, et qui, souhaitant que de lui rien ne demeurât caché, n'a guère eu de peine à tout livrer, bien différent de Gide en cela ; car Gide, lui, jusqu'à la mort, et par-delà la mort, n'a pas fini de nous surprendre et de nous scandaliser. Je pense à ce dernier carnet intime, celui qui a trait à sa vie conjugale, et qui nous a fait paraître presque anodins ses pires aveux.

Comme il y a des faux dévots qui, à force de faire les gestes de la dévotion, finissent par en éprouver les sentiments, Léautaud était devenu un vrai cynique. Mais les menues horreurs qu'il nous confie, au cours de son *Journal,* et qui ne paraissent singulières que parce qu'il les étale au grand jour (quelle vie sexuelle ainsi livrée ne serait horrible ?) ne dissimulent pas l'enfantillage de l'homme de lettres à l'état pur, de l'homme de lettres qui n'est que cela.

Le *Mercure* de ces années 1900 est un bouillon de culture où des insectes noirs, dans une odeur de papier et d'encre, frottent leurs antennes, ignorant tout du monde, hors les ragots de salles de rédaction, d'académies et de coulisses, hors les intrigues autour des premiers prix Goncourt.

Un petit monde qui se glorifie d'être sans morale et qui a tout de même ses vertus. Et d'abord l'esprit de pauvreté dont nous autres chrétiens faisons tout un plat. Mais dans ma jeunesse il fut pratiqué mieux que par beaucoup de chrétiens, y compris les clercs, chez une certaine espèce d'hommes de lettres qui ne se passionnait que pour la chose écrite. Il faut lire, dans le *Journal* de Léautaud, ce projet qu'il caressa longtemps avec Remy de Gourmont d'un voyage à Rouen : pour que ce rêve s'accomplît, il fallait d'abord que Léautaud pût disposer de cinquante francs. Ce ne fut pas une petite affaire que de réunir cette somme. Le récit du voyage, le chemin de fer, l'arrivée à Rouen, l'émerveillement à l'hôtel... En vérité, c'est une histoire de petit garçon, c'est ce que nous ressentions nous-même à dix ans lorsque nous partions pour les grandes vacances et que les cent kilomètres parcourus en train nous dépaysaient mieux que ne le ferait aujourd'hui le survol de l'Atlantique.

Un enfant, ce Léautaud, et qui a le goût de se déguiser, non pas en *cow-boy* ni en brigand, bien sûr ! Il s'agit pour lui de ressembler à ce qu'il admire en littérature. Ce devrait être Stendhal, son modèle en tout, mais il ne saurait ressembler à Stendhal : rien dans son aspect physique ne s'y prête. En revanche, le neveu de Rameau est un personnage que l'on peut composer à sa guise. Paul Léautaud, sordide et noir, le col graisseux, était tout de même un dandy. Il composait son type selon l'idée qu'il se faisait de ce qu'avait pu être un bel esprit débraillé du dix-huitième siècle, auquel il ajoutait des traits empruntés a la bohème romantique. Il y avait de l'acteur chez ce fils du souffleur de la Comédie-Francaise. C'était à la lettre un « grime ».

Cette idolâtrie de l'apparence, ce besoin d'exprimer par le dehors le personnage de l'homme de lettres, nous rend plus sensible, à mesure que nous lisons le *Journal* de Léautaud, l'incroyable indigence du dedans. Qu'est-ce qu'une vie littéraire sans l'œuvre qui en devrait être la raison et l'excuse ? L'ambition d'écrire une œuvre, même si elle se solde par un échec, devrait seule absoudre l'homme de lettres de cette indifférence au social qu'affecte Léautaud, de ce détachement du drame humain qui est la politique. Proust, ici, est exemplaire. Le devoir d'écrire son livre primait pour lui tous les autres. Tout ce qui l'en détournait était le mal à ses yeux. C'est la vérité de Proust, mais l'est-elle de ceux qui, tout en étant des hommes de lettres, ne portent rien en eux qui même de très loin ressemble à la *Recherche du temps perdu* ?

Parlant de ce devoir d'écrire son livre qu'il considère comme essentiel, Proust nous confie : « Que de tâches n'assume-t-on pas pour éviter celle-là ! Chaque événement, que ce fût l'affaire Dreyfus, que ce fût la guerre, avait fourni d'autres excuses aux écrivains ; ils voulaient assurer le triomphe du droit, refaire l'unité morale de la nation, n'avaient pas le temps de penser à la littérature. [...]. Seulement les excuses ne figurent point dans l'art, les intentions n'y sont pas comptées ; à tout moment l'artiste doit écouter son instinct, ce qui fait que l'art est ce qu'il y a de plus réel, la plus austère école de la vie et le vrai Jugement dernier. »

Mais Léautaud ne porte aucune œuvre, il n'a rien à dire depuis longtemps — hors ce qu'il observe en lui-même. Et qu'observe-t-il ? Qu'est-il donc ? Que reste-t-il d'un homme désintéressé de toute foi, de toute espérance métaphysique ou terrestre, et qui n'a pas non plus le goût des idées, et qui des passions du cœur semble tout ignorer et appelle amour les gestes furtifs de la sensualité ? Il ne reste rien, mais ce rien c'est le tuf même de l'homme de lettres qui n'est que cela. Il faudrait ici para-phraser Pascal et reconnaître qu'il est plus difficile d'atteindre le néant que le tout. Comme peinture de ce néant-là, le *Journal* de Léautaud a certes du prix, et c'est peut-être une œuvre considérable, et elle a sans doute plus de chance d'aborder aux époques lointaines que le roman-fleuve ambitieux auquel il n'a pas consacré sa vie et qui aurait sombré à coup sûr comme il arrivera à toutes ces armadas romanesques. Car en littérature on ne se sauve pas du néant par la masse. L'instinct de Léautaud ne l'a pas trompé. Sa paresse ne l'a pas trompé : il n'existera que parce qu'il a refusé d'être.

Chez Léautaud, chez ce vieil enfant déguisé en neveu de Rameau et qui essaie de nous faire peur, ce qui frappe, c'est la sensibilité refoulée, une sensibilité presque folle qui se délivre sur des chats, des chiens et des guenons. On peut caresser des chats à longueur de journée. On peut, à tout âge, sentir contre sa poitrine, sur ses genoux, la chaleur d'une bête. (Cela ne m'a jamais tenu chaud !) Les animaux ne savent pas que nous sommes vieux et que nous sommes devenus laids (aussi ne peuvent-ils nous en consoler, il me semble). Un cœur sensible, ce Léautaud ? L'écoutant à la Radio, un soir, je l'ai surpris en flagrant délit de tendresse. Il parlait de Jammes et de ce poème à la gloire de Jammes que composa un poète bien oublié aujourd'hui, Charles Guérin :

O Jammes, ta maison ressemble à ton visage...

Moi aussi, j'avais aimé ces vers, et comme André Lafon, comme Jean de La Ville, je les avais sus par cœur. A mesure que Léautaud les lisait avec les mêmes inflexions qui étaient les nôtres, sa voix le trahissait. Je ne pouvais douter que son visage ne ruisselât de larmes.

Ainsi aurons-nous à son insu, un soir, pleuré ensemble. Mais quoi ! N'est-ce pas à ce cynique Léautaud que les jeunes hommes de ma génération durent presque tous de découvrir la poésie moderne ? Son *Anthologie* m'a tout appris d'un seul coup quand j'avais dix-huit ans.

Ce pauvre a vécu dans la contemplation et la terreur de la mort : l'esprit de pauvreté et la pensée de la mort, ce sont deux routes qui mènent à Dieu, qui ont servi à tant consoler, il me semble). Un cœur sensible, ce Léautaud ! Comme il interrogeait les cadavres de ceux qu'il avait connus ! Avec quelle attention maniaque ! Quand il s'agit de son père, cette curiosité glacée fait horreur. Et pourtant l'étrange, c'est que nous nous détournions du cadavre et

que nous ne cédions pas tous à cette hantise de Léautaud
— ce vieux Narcisse obstiné qui, penché sur toute
dépouille, y cherchait avidement le reflet de sa propre
décomposition.

Ce voisin de campagne, que je retrouve ici pour les
vacances et qui aime la littérature, m'en parle avec une
sorte d'allégresse et d'avidité, comme un affamé qui a
enfin l'occasion d'apaiser sa fringale ; et moi, qui suis
heureux de retrouver un ami si fidèle, je mesure chaque
fois l'éloignement que j'éprouve à l'égard de ces ratio-
cinations qui sont miennes depuis que j'ai commencé de
lire pour mon plaisir, c'est-à-dire depuis ma septième
année. Car dès cet âge-là nous disputions, mes frères et
moi, des mérites comparés de la comtesse de Ségur et de
Zénaïde Fleuriot, avec la même passion que plus tard de
ceux de Corneille et de Racine, puis de Bourget et de
Barrès, pour atteindre enfin au stade que je n'ai plus
quitté où Baudelaire, Rimbaud, Mallarmé, Gide et Proust
nous inspirent des considérations sans cesse reprises et
rendent inépuisablement intelligents les mortels qu'ils ont
initiés à leur musique.

L'oubli, c'est ce que d'instinct nous redoutons, nous autres
auteurs. Mais il entre bien de l'irréflexion dans cette
crainte. Je suis persuadé de ce qu'un André Gide, un
Marcel Proust gagneraient à ce qu'un peu de silence enfin se
fît autour de leur œuvre et de leur histoire. Je souhaite-
rais que l'on ne nous en parle plus, qu'on nous laisse le
loisir de les oublier pour pouvoir les redécouvrir. Ce qu'ils
sont devenus par leur mort, nous le saurions mieux si les
commentateurs se taisaient enfin. Gide et Proust sont leurs
proies privilégiées. *L'Homme couvert de femmes,* c'est le
titre d'un roman de Drieu la Rochelle. L'auteur couvert de
critiques, cela existe aussi, le livre que les commentaires
étouffent.

J'en suis frappé surtout pour Gide, dont l'œuvre est elle-même commentaire et se ramène, pour le meilleur, à une explication de soi-même par soi-même. Sincérité dirigée, s'il en fût, où Jean-Jacques était déjà passé maître, mais dirigée, cette fois, par l'esprit le plus délié et le plus rusé, et qui ne nous laisse rien à ajouter — chaque lecteur demeurant libre d'y projeter son éclairage personnel, emprunté à l'Evangile, ou à Freud, ou à Nietzsche ou à qui vous voudrez, mais notre lampe de poche ne change rien au paysage humain buriné dans *Si le grain ne meurt*. La part de l'hérédité, celle de l'éducation dans le comportement sexuel de Gide, chacun là-dessus a son idée qui n'ajoute guère à la connaissance que nous avons de ce destin maintenant qu'il est achevé, ou plutôt que nous en pourrions prendre à loisir, si les commentateurs faisaient silence. « Suffit pour la loupe d'Anthime ! » Cette impertinence est de Gide lui-même dans *Les Caves du Vatican*. Quel critique s'écriera enfin : « Suffit pour la sexualité de Gide ! »

Mais Proust, lui, du moins, n'a pas écrit ses confessions : il nous laisse le champ libre... Oui, bien sûr. Il n'empêche que trop de gens s'en mêlent depuis quarante ans. Dès 1914, j'ai respiré, je me suis ébroué dans cette œuvre sur laquelle j'ai cru longtemps nourrir des vues personnelles. A l'aube de la gloire proustienne, vers 1922 ou 23, je me rappelle cette très vieille grande dame, ma voisine à un déjeuner, et qui me fit l'honneur de m'avertir qu'elle avait eu soin de prendre quelques nourritures avant de venir, pour pouvoir m'entendre à loisir lui parler de Proust. Elle mit ses gants dans son verre et tourna vers moi une petite figure terrible de buveuse de sang. J'avais de l'appétit alors et pour gourmand, je l'étais, comme un Bordelais mâtiné de Landais. Je pestais au-dedans de moi : « Me laisseras-tu déjeuner en paix, vieille Carabosse ! » Cependant je disais de mon ton le plus charmeur : « Proust, Madame, s'attaque à la personne humaine et la met en charpie... — En charpie ! », reprenait la buveuse de sang d'un air appliqué...

Que lui raconterais-je aujourd'hui ? Du côté de Guermantes comme du côté de Méséglise tout a été envahi et piétiné. Et j'accorde que Proust ne s'est pas livré à nous comme Gide, dans une confession directe et ininterrompue et qu'*A la recherche du temps perdu* comporte plus d'une interprétation. Mais se fût-il « anatomisé », nous n'en eussions pas moins ajouté, chacun, notre grain de sel : voyez ce qui se passe aujourd'hui à l'égard d'un Michel Leiris, par exemple, qui porte l'auto-investigation au-delà de ce que nous aurions cru possible et supportable. Et pourtant, sur Michel Leiris, qui dit tout de lui-même et devrait décourager le commentaire, le commentateur déjà pullule.

*
* *

Toute littérature oscille entre ces confessions de l'être replié sur soi et sur sa profonde boue où se dilue la personne qu'il aurait pu devenir, et les œuvres dites classiques, détachées de leur créateur, faites selon un canon inviolable et à l'imitation des grands modèles ; et les mêmes gaufres sortent indéfiniment des mêmes moules : nous refaisons les romans de Balzac comme Voltaire et ses épigones refaisaient les tragédies de Racine... C'est là une généralisation simpliste à l'usage des âmes simples. Mais ce qui compte ici est moins ce que j'écris que le sentiment qui me le dicte : ce détachement, pour ne pas dire ce dégoût, à l'égard de ce qui fut la grande affaire de ma vie. Car qu'ai-je fait moi-même, comme les camarades, sinon d'appliquer mon attention à des destins fixés dans des livres ? Nous appartenons tous, gens de lettres d'une certaine classe, à une espèce fort singulière de voyeurs : être écrivain, ce n'est plus tant créer des personnages ou raconter des histoires que traquer une vérité insaisissable à travers ce que d'autres ont raconté d'eux-mêmes pour le confronter à ce que nous croyons savoir de nous.

Si je m'en dégoûte aujourd'hui, ce dégoût, ce détachement, est peut-être le signe de l'imminence du suprême détachement. Nous nous retirons des œuvres étrangères à la nôtre comme de celles que nous avons nous-mêmes sécrétées. Mais de quoi, en esprit, ne nous retirons-nous pas ? Nous ne croyons plus à ce que nous lisons, ou plutôt nous y devenons étranger, comme d'ailleurs aux gestes rituels de notre personnage social.

J'ai paru dissipé à une dame, durant la dernière réception académique où, m'écrit-elle, Gaxotte et moi-même avions l'air d'écoliers qui bavardent parce qu'ils savent qu'aucun pion au monde n'a plus le pouvoir de leur infliger une retenue. Eh bien, ce jour-là, l'avouerai-je ? le public en face de moi n'était plus qu'une toile peinte, et les personnages pressés sur les gradins n'avaient pas plus de réalité que certaines peintures foraines des baraques de mon enfance. Les charmants beaux esprits en habit brodé, qui échangeaient des compliments ou qui faisaient pot de fleur en bordure de la piste, apparte-naient à un univers puéril ; ils sortaient d'une boîte à joujoux un peu poussiéreuse — comme si la vieille nation, jusque dans la sénilité et jusqu'à l'agonie, s'obstinait à jouer aux soldats et à la poupée. Si jamais elle devait rendre l'âme, ce qu'à Dieu ne plaise ! elle expirerait avec un académicien dans une main et un maréchal dans l'autre.

Il faut me pardonner cette amertume où la politique a plus de part que je ne saurais le dire ici. Par-delà toute politique le *tædium vitæ* nous prend à la gorge à certains tournants de la vie. Un immense reflux nous laisse démunis de tout sur une plage vaseuse, parmi des méduses mortes. Mais le Créateur n'est pas entraîné dans cette débâcle de la création. Dans ce bain de fiel la foi s'éprouve. Elle y demeure intacte et c'est elle qui agit et qui fait que toute cette amertume tourne finalement en douceur : car ces apparences qui s'écroulent, c'est de l'éternel amour qu'elles nous séparaient ; c'est cet amour qu'elles démasquent en s'effondrant.

XVI

Je relis Moll Flanders. *Le romancier s'anéantit ici dans son personnage.* — *Daniel de Foe se fait femme et voleuse.* — *Aussi seul que Robinson.* — Les Bostoniennes *d'Henry Jammes.* — *Freud a-t-il enrichi le roman ?*

J E ne relis guère aujourd'hui par une volonté délibérée : tout tient le plus souvent au hasard des rencontres. Je baguenaude à travers mes livres : « Moll Flanders... » Je la croise comme dans la rue, cette vieille voleuse de montres. Je pourrais faire semblant de ne pas la reconnaître. Qu'est-ce donc qui me décide à lui faire signe, à l'amener dans ma chambre et à réentendre l'histoire de sa vie que je n'avais pas eu le temps d'oublier ? Car je l'ai connu très tard, ce chef-d'œuvre de Daniel de Foe. C'est Edouard Bourdet, je crois bien, qui à Tamaris m'avait prêté la traduction de Marcel Schwob.

Mais voici précisément ce qui m'oblige à rouvrir le livre : une traduction nouvelle et plus complète m'est tombée sous la main, de M. Denis Marion, dont les commentaires dépassent le cas particulier de Moll Flanders et nous concernent tous, nous dont le métier est de raconter des histoires. M. Denis Marion assure en effet que Moll Flanders est Daniel de Foe, au sens où Flaubert disait : « Madame Bovary c'est moi. » Selon son nouveau traducteur,

Daniel de Foe aurait enrichi son héroïne de tout ce que lui inspirait sa propre tragédie.

Il se peut ; et pourtant, à relire cette exacte traduction, ce qui me paraît proprement miraculeux dans *Moll Flanders,* c'est qu'une femme s'exprime ici qui à aucun moment ne réagit comme ferait un mâle, qui ne dit jamais rien de ce que seul un homme pourrait dire. Cela est sans exemple dans l'histoire du roman qu'un romancier s'anéantisse en quelque sorte dans sa créature femelle.

Mais il faudrait d'abord poser une question qu'on ne pose jamais, de peur d'avoir l'air bête, je suppose. Que signifie : « Madame Bovary, c'est moi. » ? Cela ne va pas de soi et n'est pas aussi clair que s'en persuadent les chroniqueurs qui ont toujours ce mot à portée, dans leur corbeille à citations. Et puis Flaubert l'a-t-il écrit ? Et où ? J'ai dû le savoir mais je ne le sais plus. Il vaudrait la peine de se reporter au contexte, si contexte il y a. Je croirais plutôt qu'il s'agit là d'une boutade jetée au hasard d'une conversation.

En tout cas, je nie que Flaubert, songeant à la Bovary et à lui-même, ait cru à « un parallélisme mystique entre deux destinées » comme l'assure M. Denis Marion. Flaubert a voulu dire, simplement, qu'Emma Bovary était née de sa propre substance, de sa propre chair, que cette Eve pitoyable avait été tirée de sa côte. Les hommes de lettres n'ont pas attendu Freud pour prendre conscience de leurs refoulements et de tout le virtuel et de tout le possible dont leurs créatures les délivraient. Flaubert adolescent, tel qu'il s'exprime dans ses premiers écrits, nous voyons bien qu'il fut un jeune frère d'Emma. Elle est la caricature de ce qu'au départ il avait cru et attendu de la vie : elle incarne une immense espérance bafouée.

Rien de tel, il me semble, ne lie Daniel de Foe à sa voleuse. Mais ici peut-être la transposition est-elle délibé-

rée ? Pourtant, s'il a connu lui aussi la prison de Newgate,
ce fut en tant qu'homme mêlé aux grandes affaires, utilisé
par le roi, agent secret du premier ministre. A vrai dire,
il paraît bien qu'à la fin de sa vie il ait joué un double
jeu fort déshonorant, trahi ses amis, qu'il ait eu sa part de
honte, aussi large dans son ordre que celle de Moll Flanders, dans le sien. En tout cas, son chef-d'œuvre serait-il
le fruit d'une transposition volontaire, elle demeure invisible au point qu'il nous paraîtrait plus croyable d'admettre
que Daniel de Foe a eu entre les mains la confession d'une
aventurière, voleuse et catin authentique, ou qu'il a mené
quelque intrigue avec l'une d'elles et qu'il en a reçu la
confidence. Son art atteint à cette perfection de se confondre avec ce qu'il prétend imiter.

Même quand Moll Flanders prêche et se frappe la poitrine, c'est en professionnelle qu'elle le fait. Elle illustre
par son comportement cette loi de la perversité humaine
qu'il n'y a pas d'acte honteux, une seule fois commis, que
l'homme n'ait la tentation de commettre de nouveau,
quelque horreur qu'il en éprouve et quel qu'en soit le
péril.

En ce début du siècle, la peine de mort apparaissait
à tous l'institution la plus légitime et la mieux fondée,
et pour être pendu haut et court, à la satisfaction géné-
rale, il suffisait d'avoir volé une aune de drap. Or ce
risque ne retient pas Moll Flanders. Le mécanisme de l'enchaînement qui l'entraîne est en quelque sorte décomposé
sous nos yeux. Il nous est montré dans les faits et non par
des raisons. La voleuse ne plaide jamais, ne cherche
aucune excuse, pas même celle d'être née à Newgate. Elle
ne s'admire pas, ne se pose en victime de personne que
d'elle-même. Elle n'accuse pas la société. Aucun trait en
elle n'annonce Marion Delorme ou la Dame aux camé-
lias. Elle est vraie d'une vérité qui exclut tous les embel-
lissements comme tous les enlaidissements. Elle garde,
dans le comble de la perversité et du libertinage, un certain ton de bonne compagnie, qui est celui de l'époque, et

qui nous ferait croire que la vulgarité est née avec le faux dans les sentiments, c'est-à-dire avec le Romantisme.

Mais l'auteur de *Moll Flanders* est aussi celui de *Robinson Crusoé*. Selon M. Denis Marion, la solitude a été le drame de Daniel de Foe comme de tant d'hommes et de femmes, de presque tous les hommes et de presque toutes les femmes, et cette croix dominerait le destin de Moll Flanders.

Daniel de Foe m'est trop peu connu pour que je me permette d'y contredire. Ici encore la transposition, si elle existe, échappe au regard le plus attentif : il ne subsiste rien dans la solitude où se débat Moll Flanders qui ne soit celle d'une femme de sa condition, née en marge de toute catégorie sociale avouable, et qui travaille seule par choix et parce qu'elle sait ce qu'il en coûte d'avoir des complices. Solitude aussi de vieille femme — car l'histoire se poursuit par-delà le retour d'âge. Mais il ne fait pas drame. Le cri de Michelet sur « cet affreux supplice qu'est la vieillesse », Moll Flanders le trouverait bien ridicule.

Elle ne se plaint d'être seule que pour les inconvénients qu'elle y voit dans l'immédiat ; mais je ne crois pas qu'elle s'élève jamais jusqu'à des considérations telles que : « Quelles solitudes que tous ces corps humains ! » Peut-être, à certains tournants de phrase, pressentons-nous quelque orgueil de ce destin qu'elle ne saurait partager avec personne et de ses crimes dont quelques-uns sont involontaires, comme son mariage incestueux. Il reste qu'elle ne se drape pas dans ses fatalités. Simplement, cela la dégoûte de coucher avec son frère et elle le fuit sans faire de phrases et sans se prendre pour une Atride.

Moll Flanders ne s'élève jamais jusqu'à une idée tragique de la solitude dont je doute d'ailleurs qu'un homme de 1725 ait été capable. Où cette angoisse s'exprime-t-elle, avant Rousseau et les romantiques ? Chez Pascal ? Mais la

solitude humaine n'est, dans les *Pensées*, qu'un aspect
de la misère de l'homme sans Dieu. Il ne s'agit pas encore
de ce désert à l'échelle humaine où le héros romantique
s'enfoncera « seul témoin de sa gloire et de sa raison ».

Si le comble de l'art romanesque consiste pour le romancier, non pas même à se confondre avec un autre, mais à
devenir un autre, et plus encore, étant un homme, à devenir une femme, *Moll Flanders* est un chef-d'œuvre absolu.
Ce roman écrit en 1722 par un contrefacteur de confessions et de mémoires qui sans doute ne songeait qu'à
gagner quelque argent, ce n'est pas assez dire qu'il ouvre
la voie au roman contemporain et lui donne le caractère
qu'il a conservé depuis ; Daniel de Foe atteint ici une
perfection qui, dans son ordre, n'a jamais été dépassée :
je ne vois pas d'autre exemple où la confession inventée
rende à ce degré le son de l'authentique — ce qui m'incite
à croire, sans d'ailleurs aucune preuve, que de Foe a eu
une liaison intime avec quelque gibier de potence, quelque
catin de haut vol, et que le romancier a recueilli sur l'oreiller cette confidence qu'un romantique eût poussée au
noir, mais qui n'est que divertissante en ce siècle où chacun se tient encore pour responsable de ses actes, ne
songe ni à s'en glorifier ni à s'en noircir outre mesure, et
ne s'en indigne pas lorsque le moment est venu d'en payer
le prix.

Passer de Foe à Henry James cela fait partie des fêtes
que je me donne, dès que j'ai regagné ma province.

Les Bostoniennes, le dernier roman de Henry James
traduit en France, date de sa jeunesse et, si attachant qu'il
soit (en fait, plus abordable que les romans de la maturité), il ne me semble pas être celui qui nous aiderait le
mieux à prendre une vue d'ensemble de cette œuvre
romanesque très singulière, où je ne crois pas que Marcel
Proust ait jamais pénétré ; elle n'en constitue pas moins le

premier contrefort, au dix-neuvième siècle, du massif proustien.

Mais la lecture des *Bostoniennes* m'a entraîné à me poser de nouveau la question : Freud a-t-il enrichi le roman ? Les œuvres qui précèdent le freudisme et *A la recherche du temps perdu* paraissent-elles sommaires et superficielles auprès de celles qui ont suivi, où la sexualité règne et où toutes les sortes d'amours osent dire leur nom ?

Si nous nous en rapportons à la prière d'insérer des *Bostoniennes*, Henry James a voulu ici nous introduire dans un groupe féministe de la société de Boston, durant les années 80, alors que la mode était de se passionner pour l'émancipation des femmes. Il n'y a rien là, convenons-en, qui puisse retenir un lecteur d'aujourd'hui ; et si, en fait, ce roman excite fort notre intérêt, c'est pour des raisons où le féminisme n'a rien à voir.

De quoi s'agit-il dans *Les Bostoniennes* ? Une grande bourgeoise montée en graine, Olive Chancellor, s'éprend de la petite Véréna, d'un milieu social inférieur au sien mais merveilleusement douée pour la parole. Olive a résolu de mettre le don de sa jeune amie au service de la cause féministe. Le roman est l'histoire de cette emprise jalouse : Véréna se trouve à la lettre tenue dans les serres d'Olive, espèce de rapace femelle ennemi des hommes et qui défend contre eux, et jusqu'à la furie, sa proie ravissante — contre l'un d'eux surtout, mais ce garçon du Sud aux larges épaules finalement l'emportera.

Or voici l'étrange : à aucun moment du drame, son aspect sexuel n'est abordé ni même posé, fût-ce par la plus discrète allusion. Il n'est partout question que d'une amitié passionnée dont les éclats n'embarrassent pas plus celle qui l'éprouve que celle qui en est l'objet. Cette fureur ne suscite pas le scandale et ne déchaîne la malignité du monde ni à Boston ni à New York. Aucune allusion malveillante autour de ce couple. En somme le roman pourrait être écrit par quelque innocent qui n'aurait jamais entendu

parler de Gomorrhe — mais ce n'est pas assez dire —
qui eût vécu dans un monde où ce vice n'aurait pas été
connu. Au vrai, la société victorienne, celle de Henry
James, avait pris à la lettre, non parce qu'elle était vertueuse mais parce qu'elle était hypocrite, le conseil de
l'Apôtre : « Qu'il ne soit pas question de ces choses entre
vous. »

S'il en avait été question dans *Les Bostoniennes*, si Olive
Chancellor n'avait pas été cette fille vertueuse, ou si, tout
en se gardant du crime, elle avait pris conscience de ses
penchants et de leur singularité, l'œuvre y aurait-elle
gagné en profondeur ? C'est un fait qu'un roman comme
Les Bostoniennes, exempt de toute physiologie, donne
l'étude la plus poussée que je connaisse de ce combat sca-
breux entre un garçon et une amazone, et dont une petite
fille est le prix. Le féminisme, évident, sert d'alibi non
seulement aux personnages, mais à l'auteur et à ses
lecteurs anglo-saxons de 1886. A l'abri de cette fiction,
tout nous est dit, non de ce que peuvent faire d'horrible,
mais de ce que ressentent deux femmes et un homme
également nobles, engagés dans un conflit de cet ordre.

Que l'entrée en jeu du problème sexuel n'eût rien ajouté
au roman, mais qu'il l'eût au contraire appauvri, c'est ce
qu'on pourrait soutenir — et que l'invasion de la sexualité
est peut-être l'une des raisons de la décadence du genre
romanesque. A quoi beaucoup opposeraient que cette invasion n'a en fait détruit que le roman psychologique traditionnel dont la veine était épuisée et qu'elle a assuré
au contraire à l'art du récit un prodigieux renouvellement.

On en peut discuter. Pour moi, j'incline à penser que
l'obsession sexuelle est simplificatrice et qu'elle atteint le
roman à sa source, puisqu'elle tend à la destruction de
ce réseau d'interdits qui, au-dedans de l'homme, comme
au-dehors, dans la société et singulièrement au sein de la
famille, se dressent contre la passion, surtout contre cette
passion-là.

« Parlez pour les écrivains de votre âge, protesteront mes cadets. Nous avons changé tout cela. Il ne signifie rien de dire que la sexualité a envahi le roman. Elle n'y règne que dans la mesure où elle occupe nos personnages : ce qui ne dépend pas de nous et que même nous devons ignorer, car nous ne savons rien d'eux, hors les gestes qu'ils font, les choses qu'ils voient, les paroles qu'ils disent. Tout ce que l'exemple des *Bostoniennes* vous autorise à affirmer, c'est que dans le cadre du roman psychologique traditionnel soigneusement machiné et où la personne humaine est décrite à la fois du dehors et du dedans par un romancier qui cerne son modèle d'un trait net, qui en définit et qui en fixe arbitrairement le caractère, les considérations d'ordre sexuel sont la chose du monde dont il peut le mieux se passer. Le portraitiste dispose à sa guise de son modèle ; il l'habille et l'éclaire comme il l'entend ; et puis il agence le drame dans lequel il a résolu de précipiter sa victime. »

Ces propos que je prête à un cadet imaginaire nous aident à délimiter la place de Henry James aux frontières de deux époques. Graham Greene a écrit de lui que « son dessein majeur a toujours été la dramatisation... » Ce qui rattache l'auteur des *Bostoniennes* à la tradition du roman classique ; mais Graham Greene ajoute aussitôt : « qu'il a porté un soin tout particulier à éviter les déclarations personnelles... » Et, par ce trait, Henry James annonce la technique qui s'impose aujourd'hui.

Mais ceci nous entraîne bien loin de la question posée : le caractère obsessionnel de la sexualité a-t-il été pour le romancier enrichissant ou appauvrissant ? Il serait intéressant de limiter le problème à deux œuvres significatives, très différentes l'une de l'autre, mais édifiées toutes deux au bord de la même mer Morte : l'œuvre d'André Gide et celle de Marcel Proust.

Il m'a toujours paru que le roman de Proust, en tant que roman, n'atteint à la perfection que jusqu'au moment (à partir de *La Prisonnière*) où le cancer sexuel, longtemps

16

dissimulé, éclate enfin, se généralise et finit par altérer sinon par détruire tous les personnages, au point de ne plus laisser subsister d'intact que l'auteur lui-même, qui se dresse seul sur les ruines admirables de son propre roman et le sauve.

Quant à André Gide, maintenant qu'il n'est plus là et que nous pouvons embrasser d'un coup d'œil cette œuvre et ce destin, nous mesurons mieux jusqu'où l'unique préoccupation qui les a dominés les a en même temps rétrécis. L'ambition goethéenne de Gide nous rend par contraste plus dérisoire cet appauvrissement causé par une insurmontable et très basse obsession.

Plus j'y songe et plus je me persuade que l'esthétique appelle l'éthique. La maîtrise : c'est la même loi qui s'impose à l'artiste et à l'homme. Tu domineras ton œuvre dans la mesure où tu auras dominé ta vie.

XVII

*Naturalisme pas mort. — Le Romantisme : évasion avortée.
— Sauf à titre individuel. — Retour au pâturage naturaliste.
— Mes contradictions à ce propos. — La nature et la grâce. —
Une lettre de Gide en 1928 à propos de ma Vie de Jean Racine.
— Textes anciens. — Clefs perdues et retrouvées. — Un per-
sonnage dont je ne raconterai jamais l'histoire.*

L A connaissance que j'ai de l'auteur argentin Jorge Luis
Borges date d'hier et même d'aujourd'hui. Il est trop
tôt pour que j'en puisse rien dire de valable. Mais
cette lecture m'a donné des écrivains français de ma génération une vue singulière : quels lourdauds nous sommes
presque tous ! Un Ariel comme ce Borges — un Ariel,
d'ailleurs trop malin, à mon gré, qui a plus d'un tour dans
son sac et dont l'érudition ressemble parfois à de la poudre
pour les yeux — cette espèce de Kafka qui ne prendrait
pas son labyrinthe au tragique et qui s'y perdrait et nous
y perdrait à sa suite avec délice — m'ouvre les yeux sur
cette évidence que presque tous, en France, nous n'avons
cessé de ruminer dans le pâturage naturaliste.

Une histoire de la littérature contemporaine pourrait se
ramener aux tentatives d'évasion hors de ce morne enclos

où les descendants de Balzac, de Flaubert, de Zola.
broutent la même herbe depuis cent ans. Et pas seulement
eux, mais aussi la postérité d'Adolphe et de Lucien
Leuwen. Car il existe un naturalisme psychologique, prisonnier de ce qui est, plus lié peut-être à ce qui relève de
l'observation et de l'analyse que le naturalisme voué à
l'apparence des choses. La race de Jean Racine, spécialisée
dans « le cœur humain », est la plus fidèle aux idées
claires, aux discours bien ordonnés, et la plus ennemie de
tout délire.

Hugo a cru délivrer l'art de toutes les conventions du
pseudo-classicisme pour atteindre le vrai. En fait, l'histoire
du romantisme français est celle d'une évasion manquée,
hors du réel. Par ce qu'il a de pire, par son théâtre, il
n'échappe à ce qui relève de l'observation que pour donner dans le clinquant et dans le creux ; et par ce qu'il a de
meilleur, sa poésie lyrique, il en demeure à l'effusion des
sentiments les plus ordinaires et tout de surface : la tristesse d'Olympio est la chose du monde la plus commune et
la mieux partagée.

Echapper au réel apparent pour atteindre une réalité
plus secrète et plus vraie, telle était la confuse aspiration
romantique, qui n'a trouvé son accomplissement que dans
l'aventure de quelques poètes, non certes maudits, comme
quelques-uns ont été appelés, objets au contraire d'une
élection très singulière, car on pourrait les compter sur
les doigts.

Si le romantisme français est en gros une tentative d'évasion avortée, des évasions individuelles auront du moins
réussi : celle de Nerval, celle de Baudelaire à qui Edgar
Poe avait livré une clef, celle de Mallarmé que M. Teste
a suivi, celle de Lautréamont et de Rimbaud derrière
lesquels les derniers surréalistes s'essoufflent. Toutes ces
routes divergent et ne détiennent en commun que ce
caractère d'être des voies d'évasion et d'attirer, dans
chaque génération, ce qui s'appelle l'avant-garde.

Mais le gros de la troupe finit toujours par regagner les

pâturages connus de la vie telle qu'elle apparaît et des hommes tels qu'ils semblent être. Non que la tentative d'évasion s'interrompe jamais. D'autant que des appels viennent du dehors. Les influences étrangères vont presque toujours dans le sens antinaturaliste : Kafka, Faulkner. A noter pourtant que le songe, depuis Freud, ne relève plus de la fantaisie, que l'irréel n'est plus son domaine et que la clef des songes n'ouvre plus sur le pays des merveilles. Le rêve se découvre au contraire à la source de la réalité la plus charnelle à la fois et la plus spirituelle.

Le nœud de ces contradictions, je le retrouve, au-dedans de moi. Quand j'interroge ma propre histoire, je veux dire l'histoire de ma sensibilité, j'observe que le don poétique de l'enfance, le pouvoir de transfiguration et de dramatisation était chez moi porté à l'extrême, je vivais au centre d'un univers à la fois délicieux et redoutable ; mais, fou de lecture, je n'avais aucun goût pour les contes de fées. Si une grande personne me racontait une histoire, je m'inquiétais d'abord de savoir si c'était « pour de vrai ». Il fallait que ce fût arrivé, ou du moins que ce pût être arrivé Le pays des merveilles, j'exigeais qu'il fût peuplé des choses et des êtres tels que je les voyais et les affrontais. Je refusais les nains et les géants. Rien ne m'intéressait que ce qu'aurait pu atteindre cette petite main tachée d'encre.

Ici, sans doute, faut-il compter avec la religion qui pénétra mon enfance et l'investit de partout : du dehors, par la liturgie, par ses observances, par les jalons étincelants de ses fêtes qui divisaient l'année, et dont le feu se confondait avec les bougies de la crèche, avec l'odeur vernale des vacances de Pâques, et celle des Pentecôtes déjà brûlantes. Du dedans, par l'habitude prise très tôt de parler à quelqu'un qui est là et qu'on ne voit pas, et qui nous voit, et envers qui nous sommes comptables de nos moindres

pensées. Par-dessus tout, régnait sur cet univers le drame
du salut, l'angoisse des commentaires faits à mi-voix touchant la mort des grands-parents « qui ne pratiquaient
pas », ce risque d'une éternité jouée à chaque instant, à
la merci de ce péché qui, pour un petit garçon, ne pouvait tenir qu'à des vétilles, mais comment l'aurait-il su ?

J'en reviens à mon propos : je crois que la pratique religieuse, dès l'enfance, m'a imposé le goût du songe qui
serait vrai, d'un invisible réel. Que la nature soit pénétrée
de grâce, je l'ai éprouvé, je l'ai vécu avant d'avoir su ce
que signifiait grâce et ce que signifiait nature.

Plus tard, mon horreur d'un univers comme celui de
Zola, par exemple, n'a pas tenu à ce qu'il montrait, mais à
ce qu'il ne montrait pas. Ce qu'il écrivait m'eût moins
rebuté si l'invisible n'avait pas été non seulement absent
mais nié. Je n'ai jamais eu besoin que cet invisible y fût
affirmé pour respirer à l'aise dans un univers romanesque.
Qu'il demeure possible me suffit ; qu'aucune porte ne soit
condamnée. Qu'y a-t-il de plus matériel que l'univers
balzacien et de moins perméable à toute grâce chrétienne
que le monde proustien ? Mais ni l'un ni l'autre ne nie cet
envers (ou cet endroit) de l'histoire humaine qu'il raconte.
Simplement ils l'ignoraient (habituellement, non pas toujours). Cela suffit à un lecteur de ma race pour imaginer
les prolongements, pour ménager des ouvertures au souffle
de l'esprit, à ce grand vent de Pentecôte sans lequel il n'est,
pour le chrétien, que des mondes morts.

Dans la mesure où nous croyons que la nature est pénétrée de grâce et que « tout est grâce » comme l'a dit Thérèse de Lisieux, des années avant le curé de campagne de
Bernanos, c'est bien au cœur de la nature que jaillit toute
poésie. Les grandes œuvres romanesques en sont la preuve,
de qui relève la poésie la plus humaine, celle qui n'est pas
liée au seul langage, ceux-là le savent qui ne se lassent pas
de relire dans *Illusions perdues,* la rencontre de Vautrin
et de Rubempré, ou *Un amour de Swann,* ou qui ont follement aimé Natacha Rostov. Un héros de Jorge Luis

Borges déchiffre une obscure vérité en interprétant les rayures d'un pelage de tigre. Les naturalistes ne se trompaient pas en croyant que cette vérité est inscrite dans les plus pauvres regards et dans les gestes les plus humbles et que ce souffle qui émeut le platane au-dessus de mon front en ce moment où j'écris connaît tout le secret du monde. Mais ils ont nié qu'il y eût un secret. Nous ne demandons pas au romancier de rien affirmer. Nous convenons même que de sa part toute affirmation est redoutable et risque de détruire son œuvre. Nous lui demandons seulement de ne rien nier de ce qui pour nous est esprit et vie. Le roman naturaliste est mort de cette négation.

Mais moi, chrétien et romancier, quelle figure fais-je dans ce débat ?

Le 7 mai 1928, André Gide publia une lettre qu'il m'adressait et dont je fus d'abord enchanté. Ma *Vie de Jean Racine* en était le prétexte : « C'est vraiment un livre admirable, m'écrivait Gide. Je n'use guère de ces mots pour qualifier des œuvres d'aujourd'hui. » Que de fleurs ! Trop de fleurs. J'aurais dû me douter qu'un aspic s'y dissimulait : je ne l'avais pas encore découvert que déjà j'étais piqué.

« En somme, poursuivait Gide, ce que vous cherchez, c'est la permission d'être chrétien sans avoir à brûler vos livres ; et c'est ce qui vous les fait écrire de telle sorte que, bien que chrétien, vous n'ayez pas à les désavouer. Tout cela (ce compromis rassurant qui permette d'aimer Dieu sans perdre de vue Mammon), tout cela nous vaut cette conscience angoissée qui donne tant d'attrait à votre visage, tant de saveur à vos écrits, et doit tant plaire à ceux qui, tout en abhorrant le péché, seraient bien désolés de n'avoir plus à s'occuper du péché. » Et ce dernier trait pour finir : « C'est avec les beaux sentiments qu'on fait de la mauvaise littérature. La vôtre est excellente, cher Mauriac. Si j'étais plus chrétien, sans doute pourrais-je moins vous y suivre. »

Je corrige en ce moment les épreuves de la réponse que je fis à André Gide, non pas une lettre mais un livre : *Dieu et Mammon*. Ce titre d'avance résume l'ouvrage ; il faut mettre l'accent sur la conjonction, sur le « et » qui marque bien que je n'ai pas cherché ici à opposer deux cultes antagonistes, mais que j'ai voulu les montrer s'affrontant dans un cœur incapable de choisir.

Dieu et Mammon avait paru dans une édition de demi-luxe (Le Capitole) depuis longtemps épuisée. La maison Grasset le reprend aujourd'hui. Près de trente années ont passé sur ces pages oubliées et dont moi-même je n'avais gardé qu'un souvenir confus. Je les redécouvre comme je trouverais une clef perdue, car c'est bien d'une clef qu'il s'agit. Je n'ai rien écrit sur moi-même qui s'enfonce aussi profond dans mes propres ténèbres que les chapitres II, III et IV de cet opuscule. Je ne me suis nulle part découvert à ce degré. Ainsi un ouvrage épuisé et à peu près inconnu se révèle à nous soudain comme ce que nous avons peut-être écrit de plus important pour ce qui touche à notre propre histoire.

J'accorde qu'il y a du ridicule à sembler ne pas mettre en doute que notre histoire puisse paraître un jour importante à quelqu'un. Mais quoi ! c'est un fait qu'il n'y a guère d'exemple qu'un écrivain, s'il s'est beaucoup confié, beaucoup livré durant sa vie, ne devienne après sa mort l'objet des préoccupations et des recherches de quelque âme fidèle. Une religieuse des Etats-Unis m'écrivait l'autre jour à propos de René Schwob, dont elle traduit un ouvrage et à qui elle a consacré une thèse. J'ai été heureux de penser que les livres de notre ami René Schwob, qui paraissent ici oubliés, avaient abordé une rive lointaine et qu'il s'était trouvé une sainte femme pour les y recueillir.

Ainsi avons-nous tort de juger comique la certitude qui éclate chez nos confrères touchant la pérennité de tout

le papier qu'ils ont noirci. Et moi-même, je tourne et
retourne celle clef perdue et retrouvée qu'est *Dieu et
Mammon,* et je ne crois pas céder à la vanité en songeant
qu'après moi d'autres s'efforceront de la faire jouer dans
la serrure.

Je ne me retiens pas de me poser une première question
au sujet de ces pages qui me brûlent encore. A-t-il donc
suffi d'une moquerie de Gide pour qu'elles jaillissent ? Il y
aurait là matière à un beau développement et bien propre
à l'édification : on y verrait la Grâce utiliser le plus libertin des auteurs pour obliger l'un des plus dévots (en apparence) à manifester son désarroi et sa misère, pour l'amener à se reprendre et pour le remettre en selle. C'eût été
amusant à développer, mais n'aurait correspondu qu'à une
demi-vérité. Si la lettre de Gide me mit la plume à la
main, elle ne suscita pas les sentiments qui affleurent ces
pages. Au vrai, la provocation gidienne coïncida avec un
état de crise que j'ai subi, la quarantaine passée, en ce
milieu du chemin de ma vie.

La fin de la jeunesse est une vieillesse anticipée. Elle
comporte un trouble qui lui est propre et qui pourrait
être attribué au « démon de midi » s'il n'était fort différent de ce que Bourget a décrit et de ce que l'on désigne
en général sous cette étiquette. Mais enfin il est vrai que
les appels de la vie, les mouvements de la nature en nous
se fortifient, à cette heure-là, de la certitude que tout va
bientôt finir, que tout est déjà fini.

Gide intervenait au moment d'un combat douteux. Si
j'avais dû renoncer à la foi chrétienne, l'heure en était
venue, comme on le voit bien dans les pages intitulées
Souffrances du chrétien, parues quelques mois plus tôt
à la *Nouvelle Revue Française.*

Un combat en apparence douteux, mais qui en fait
ne l'était nullement. Si *Dieu et Mammon* a un sens, c'est
bien celui-ci : alors que la plupart des hommes nés dans
le christianisme s'en détachent aux abords de l'adolescence et désertent sans débat, il s'en trouve un petit

nombre tout aussi attirés par le monde et non moins
capables de toutes les passions, qui n'arrivent pas à s'en
évader et qui, à la faveur d'une crise plus forte que les
autres, leur jeunesse finie, prennent conscience que rien
pour eux ne se passera jamais qu'à l'intérieur de cette
religion qu'ils n'ont pas choisie et à laquelle ils n'appartiennent que parce qu'ils y sont nés.

Cette vue est appliquée non seulement à moi-même mais
à Arthur Rimbaud, dans *Dieu et Mammon*. C'est une grille
qui m'aide à déchiffrer le destin de Rimbaud, à lui découvrir une signification aussi vaine peut-être que les monstres
et que les figures de dieux qu'il nous plaît de sculpter
dans les nuages. Pourtant, je me souviens que Charles
Du Bos attachait beaucoup de prix à ces pages sur Rimbaud. A les relire, j'ai envie de me dire à moi-même,
comme au jeu de cache-mouchoir : « Tu brûles ! »

Dieu et Mammon, au centre de mon œuvre et de ma vie,
est un foyer recouvert de cendres mais d'où ont jailli des
flammèches, et le feu reprenait un peu plus loin. Aussi
ai-je réuni sous ce titre, dans l'édition que publie la maison Grasset, des textes qui procèdent du même esprit, et
que pénètre la même angoisse du milieu du chemin de la
vie : *Souffrances et bonheur du chrétien* d'abord, et puis
les commentaires que j'avais écrits pour un album de pho-
tographies de Jean-Marie Marcel prises à Malagar, et que
j'avais intitulés *Les Maisons fugitives*, et enfin *Hiver,* qui
figure avec des textes de Colette, de Gide et de Jules
Romains, dans un volume d'étrennes, sur les saisons.

Rédigés à des époques différentes dans l'intervalle d'une
dizaine d'années, tous ces écrits font écho à un combat qui,
s'il a perdu peu à peu de sa violence, ne s'interrompt
jamais tout à fait et la vieillesse même ne l'arrête pas ;
elle nous en éloigne seulement : d'un promontoire qui
domine l'océan et la nuit, nous tournons parfois la tête
du côté de la plaine où se poursuit une bataille de fan-
tômes ; mais nous n'y intervenons plus que par la pensée
et par le désir.

Un seul ouvrage recueilli dans ce même volume ne se rattache pas à la crise de midi : *La Vie et la Mort d'un poète* (André Lafon) est très antérieur, puisque cette biographie date de 1924. Je ne l'ai introduite ici que parce que, aujourd'hui épuisée, elle n'aurait guère de chance de faire seule une nouvelle carrière. Ce petit livre a été transporté à bord, non qu'il soit aussi un texte-clef, mais comme j'eusse pris avec moi, au moment de m'embarquer, une vieille photographie un peu effacée, de celles dont, après nous, les survivants qui feuillettent l'album de famille demandent : « Qui était-ce ? ». Ce cœur qui bat, cette voix étouffée, d'autres que moi sauront-ils les entendre, quand je ne serai plus là ?

Pour en revenir à *Dieu et Mammon,* le compromis dont Gide se moque, il apparaît bien à travers ces pages que je ne m'y suis jamais résigné. Je pressentais déjà ce que je sais aujourd'hui : c'est que le conflit entre le Christ et le monde ne souffre pas d'accommodement. Le journal de Kierkegaard, que je lis en ce moment, raconte ma propre histoire. « La difficulté d'avoir été élevé dans cette religion, écrit-il, c'est qu'on a eu une impression constante de sa douceur, qu'on a presque frayé avec elle comme avec une mythologie — et ce n'est que dans un âge avancé qu'on en découvre la rigueur... » Trop tard ? Non, c'est le secret de la Grâce : il n'est jamais trop tard. Le temps n'existe pas. Et tout l'amour de tous les saints peut tenir dans un soupir.

Ceci donne raison à Gide : plus j'approche de la mort, et de Dieu, et moins je cède à mon démon romanesque.

Les romans qu'un vieux romancier n'écrit plus, il les rêve. Les personnages auxquels autrefois il eût imposé une famille et un nom et qu'il eût situés à un intervalle de temps et d'espace, et dont il aurait étudié le comportement face à une situation donnée, ces personnages ne s'évadent plus des limbes d'une imagination qui ne se veut plus créatrice. Ils y demeurent, insectes arrêtés à un moment de leur métamorphose, larves dont le papillon sera à jamais inconnu.

Mon propos n'est pas de m'interroger sur les raisons qu'a ce romancier de ne plus écrire de romans — du moins à cette minute de sa vie ; car tout peut rejaillir demain, et la fontaine recommencer de couler. Pour l'instant, s'il se tait, ce n'est pas lui qui a changé, ni ses dons qui ont fléchi, ni son pouvoir sur une certaine famille d'esprits répandue dans le monde et qui lui demeure fidèle. Mais l'époque, mais l'atmosphère de l'époque n'est plus aussi favorable à l'éclosion des germes dont il est porteur. Une œuvre romanesque ne croît et ne s'épanouit qu'avec la complicité d'une génération. On pourrait rêver là-dessus. Aujourd'hui, un seul personnage hante notre romancier : un personnage dont il n'écrira pas l'histoire. Cet être non encore incarné, ni situé, cette pré-créature, si j'ose dire, qui n'a pas de visage et qui n'en aura jamais, j'essaye de me le figurer. Il m'apparaît très différent des créatures si charnelles qui peuplent mes livres : lui, il est comme dégagé, délesté du poids de la chair.

Cette sorte de tremblement, de frémissement que les passions du cœur imposent aux héros de nos livres et qui les empêchent d'être attentifs à rien d'autre, ce qui l'éveille, c'est le bruit que fait en nous notre propre jeunesse tant qu'elle dure — et Dieu sait si elle dure au-delà de toute raison ! Or il n'en subsiste rien dans ce personnage que j'imagine aujourd'hui : débordant de la même force que dans la jeunesse, mais qui se trouve soudain disponible parce qu'aucune passion ne la confisque plus. Jamais il n'a été si fort parce que jamais, dans l'ordre du sentiment, il ne s'est trouvé si libre. Et voici où serait le nœud du roman que j'imagine : cet homme totalement libéré des passions serait, en fait, plus ligoté que ne le fut Gulliver à Lilliput, par les obligations auxquelles il se serait laissé asservir durant une longue existence où tout ce qui se décroche au haut du mât de cocagne lui serait venu dans la main, sans qu'il ait eu à faire aucun autre effort que d'être lui-même et que de plaire.

Délivré des passions et de la tragédie des sentiments dans laquelle il aurait été jusqu'alors engagé, ce personnage, ligoté par les honneurs, deviendrait uniquement attentif à l'autre drame qui se joue sur un autre plan que celui des passions du cœur, et où des intérêts sont seuls aux prises. Non que je l'imagine jeté dans un débat dont la politique serait le thème. Rien ne me tente moins qu'une fiction où deux conceptions du monde s'affronteraient. La lucidité de ce vieil homme serait requise par un autre conflit — sur lequel, tant que nous sommes jeunes, nous nous gardons d'arrêter notre esprit : et maintenant mon personnage en serait hanté et obsédé au point qu'il ne pourrait plus rien voir d'autre que ce monstrueux assemblage, dans presque toutes les vies, de principes affichés et d'une conduite qui les nie, sans que personne s'en indigne ou en ressente de la gêne.

La règle du jeu social, qui exige d'être aveugle, il la violerait par son seul regard arrêté sur les êtres et sur leur comportement ; il violerait la règle du jeu, non par une grâce venue d'en haut, simplement il décrirait, à mesure qu'il lui apparaîtrait, le mensonge indéfiniment reproduit dans la trame des rapports humains. Ce n'est pas une belle âme que j'imagine, ni un redresseur de torts, mais quelqu'un que la vieillesse rend soudain disponible, et dont le désir — il ne désire plus rien — ne s'interpose plus entre ce qu'il voit et ce qui est et ne le colore plus et ne le déforme plus.

Ceci ajouterait du piquant à l'histoire s'il se mouvait, cet être dont je rêve, parmi les milieux qui sont les nôtres, si artiste, écrivain, il appartenait à l'une de ces professions que Valéry qualifiait de « délirantes » : « Je nomme ainsi tous les métiers dont le principal instrument est l'opinion que l'on a de soi-même, et dont la matière première est l'opinion que les autres ont de vous. Les personnes qui les exercent, vouées à une éternelle candidature, sont nécessairement toujours affligées d'un certain délire des grandeurs qu'un certain délire de la persécution traverse et tourmente sans répit. » Et Paul Valéry complétait sa pensée par ce trait horrible : « Ils fondent chacun son existence sur l'inexistence des autres, mais auxquels il faut arracher leur consentement qu'ils n'existent pas. »

Or ces damnés de la littérature et de l'art, tels que Valéry les dépeint, témoignent pour la plupart de l'attachement à des principes : ils sont communistes ou nationaux, chrétiens ou athées. Que sais-je ? Quoi qu'ils professent, tout s'ordonne dans leur vie en fonction de leur unique et très secrète pensée : leur personnage et ce qu'ils appellent leur œuvre.

Ce vieux héros que j'imagine pourtant devrait se heurter tout à coup à quelqu'un qui serait différent et qui échapperait à la Règle, et dont un principe (religieux ou révolutionnaire) serait la vie même : ainsi la sainteté ferait irruption dans le livre, sauterait en quelque sorte à la figure de mon vieillard, l'obligeant à arrêter sur sa propre contradiction cet œil implacable, jusqu'alors attentif uniquement à celles des autres ; alors il se ferait horreur. Ce serait lui-même que, finalement, il ne pourrait plus supporter.

Ici, la mort envahit mon histoire. Sous quelle apparence ? C'est un rond-point où ma pensée hésite : suicide, ou retournement de tout l'être vers Dieu — Dieu à la fois servi à travers sa créature souffrante, et appréhendé directement grâce à l'oraison. Suicide ou conversion : refus en tout cas de la tricherie commune. Si la sainteté apparaît quelquefois dans le roman, rien n'a été écrit de valable sur le suicide, du moins sur ce suicide-là, auquel l'homme est poussé non par quelque catastrophe de sa vie, mais par la vie elle-même, devenue une impossibilité en soi. L'incident qui déclenche, chez le suicidé que j'imagine, la volonté d'en finir et lui fait préférer le néant à l'être, ne joue que parce que chez lui ce refus total existait déjà, du mensonge inextricable dans lequel la mouche humaine se trouve prise.

A ma connaissance, le Dostoïevsky des *Possédés* et Georges Bernanos ont seuls, dans le roman, pressenti la vraie nature de cette fureur homicide que la créature retourne contre elle-même. Mais moi, je redoute ces sombres bords où m'entraîne le personnage que j'imagine et dont je ne connais pas l'histoire.

Eussé-je essayé de la raconter, j'ai l'expérience de ce qui, presque à coup sûr, se serait produit : d'autres visages plus rassurants auraient surgi, une autre aventure se serait nouée, sans aucun lien discernable avec celle du vieillard qui soudain se fût évaporé — comme s'il n'avait été conçu que pour amorcer un autre drame que le sien. Peut-être chacun des romans que nous avons publiés en masquait-il un autre qui aurait été notre vrai livre, le livre qui ne sera jamais écrit.

J'interromps ici ces mémoires. Ils auront une suite, si ma vie intérieure en a une, — la seule vie qui vaille d'être racontée — et si je garde mes yeux, et si je puis continuer de remonter le cours du temps à travers mes lectures d'autrefois.

INDEX

Les noms des personnages sont en petites capitales, les noms précédés d'un astérisque désignent des personnages fictifs (de romans ou autres œuvres).

17

IMPRIMERIE DE LAGNY
EMMANUEL GREVIN ET FILS
- - - - - 10-1959 - - - - -

Dépôt légal : 2e trimestre 1959.
Flammarion et Cie, éditeurs No 3966. — No d'Imp. 5960.